Son et Sens

TRANSPORTS

LOISIRS

PARCS

PARIS

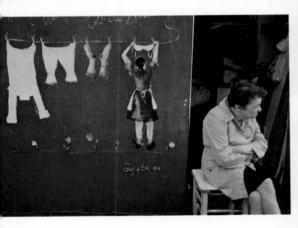

ARTS

PLAGES

PROVISIONS

ÎLES

Level One   Scott, Foresman French Program

Son et Sens

New Edition

Albert Valdman
Guy MacMillin
Marcel LaVergne
Simon Belasco

Scott, Foresman and Company • Glenview, Illinois

Dallas, Tex. • Oakland, N.J. • Palo Alto, Cal. • Tucker, Ga.

*The authors and publisher wish to thank
the following teachers who have served
as consultants and critic readers:*

ESTELLA GAHALA Lyons Township High School, Ill.
NANCY CAPLAN MELLERSKI Binghamton, N.Y.
ALBIN J. POLZ Winnipeg, Manitoba, Canada
MARIE-PAUL TRICOT Gournay-en-Bray, France

*Their active participation in the preparation
and checking of manuscript and in field-testing
certain elements new to this edition
have been of invaluable assistance.*

ISBN: 0-673-13130-0

A la mémoire de
FLORENCE STEINER
1925–1974

ce livre est affectueusement dédié
par les auteurs et les éditeurs

On est ordinairement le maître

de donner à ses enfants

ses connaissances;

on l'est encore plus

de leur donner

ses passions. —

MONTESQUIEU

Table des Matières

*Preceded by Parlons de vous, beginning in Lesson 4;
followed by questions (A propos . . .), beginning in Lesson 2.

Acknowledgments

COVER: Henri Matisse, *The Open Window* (1905). Private collection.

COLOR SECTION
Title Page   Bob Amft
Transports   Left page: *(top left)* Wayne Sorce; *(others)* Bob Amft
             Right page: Arlene Kickert
Loisirs   Left page: *(bottom left)* Wayne Sorce; *(others)* Bob Amft
             Right page: *(top right & bottom)* Arlene Kickert
Parcs   Left page: *(top left)* Nancy Caplan Mellerski; *(bottom)* Bob Amft
             Right page: *(top)* Arlene Kickert
Paris   Left page: *(top left & right. center right & bottom right)* Bob Amft; *(others)* Wayne Sorce
             Right page: *(top right & center top right)* Bob Amft; *(others)* Wayne Sorce
Arts   Left page: Bob Amft
             Right page: *(top left & right)* Bob Amft
Plages   Right page: *(top right)* Arlene Kickert
Provisions   Left page: *(top right & center left)* Bob Amft; *(others)* Wayne Sorce
             Right page: Arlene Kickert
Iles   Arlene Kickert

BLACK AND WHITE
Dorka Raynor: 2 *(top right & bottom left)*; 14; 18; 21; 30; 43; 44 *(right)*; 57; 60 *(top)*; 93; 96 *(top left)*; 101;
    107; 111; 150 *(top & bottom left)*; 154; 161; 166 *(top left)*; 184 *(top right)*; 187; 195; 196 *(right)*; 199;
    215; 218; 224 *(top)*; 254; 260 *(bottom left & right)*; 276; 278; 286; 308
Wayne Sorce: 35; 46; 134; 160; 166 *(bottom)*; 196; 204; 242; 257; 280; 292; 296 *(top left)*; 305
Bob Amft: 6; 44 *(bottom)*; 75; 76 *(top left & bottom left)*; 100; 140; 179; 181; 262; 298
Owen Franken/Stock, Boston: 88; 103; 114 *(top right & bottom)*; 116 *(bottom)*; 123; 158; 170; 249; 309
Paolo Koch/Photo Researchers: 174; 175; 230; 266; 311
Gouvernement du Québec, gracieuseté de la Direction Générale du Tourisme: 114 *(top left)*; 125 *(center)*;
    126
Nancy Caplan Mellerski: 54; 295
By courtesy of Canadian Government Office of Tourism: 125 *(bottom)*; 229
By courtesy of Canadian Government Travel Bureau: 116 *(top)*; 125 *(top)*
Jean-Pierre Ducatez: 96 *(bottom)*

Son et Sens

Première Leçon

Bonjour

ALICE   Bonjour, Philippe.[1]

PHILIPPE Bonjour, Alice. Ça va?

ALICE   Oui, ça va. Et toi?

PHILIPPE Pas mal.

---

[1]The French almost never say *bonjour* without adding the person's first name or *monsieur, madame,* or *mademoiselle.* These two young people would also probably be shaking hands. In France, even people who see each other every day usually shake hands when they meet. This is as true of teen-agers as of adults.

Hello

ALICE	Hello, Philippe.
PHILIPPE	Hi, Alice. How's it going?
ALICE	Okay. How about you?
PHILIPPE	Not bad.

PRONONCIATION

In pronouncing French vowel sounds, the jaw, lips, and tongue muscles are held more tense than in English. For that reason, French vowels sound more precise. For the [a] sound, as in the English word "pop," the lips are spread and held tense. Try saying *pas mal.* For the [i] sound, as in the English word "me," the lips are held in a smiling position. Smile and say *Philippe.* For the [u] sound, as in the English "do," the lips are rounded. Round your lips firmly and say *jour.*

Exercices

A. Listen carefully to the pronunciation of the following words, then say them aloud. Try to imitate what you hear, and don't worry about sounding funny. You won't. You may even sound like a French person.

[a] madame	ça va	pas mal	Annie
[i] Philippe	Michel	Alice	Sylvie
[u] où	vous	jour	bonjour

B. Listen to the following greetings, then say them aloud.

Bonjour, Michel.   Bonjour, Marie.
Bonjour, Philippe.   Bonjour, David.

C. Listen carefully, then repeat.

Ça va, Marianne?   Pas mal, Alice.
Bonjour, Philippe. Ça va?   Pas mal, Michel.

MOTS NOUVEAUX I

La Salle de Classe

la porte

l'affiche (f.)

LA TOUR EIFFEL

la fenêtre

la corbeille

le professeur   le professeur

l'élève (f.)

l'élève (m.)

le livre   le cahier   le stylo   le crayon   la gomme   le papier

In French, nouns have gender; they are either masculine or feminine. There is a group of words called "determiners" that come before nouns. They usually indicate the gender.

1. What do the following have in common?

   la porte   la fenêtre   la corbeille

   They all have the determiner *la. La* is called a "definite determiner" and indicates a feminine noun. Its English equivalent is "the."

2. How can you tell that these are masculine nouns?

   le stylo   le cahier   le crayon

   They all have the definite determiner *le*. which indicates a masculine noun.

3. When a noun begins with a vowel sound, the determiner *l'* is used for both masculine and feminine nouns. *L'affiche* is a feminine noun; *l'élève* can be either masculine or feminine.

4. Note that *le professeur*. a masculine noun, is used to refer to both male and female teachers.

Exercices de vocabulaire

A. Look at the pictures and tell what the objects are. Follow the models.

1. *C'est la porte.* 2. *C'est l'affiche.* 3.

4. 5. 6.

7. 8. 9.

10. 11. 12.

B. *Où est* is the French equivalent of "where is." Your teacher will now ask where certain objects are. For example: *Où est la porte?* If the door is across the room, point to it and say:

Voilà la porte.   *There's the door.*

If it is near you, touch it and say:

Voici la porte.   *Here's the door.*

C. Now ask your neighbor where some of these objects are. For example, you ask: *Où est la porte?* Your neighbor will answer: *Voici la porte* or *Voilà la porte.*

MOTS NOUVEAUX II

C'est Michel?	*Is that Michel?*
Oui, c'est Michel.	*Yes, it's Michel.*
C'est Alice?	*Is that Alice?*
Non, c'est Sylvie.	*No, it's Sylvie.*
C'est **Mme** Lenoir.[1]	*That's **Mrs.** Lenoir.*
C'est **M.** Brel.	*That's **Mr.** Brel.*
C'est **Mlle** Caron.	*That's **Miss** Caron.*
Bonjour, Guy. **Ça va?**	*Hello, Guy. How are things?*
Oui, ça va.	*Okay.*
Pas mal.	*Not bad.*
Comme ci, comme ça.	*So-so.*
Bien, merci.[2]	*Fine, thanks.*
Très bien, merci.	*Very well, thank you.*
Eh bien, au revoir, Guy.	*Well, so long. Guy.*
Au revoir.	*Good-by.*

Exercice de vocabulaire

Using the four-line dialogue on page 3 as a model, greet someone in the class. When you ask each other how things are going, use any of the appropriate responses from the list above. End the dialogue by saying good-by to each other.

---

[1]By themselves, *madame. monsieur,* and *mademoiselle* are like our polite forms of address: "ma'am," "sir," and "miss." Before a name they mean "Mrs.," "Mr.," and "Miss." When speaking directly to someone, the French rarely use the last name. Note that *M.. Mme.* and *Mlle* are the abbreviations for *Monsieur, Madame,* and *Mademoiselle.* In general, if the abbreviation ends in the same letter as the complete word *(Madame→Mme).* the French do not put a period after it.

[2]Politeness is very important to French people. Though you might say *pas mal* or *comme ci. comme ça* to a friend, a more polite response to someone you don't know well is *bien. merci* or *ça va bien. merci.*

EXPLICATIONS I

Les pronoms toi, vous

The pronouns *toi* and *vous* both mean "you." In the three sets of sentences below, note how Alice uses them.

Bonjour, Alice. Ça va?	Bien merci, **Michel.** Et toi?
Bonjour, Alice. Ça va?	Bien merci, **madame.** Et vous?
Bonjour, Alice. Ça va?	Bien merci, **Guy et Lise.** Et vous?

Use *toi* when addressing a friend, a relative, a small child, or a pet. Use *vous* when addressing anyone else or more than one person. A good general rule is to use *toi* only with people whom you would call by their first names or by even more familiar names, such as "mom" or "dad."

Exercices

A. Reply using the appropriate pronoun. Follow the models.

1. Bonjour, Guy. Ça va?   Oui, Michel. Et *toi?*
2. Bonjour, Alice. Ça va?   Bien, merci, madame. Et *vous?*

3. Bonjour, Philippe. Ça va?   Oui, Alice et Guy. Et . . . ?
4. Bonjour, Michel. Ça va?   Oui, Marie. Et . . . ?
5. Bonjour, Marie. Ça va?   Bien, merci, mademoiselle. Et . . . ?
6. Bonjour, Anne. Ça va?   Oui, Sylvie et Michel. Et . . . ?

B. If the people in the list below were to say: *Bonjour. Ça va?,* how would you reply and ask how they were? Answer, using the cues given. Follow the models.

1. a classmate/you feel "not bad"   *Pas mal. Et toi?*
2. the postman/you feel fine   *Bien, merci, monsieur. Et vous?*

3. your father/you feel so-so
4. your teacher/you feel very well
5. your grandmother's friend/you feel fine
6. a gentleman you just met/you feel very well
7. your cousin/you feel "not bad"
8. two classmates/you feel fine

Vérifiez vos progrès

Throughout the book you will find exercises called *Vérifiez vos progrès.* These are for you to check your own progress. Pretend that you meet the people pictured below. Each asks, *Ça va?* and you answer by saying "Fine, thanks, and you?" Be sure to use the proper form of "you." Write the answers, then turn to the back of the book to make sure that your answers are correct.

1.

2.

3.

4.

LECTURE

La salle de classe

LE PROFESSEUR	Christiane, où est ton° stylo?	ton: *your*
CHRISTIANE	Voici mon° stylo, madame.	mon: *my*
LE PROFESSEUR	Bien.° Lise, où est ton papier?	bien: *(here) good*
LISE	Dans° mon cahier, madame.	dans: *in*
5 LE PROFESSEUR	Où est ton cahier, alors?°	alors: *then*
LISE	Chez moi.°	chez moi: *at my house*
LE PROFESSEUR	Chez toi?° Encore?!°	chez toi: *at your house*
		encore: *again*

EXPLICATIONS II

Je m'appelle

For "my name is," the French say *je m'appelle.*

Here is a list of common French names. If your name is not included, your teacher may know its closest equivalent in French. Or, if you like, here is your chance to choose your own name.

BOYS			
Adam	Denis	Guy	Pascal
Alain	Didier	Henri	Patrice
Albert	Dominique	Hervé	Patrick
Alexandre	Edouard	Hugues	Paul
Alfred	Eric	Jacques	Philippe
André	Etienne	Jean	Pierre
Antoine	Eugène	Jérôme	Raoul
Arnaud	Fabrice	Joseph	Raymond
Arthur	François	Julien	Rémi
Benoît	Frédéric	Laurent	René
Bernard	Gaël	Léon	Richard
Bertrand	Gauthier	Louis	Robert
Bruno	Georges	Luc	Roger
Charles	Gérard	Marc	Serge
Christian	Gilbert	Marcel	Thierry
Christophe	Gilles	Mathieu	Thomas
Claude	Grégoire	Michel	Vincent
Daniel	Guillaume	Nicolas	Xavier
David	Gustave	Olivier	Yves

GIRLS			
Adèle	Antoinette	Caroline	Claude
Agnès	Aude	Catherine	Claudine
Alice	Béatrice	Cécile	Colette
Andrée	Bénédicte	Chantal	Danielle
Anne	Bernadette	Christiane	Delphine
Annick	Blanche	Christine	Denise
Annie	Brigitte	Claire	Diane

Dominique	Huguette	Marlène	Renée
Dorothée	Isabelle	Marthe	Sabine
Edith	Jacqueline	Martine	Sara
Elisabeth	Jeanne	Maryse	Simone
Elise	Julie	Michèle	Solange
Emilie	Laure	Mireille	Sophie
Estelle	Lise	Monique	Suzanne
Eve	Lisette	Nadine	Suzette
Florence	Louise	Nathalie	Sylvie
France	Lydie	Nicole	Thérèse
Françoise	Madeleine	Odile	Véronique
Gabrielle	Marguerite	Pascale	Virginie
Geneviève	Marianne	Patricia	Viviane
Gisèle	Marie	Paule	Yolande
Hélène	Marion	Pauline	Yvette

Hyphenated first names are also very common in France. They are most often formed with Jean and Marie: Jean-Paul, Jean-Jacques, Jean-François; Marie-France, Jeanne-Marie, Marie-Thérèse.

Exercice

Having decided upon your French name, introduce yourself to your neighbor, and ask his or her name. Your neighbor will then answer. For example:

YOU	Je m'appelle Guy. Et toi?
YOUR NEIGHBOR	Je m'appelle Philippe.

RÉVISION ET THÈME

Consult the model sentences, then put the English cues into French and use them to form new sentences based on the models.

1. C'est *la corbeille.* Et *voici l'affiche.*
   (the window) *(there's the door)*
   (the student) *(here's the teacher)*

2. Bonjour, Henri. Ça va? *Très bien merci, monsieur.*
   (Fine, thanks, ma'am.)
   (Yes, very well, thank you.)

3. Et *toi, Jacqueline?* *Oui, ça va.*
   (you, sir) *(So-so.)*
   (you, Luc and Eric) *(Not bad.)*

Now that you have done the *Révision*, you are ready to write a composition. Put the English captions describing each cartoon panel into French to form a paragraph.

This is the classroom.

And here's the teacher.

"Hello, Eve and Guy. How are things?!!"

"Fine thanks, ma'am. And you?

"Very well, thank you."

AUTO-TEST

At the end of every lesson you will find a self-test, called an *auto-test*. This is for you and will help you find out how well you have understood the lesson. Always write the answers on a sheet of paper. When you have finished, turn to the section entitled "Answers to *Auto-Tests*" in the back of the book to check your answers.

A. Look at the pictures and tell what the objects are. Follow the model.

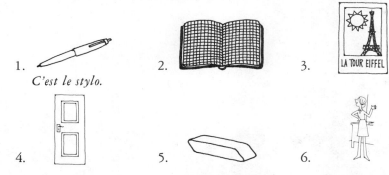

1. *C'est le stylo.*
2.
3.
4.
5.
6.

B. Look at the pictures and tell where the objects are. Remember to use *voici* to mean "here is" and *voilà* to mean "there is." Follow the model.

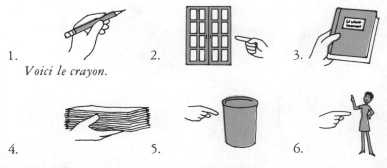

1. *Voici le crayon.*
2.
3.
4.
5.
6.

C. The people in the list below say *Bonjour. Ça va?* Answer according to the cues given and ask how they are. Follow the models.

1. a teacher / thank him and say you feel fine
   Bien merci, monsieur. Et vous?
2. your brother / you feel fine
   Bien. Et toi?
3. your aunt / you feel so-so
4. two friends / just say "yes, and you"
5. your grandfather / you feel fine
6. a woman visiting from another country / thank her and say you're feeling very well

Deuxième Leçon

On va à la plage?

MICHEL	Salut, Jean-Pierre. On va à la plage?
JEAN-PIERRE	Non, allons chez Suzanne.
MICHEL	Chez qui?
JEAN-PIERRE	Chez Suzanne, l'amie d'Annette.
MICHEL	Mais non, allons à la plage!

Are we going to the beach?

MICHEL   Hi, Jean-Pierre. Are we going to the beach?
JEAN-PIERRE No, let's go to Suzanne's house.
MICHEL   Whose house?
JEAN-PIERRE Suzanne's, Annette's friend.
MICHEL   No way. Let's go to the beach.

PRONONCIATION

French words of more than one syllable have a fairly even rhythm. All syllables are pronounced at the same pitch and with the same amount of stress. They sound like a series of short, sharp bursts.

voi-ci   bon-jour   al-lons   sa-lut

If you raise the pitch of your voice on the last syllable of a sentence, it turns a statement into a question.

STATEMENT Ça va, Michel.   QUESTION Ça va, Michel?
              On va à la plage.   On va à la plage?

Exercices

A. Listen carefully, then say the following words aloud.

madame   l'amie   papa   le papier
voici   Michel   merci   l'affiche

B. Say the following statements aloud, then change them to questions by raising the pitch of your voice on the last syllable.

C'est Philippe.   Ça va bien.   Chez Suzanne.
Chez Michel.   C'est Jacqueline.   C'est Sylvie.

C. Repeat the following questions aloud, then change them to statements.

Ça va bien?   Chez Philippe?   C'est papa?
C'est le livre?   C'est le cahier?   C'est le professeur?

Les accents

There are five marks that occur with letters in French. All are important for spelling; most are important for pronunciation.

1. *La cédille* (¸) appears only under the letter *c*. When the letter *c* comes before the vowel letters *a, o,* and *u,* it has the [k] sound, as in "car." The cedilla changes that sound to [s], as in "see." Compare: le <u>c</u>ahier, <u>ç</u>a; la <u>c</u>orbeille, la le<u>ç</u>on.

2. *L'accent aigu* (´) is used only over the letter *e:* am<u>é</u>ricain, l'<u>é</u>cole, l'<u>é</u>glise.

3. *L'accent grave* (`) is used over the letters *a, e,* and *u:* voil<u>à</u>, l'él<u>è</u>ve, o<u>ù</u>.

4. *L'accent circonflexe* (^) may be used over any vowel: thé<u>â</u>tre, fen<u>ê</u>tre, h<u>ô</u>tel.

5. *Le tréma* (¨) shows that two vowels next to each other are pronounced separately: No<u>ë</u>l, na<u>ï</u>ve.

6. An accent mark can also change the meaning of a word. For example, you know that the word *où* means "where." *Ou*—without the accent—means "or."

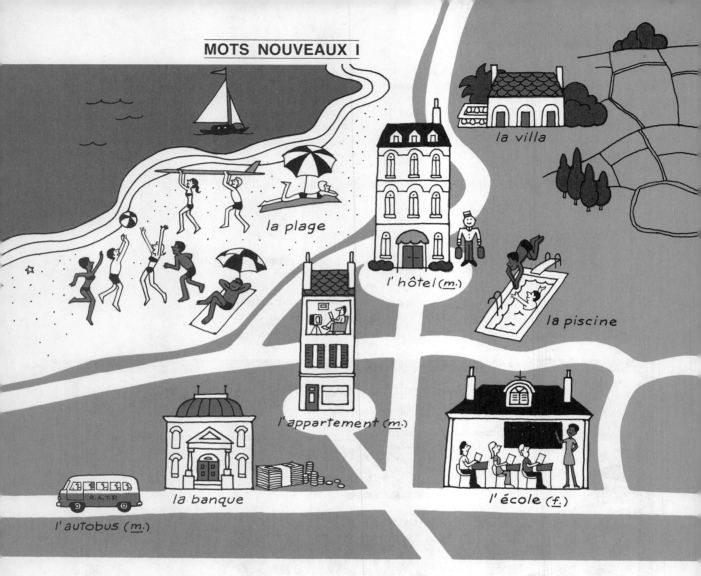

la villa

la plage

l' hôtel (*m.*)

la piscine

l'appartement (*m.*)

la banque

l' école (*f.*)

l' autobus (*m.*)

Salut, on va à la plage?	*Hi, are we going to the beach?*
Mais non, allons à la montagne.	*No, let's go to the mountains.*
à la campagne.	*to the country.*
à l'hôtel.[1]	*to the hotel.*
à l'église.	*to (the) church.*
à l'école.	*to (the) school.*

---

[1]In French, an *h* at the beginning of a word is not pronounced, so the word *hôtel* begins with the vowel sound [o] and the determiner *l'* is used.

la campagne

la montagne

la gare

la maison

l' usine (f.)

P.T.T.

la poste

l' église (f.)

l' hôpital (m.)

C'est **la maison** de Suzanne.	*That's Suzanne's house.*
la villa¹ d'Henri.	*Henri's villa.*
Allons **chez** Suzanne.²	*Let's go to Suzanne's (house).*
Qui est Suzanne?	*Who's Suzanne?*
C'est **l'amie** *(f.)* d'Henri.	*She's Henri's friend.*
Qui est Henri?	*Who's Henri?*
C'est **l'ami** *(m.)* de Suzanne.	*He's Suzanne's friend.*

¹A *villa* is any house in the suburbs or the country.

²*Chez* is used only with people; *à* is used with places.

Exercices de vocabulaire

A. Replace the words in italics with the cues in parentheses. Follow the model.

1. Allons à *la montagne.* (la campagne)
   Allons à la campagne.

2. Allons à *la poste.* (la banque)
3. Allons à *l'hôtel.* (l'appartement)
4. Allons à *la plage.* (la piscine)
5. Allons à *la maison.* (la villa)
6. Allons à *l'école.* (l'église)
7. Allons à *l'usine.* (l'hôpital)
8. Allons à *la gare.* (la porte)

B. Answer the questions according to the pictures. Follow the model.

1. On va à la plage?
   Non, on va à la piscine.

2. On va à la poste?

3. On va à la plage?

4. On va à la poste?

5. On va à l'église?

6. On va à l'école?

7. On va à la porte?

8. On va à l'usine?

9. On va à la campagne?

C. Using the first four lines of the dialogue on page 13 as a model, have a conversation with a classmate. Instead of Jean-Pierre, Suzanne, and Annette, use the names of other class members. And instead of *à la plage,* substitute another noun that you know. For example:

YOU	Salut, *Françoise.* On va *à la campagne?*
YOUR CLASSMATE	Non, allons chez *René.*
YOU	Chez qui?
YOUR CLASSMATE	Chez *René,* l'ami de *Pierre.*

MOTS NOUVEAUX II

la carte

Où est.. ?
Voici
Voilà

le tableau

le bureau

le magnétophone

la craie

la bande

SEPTEMBRE

L	M	M	J	V	S	D
		1	2	3	4	5
6	7	8	9	10	11	12
13	14	15	16	17	18	19
20	21	22	23	24	25	26
27	28	29	30			

le calendrier

le pupitre

la chaise

le drapeau français

le drapeau américain

la table

le drapeau canadien

la page

l'image (f.)

Exercices de vocabulaire

A. Answer the questions according to the pictures. Follow the models.

1. C'est la chaise?
   Oui, c'est la chaise.

2. C'est l'image?
   Non, c'est le calendrier.

3. C'est le magnétophone?

4. C'est la carte?

5. C'est le drapeau canadien?

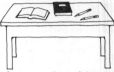

6. C'est le tableau?

7. C'est le bureau?

8. C'est le cahier?

9. C'est le crayon?

10. C'est le pupitre?

11. C'est la page?

12. C'est la bande?

B. Give the French equivalents of the following pairs of English words. Say them aloud very distinctly. You will note that each pair has certain similarities of spelling and pronunciation. Follow the model.

1. page/beach   *la page/la plage*

2. mountain/countryside
3. window/student desk
4. house/pencil
5. door/post office
6. flag/blackboard
7. notebook/paper
8. factory/swimming pool
9. bank/tape

EXPLICATIONS I

Les pronoms et le verbe <u>aller</u>

Look at the present tense of the verb *aller*. "to go":

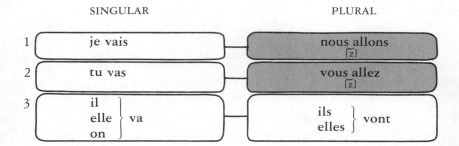

SINGULAR	PLURAL
1 je vais	nous allons [z̃]
2 tu vas	vous allez [z̃]
3 il / elle / on } va	ils / elles } vont

IMPERATIVE: va!   allons!   allez!

1. The subject pronouns are:

je	*I*	nous	*we*
tu	*you*	vous	*you*
il	*he, it*	ils	*they (m.)*
elle	*she, it*	elles	*they (f.)*
on	*we, they*		

2. Like *toi, tu* is used only in speaking to *one* member of your family, *one* person with whom you are on a first-name basis, *one* child, or *one* pet. *Vous* is used in all other instances.

3. *Nous* means "we." In informal conversation, *on* often means "we."

4. The *s* of *nous* and *vous* is usually not pronounced. However, when these words appear before a verb form beginning with a vowel sound, the *s* is pronounced [z].

5. Note the following:

Raymond et Léon vont à Paris.   Ils vont à Paris.
Caroline et Jacqueline vont à Paris.   Elles vont à Paris.
Léon et Jacqueline vont à Paris.   Ils vont à Paris.

Use *elles* when two or more girls are the subject. Use *ils* if boys—or a combination of girls and boys—are the subject.

6. In English we have different ways of expressing the present tense. In French, there is only one way. So, for example:

Je vais à la campagne.   { *I go* to the country. / *I'm going* to the country. }

7. When the second singular (2 sing.) and first and second plural (1 and 2 pl.) forms are used without the pronouns *tu, nous,* and *vous,* they are commands. In writing, the *s* is dropped from the word *vas* when it is a command. These are called imperative forms.

Va!   *Go!*
Allons!   *Let's go!*
Allez!   *Go!*

Exercices

A. Answer the questions using the cues in parentheses and the appropriate form of the verb *aller.* Follow the model.

1. Qui va à la plage? (vous)   *Vous allez à la plage.*
2. Qui va à la campagne? (ils)
3. Qui va à l'église? (nous)
4. Qui va à l'hôtel? (je)
5. Qui va à la poste? (Annie et Claire)
6. Qui va à la gare? (tu)
7. Qui va à l'hôpital? (vous)
8. Qui va à la piscine? (elle)

B. Restate the following sentences using pronouns instead of nouns as the subject. Follow the models.

1. Jacqueline va à la gare.   *Elle va à la gare.*
2. Annette et toi, vous allez à la poste?   *Vous allez à la poste?*
3. Raymond va à l'école.
4. Georges et Denis vont à la montagne.
5. Léon et Alice vont à l'usine.
6. Denise et Nicole vont à la banque.
7. Caroline et vous, vous allez à la villa?
8. Pierre, Paul et Marie vont à la plage.
9. Sylvie et Christine vont chez Suzanne.

Vérifiez vos progrès

Tell where each of the people mentioned is going. Write a complete sentence using the subject given, the appropriate form of the verb *aller,* and the place pictured. Follow the model.

 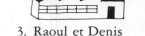

1. tu   2. vous   3. Raoul et Denis
Tu vas à l'appartement.

4. elle   5. je   6. nous

LECTURE

Trois° amis

Daniel et Joseph vont à la piscine. En route,° ils
rencontrent° Sylvie. Elle va à la poste.

    SYLVIE   Bonjour, Daniel. Bonjour, Joseph.
    DANIEL   Salut, Sylvie.
5 JOSEPH   Bonjour. Ça va?
    SYLVIE   Bien. Et vous?
    DANIEL   Très bien, merci.
    JOSEPH   Ça va bien. Où est-ce que tu vas?[2]
    SYLVIE   A la poste, et puis° je vais à la piscine.
10 JOSEPH   Nous aussi,° nous allons à la piscine.
    SYLVIE   A bientôt alors.°

trois: *three*

en route: *on the way*
rencontrer:[1] *to meet*

puis: *then*
aussi: *too*
à bientôt alors: *see
    you later then*

A propos …

1. Où vont Daniel et Joseph?   2. Qui est-ce qu'ils rencontrent?   3. Où va
Sylvie?   4. Et vous, vous allez à la plage? à la piscine?

EXPLICATIONS II

Le pluriel des noms

VOCABULAIRE		
ce sont *these are, those are*	**où sont?**	*where are?*

1. Look at the following:

    le crayon   *pencil*   la table   *table*
    les crayons   *pencils*   les tables   *tables*

There is no difference in pronunciation between the singular and plural
forms of most nouns. In speaking, the only difference is in the sound of
the determiner, which becomes *les.*

[1]We will always give the infinitive, or dictionary, form of verbs.
[2]*Est-ce que* turns a statement into a question.

2. *Le, la,* and *l'* all become *les* before plural nouns. Before a noun beginning with a vowel sound, however, the *s* of *les* is pronounced [z]. This is called *liaison.* For example:

l'élève   les élèves   l'hôtel   les hôtels
         [z]   [z]

3. The plural of nouns is usually formed by adding *s* to the singular form. However, if the singular form ends in *s,* the singular and plural forms are the same:

l'autobu**s**   les autobu**s**

4. Singular nouns ending in *eu, au,* or *eau* form their plural by adding *x:*

le tabl**eau**   les tabl**eaux**

5. Singular nouns ending in *al* usually form their plural by changing the *al* to *aux:*

l'hôpit**al**   les hôpit**aux**

6. Nouns that are made up of two separate nouns are called "compound nouns." Note how their plurals are formed:

la salle de classe   **les** salle**s** de classe

Exercice

For each pair of pictures, state that the first set of objects is nearby, ask where the second is, then say that both sets are nearby. Follow the model.

Voici les tables.
Ou sont les chaises?
Voici les tables et les chaises.

1.

2.

3.

4.

5.

6.

7.

De possessif

Look at the following:

C'est la piscine de Raymond.   *It's Raymond's swimming pool.*
C'est l'amie de Jean et d'Hélène.   *It's Jean and Hélène's friend.*

The word *de* often indicates possession. When used before a noun beginning with a vowel sound, the *de* becomes *d'*. Note that the *de* (or *d'*) must be repeated if more than one person is mentioned as the possessor.

Exercice

Below each picture is the name of the person to whom the object or objects belong. Give complete sentences telling what the object is and to whom it belongs. Follow the model.

1. Marie
   C'est la chaise de Marie.

2. M. Lenoir

3. Guillaume

4. Eve et Claude

5. Henri

6. Pierre et Paul

7. Mlle Monet

8. Mme Labelle

Vérifiez vos progrès

Put the sentences in the plural, adding the name of the person who owns the objects. Follow the model.

1. C'est l'image. (Antoinette)
   Ce sont les images d'Antoinette.

2. C'est le bureau. (Jean-Paul)
3. C'est la salle de classe. (Alice et Suzanne)
4. C'est la villa. (Mme Lebrun et Mme Lenoir)

RÉVISION ET THÈME

Consult the model sentences, then put the English cues into French and use them to form new sentences based on the models.

1. Voici *M. Lenoir. Il va à la poste.*
       (the students) (They're going to the country.)
       (Mrs. Leblanc) (She's going to church.)

2. Ce sont *les bandes et les magnétophones de M. Lenoir.*
         (Suzanne's maps and pictures)
         (Henri's flags and posters)

3. Voilà *Jacques, l'ami d'Hélène et de Georges.*
         (Jeanne and Raymond, Paul and Guy's friends)
         (Alice, André and Brigitte's friend)

4. *Vous allez à la piscine.*
   (We're going to the factory.)
   (I'm going to the hospital.)

Now that you have done the *Révision*, you are ready to write a composition. Put the English captions describing each cartoon panel into French to form a paragraph.

Here are Xavier and Sara. They're going to school.

These are Xavier and Sara's books and notebooks.

There's Jacques, Xavier and Sara's friend.

He's going to the train station.

AUTO-TEST

A. Tell where each person is going, according to the pictures. Follow the model.

1. Denise
   Denise va à la fenêtre.

2. vous

3. nous

4. tu

5. Jean-Claude et Roger

6. je

B. Put the following questions into the plural.

1. Où est le drapeau?
2. Où est l'hôpital?
3. Où est le stylo?
4. Où est l'autobus?
5. Où est la salle de classe?
6. Où est la carte?

C. Below each picture is the name of the person to whom the object or objects belong. Give complete sentences telling what the object is and to whom it belongs. Follow the model.

1. Georges et Philippe
   Ce sont les pupitres de Georges et de Philippe.

2. M. Lenoir et Mme Dupont

3. Isabelle

4. Marie-Claire

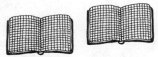

5. Olivier et Hélène

6. Mme Thomas, Mlle Monet et M. Jeanson

Troisième Leçon

A la plage

Laure Broussard est à la plage avec son frère, sa sœur et ses cousins Raymond et Marie.[1]

	LAURE	Où est mon frère?
	RAYMOND	Là-bas, avec Marie.
5	LAURE	Et qui sont les jeunes filles en chapeau?
	RAYMOND	Jeanne et Colette Dumont, les amies de ma sœur.
	LAURE	Alors, on va là-bas?
	RAYMOND	D'accord.

---

[1]French teen-agers usually go out in groups, rather than on dates as couples. It is not uncommon for brothers, sisters, and cousins to go out together as part of a group.

At the beach

Laure Broussard is at the beach with her brother, her sister, and her cousins
Raymond and Marie.

LAURE	Where's my brother?
RAYMOND	Over there, with Marie.
5 LAURE	And who are the girls in the hats?
RAYMOND	Jeanne and Colette Dumont, my sister's friends.
LAURE	Let's go over there then.
RAYMOND	Okay.

Questionnaire

1. Où est Laure Broussard?   2. Qui est avec Laure?   3. Où est le frère de
Laure?   4. Qui sont les jeunes filles en chapeau?

PRONONCIATION

The vowel sound [ɔ̃] is a nasal vowel. It is pronounced with the lips firmly
rounded and, like all French vowels, with the jaws and lips held steady.

Exercices

A. Listen to the following words, then say them aloud.

on	mon	vont
Léon	crayon	maison

B. Listen carefully to the following sentences, then say them aloud. Remember to round your lips and to hold your jaws steady as you pronounce
the [ɔ̃] sound.

Allons chez Léon.   Allons chez Raymond.
Où est mon crayon?   Où sont les crayons?

C. Listen carefully, then say the following questions and answers aloud.

On va chez Léon?   Non, allons chez Raymond.
On va à la maison?   Non, allons à la montagne.

MOTS NOUVEAUX I

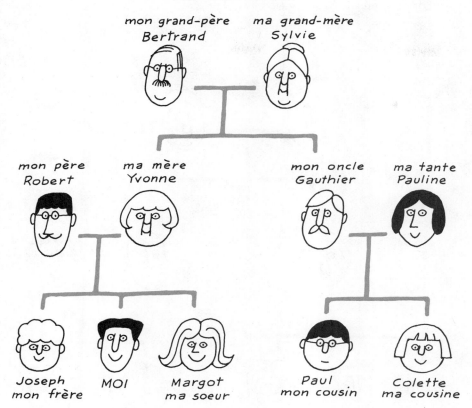

Ma Famille

mon grand-père Bertrand — ma grand-mère Sylvie

mon père Robert — ma mère Yvonne — mon oncle Gauthier — ma tante Pauline

Joseph mon frère — MOI — Margot ma soeur — Paul mon cousin — Colette ma cousine

C'est **mon cousin** Paul, qui est **le fils** de **mon oncle** Gauthier et de **ma tante** Pauline. Alors, Paul est **le neveu** de **mes parents**.

Qui sont **les fils** de Robert et d'Yvonne et **les neveux** de Gauthier et de Pauline? Joseph et moi.

C'est **ma cousine** Colette, qui est **la fille** de mon oncle Gauthier et de ma tante Pauline. Alors, Colette est **la nièce** de mes parents.

Paul et Colette sont **les enfants** de mon oncle et de ma tante.

Ma mère et mon oncle sont les enfants de **mes grands-parents**.

l'enfant (m.)

Exercices de vocabulaire

A. According to the family tree, tell how each person is related to you.
For example: 1. *Bertrand est mon grand-père.*

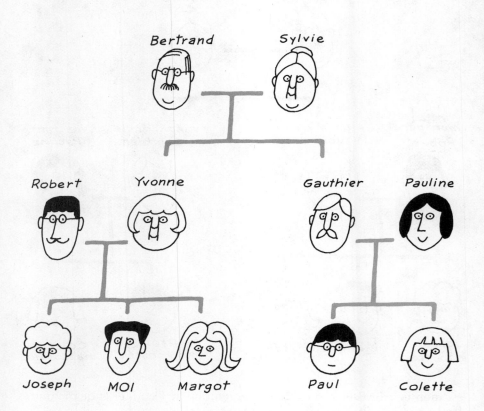

B. According to the family tree, choose the appropriate word to complete
the sentences.

1. Colette est _____ de ma tante. *(la mère, la sœur, la fille)*
2. Gauthier est _____ de ma cousine. *(l'oncle, le père, le frère)*
3. Paul est _____ de ma tante. *(le fils, la fille, le frère)*
4. Gauthier est _____ de ma mère. *(l'oncle, le frère, le cousin)*
5. Margot est _____ de mon oncle. *(la fille, la cousine, la nièce)*
6. Paul est _____ de mon père. *(le fils, le neveu, le frère)*
7. Pauline est _____ de Paul. *(la mère, la sœur, la cousine)*
8. Colette est _____ de Paul. *(la tante, la mère, la sœur)*
9. Colette et Paul sont _____ de Gauthier et de Pauline. *(les parents, les grands-parents, les enfants)*
10. Ma grand-mère est _____ de mon oncle Gauthier et de ma mère. *(l'oncle, la mère, la tante)*

Les Habits (m.pl.)

la chemise

le chapeau

la robe

le bas

la chaussette

la chaussure

la blouse

le maillot

le maillot

la jupe

le pull-over

le pantalon

la chaussure

Le garçon et la jeune fille sont là-bas.
Le garçon est en pantalon, mais la jeune fille est en maillot.[1]
Les jeunes filles sont en pantalon et en pull-over.
Les chapeaux de M. Martin sont sur la table. Les chaussures de Mme Martin sont sous la chaise.

Il va à la plage avec toi.
Il est à la plage avec sa sœur.

Il est à l'école.

The boy and girl are over there.
The boy's wearing pants, but the girl's in a swimsuit.
The girls are in slacks and sweaters.
Mr. Martin's hats are on the table. Mrs. Martin's shoes are under the chair.

He's going to the beach with you.
He's at the beach with his sister.
{ *He's in school.*
{ *He's at school.*

Lesson
3

---

[1]Note that there is no determiner when *en* is used to describe what a person is wearing.

33

Exercices de vocabulaire

A. Identify the articles of clothing. Use *c'est* or *ce sont* as needed. Follow the model.

1. *C'est la chemise de M. Thomas.*

M. Thomas

Pierre

Mme Thomas

Hélène

B. Choose one word from each list to make a pair.

1. la bande	a. la chaise
2. le bas	b. la chaussure
3. la chemise	c. la fille
4. la craie	d. la jeune fille
5. le crayon	e. le magnétophone
6. le fils	f. l'oncle
7. le frère	g. le pantalon
8. le garçon	h. le papier
9. la table	i. la sœur
10. la tante	j. le tableau

EXPLICATIONS I

Les pronoms

Review the list of subject pronouns on page 21. These pronouns are used only with verbs. There is another group of pronouns that you will need to know. They are called "disjunctive pronouns." Here is a list of the subject and disjunctive pronouns:

	SINGULAR				PLURAL		
je	moi	*I*	*me*	nous	nous	*we*	*us*
tu	toi	*you*	*you*	vous	vous	*you*	*you*
il	lui	*he*	*him*	ils	eux	*they*	*them (m.)*
elle	elle	*she*	*her*	elles	elles	*they*	*them (f.)*

1. Disjunctive pronouns are used after certain prepositions, such as *chez* and *avec:*

Il va **chez lui.**	*He's going **home.***
Je vais **chez lui.**	*I'm going **to his house.***
Je vais à la plage **avec lui.**	*I'm going to the beach **with him.***

2. Note how disjunctive pronouns are used in the following statements:

Lui, il va à l'hôtel.	***He's** going to the hotel.*
Moi, je m'appelle Michel.	***My** name is Michel.*
Tu vas à l'école, **toi?**	{ *Are **you** going to school?* { *Do **you** go to school?*
Ils vont chez Paul, **eux?**	*Are **they** going to Paul's?*

Individual words are not usually given stress in a French sentence. To emphasize the subject pronoun, the French add the disjunctive pronoun at the beginning or end of the sentence.

3. Note how disjunctive and subject pronouns are used together in the following statements:

Toi et moi, nous allons à la poste.	***You and I** are going to the post office.*
Claire et toi, vous allez à la banque.	***You and Claire** are going to the bank.*

Exercices

A. Form sentences, using *chez* and the pronoun that corresponds to the subject of the sentence. Follow the model.

1. Je vais . . . *Je vais chez moi.*
2. Il va . . .
3. Tu vas . . .
4. Elles vont . . .
5. Nous allons . . .
6. Ils vont . . .
7. Vous allez . . .
8. Elle va . . .

B. Answer the questions, using the correct verb form and the appropriate pronouns. Follow the model.

1. Lui, il va à la maison. Et Jacqueline et moi? (à l'hôtel)
   Vous, vous allez à l'hôtel.

2. Moi, je vais à la plage. Et Jean? (à la piscine)
3. Nous, nous allons à l'école. Et Claire? (à l'église)
4. Vous, vous allez à la campagne. Et toi? (à la montagne)
5. Elle, elle va à la villa. Et Odile et toi? (à l'appartement)
6. Eux, ils vont à l'usine. Et Marie et Christine? (à l'hôpital)
7. Toi, tu vas à l'hôtel. Et Pierre et moi? (à la gare)
8. Lui, il va à la poste. Et Georges et Pauline? (à la banque)
9. Elles, elles vont à l'école. Et moi? (à la maison)

Le verbe <u>être</u>

	SINGULAR		PLURAL	
1	je **suis**	*I am*	nous **sommes**	*we are*
2	tu **es**	*you are*	vous **êtes** [z̪]	*you are*
3	il / elle / on [n̪] } **est**	*he is, it is / she is, it is / we are, they are*	ils / elles } **sont**	*they are*

1. *Il* means both "he" and "it"; *elle* means both "she" and "it." Use *il* or *ils* in place of a masculine noun and *elle* or *elles* in place of a feminine noun:

   La corbeille est sous le bureau.   **Elle** est sous le bureau.
   Les crayons sont sur la table.   **Ils** sont sur la table.

   Use *ils* in place of a combination of masculine and feminine nouns:

   La blouse et le maillot sont là bas.   **Ils** sont là-bas.

2. *C'est* is used before singular nouns and *ce sont* before plural nouns:

   C'est la jupe de Marie.   *That's Marie's skirt.*
   Ce sont les habits de Marie.   *Those are Marie's clothes.*

   Sometimes *c'est* and *ce sont* are used to refer to people:

   C'est Henri?   *Is that Henri?*
   Mais non, **c'est** Guy.   *No. **It's** Guy.*

Exercices

A. Replace the words in italics with the appropriate pronoun. Follow the model.

1. *La chemise* est sur la chaise.   *Elle est sur la chaise.*

2. *Le garçon* est à l'hôpital.
3. *Les habits* sont à la maison.

4. *Les parents de Jacques* vont à Nice.
5. *La tante de Marie* va chez elle.
6. *Les chaussettes et les chaussures* sont sous la table.
7. *Les grands-parents de Claire* sont chez eux.
8. *L'affiche* est sur le bureau.
9. *Jeanne et Georges* sont à la plage.

B. Review the pronoun section on page 35. Then answer the questions, using the pronouns given and the appropriate form of the verb *être.* Follow the model.

1. Je suis chez moi. Et lui?   *Il est chez lui.*

2. Et eux? (ils)
3. Et David? (il)
4. Et ma tante et ma cousine? (elles)
5. Et ma tante Louise? (elle)
6. Et nous? (vous)

7. Et toi et moi? (nous)
8. Et mon père et moi? (vous)
9. Et moi? (tu)
10. Et toi? (je)
11. Et Alice et lui? (ils)

Vérifiez vos progrès

In each case, write a sentence saying that the person is at home. Follow the model.

1. Elles . . .   *Elles sont chez elles.*
2. Tu . . .
3. Il . . .
4. Nous . . .

5. Je . . .
6. Vous . . .
7. Elle . . .
8. Ils . . .

LECTURE

Le chercheur d'or°

Julie est la nièce de Mme Deschamps. Aujourd'hui° elle va à la banque et elle rencontre° son ami Guy. Julie est en jupe et en pull-over. Guy est en jean.°

GUY	Bonjour, Julie. Ça va?
5 JULIE	Très bien, merci. Et toi?
GUY	Pas mal. Je vais à la gare avec Jean.
JULIE	Pourquoi?°
GUY	Sa° sœur arrive de° Paris.
JULIE	Moi, je vais à la banque.
10 GUY	Tu es riche,° hein?°
JULIE	Oh là là, non! C'est l'argent° de ma tante!
GUY	C'est dommage.° Au revoir, alors.
JULIE	Au revoir, chercheur d'or!

le chercheur d'or: *gold digger*

aujourd'hui: *today*
rencontrer: *to meet*
le jean: *jeans*

pourquoi: *why*
sa: *(here) his*
arriver de: *to arrive from*
riche: *rich*
hein?: *huh?*
l'argent (*m.*): *money*
dommage: *too bad*

1. Qui est Julie?   2. Qui est Guy?   3. Julie est en pantalon aujourd'hui? Et Guy?   4. Où va Guy?   5. Sa sœur arrive aujourd'hui?   6. Où va Julie? 7. C'est l'argent de Julie?

EXPLICATIONS II

Les déterminants possessifs singuliers

1. Look at the following:

$$\left.\begin{array}{l} \text{ma} \\ \text{ta} \\ \text{sa} \end{array}\right\} \text{fenêtre} \qquad \left.\begin{array}{l} \textit{my} \\ \textit{your} \\ \textit{his, her, its} \end{array}\right\} \textit{window}$$

The words *ma, ta,* and *sa* are called "possessive determiners." Like the definite determiner *la,* they are used only with feminine nouns. Note that *sa* is equivalent to "his," "her," and "its":

C'est la piscine d'Albert.   C'est sa piscine. *(his)*
C'est la piscine de Nancy.   C'est sa piscine. *(her)*
C'est la piscine de l'hôtel.   C'est sa piscine. *(its)*

2. Now look at the following:

$$\left.\begin{array}{l} \text{mon} \\ \text{ton} \\ \text{son} \end{array}\right\} \text{drapeau} \qquad \left.\begin{array}{l} \textit{my} \\ \textit{your} \\ \textit{his, her, its} \end{array}\right\} \textit{flag}$$

Mon, ton, and *son* are possessive determiners of masculine nouns.

3. Look at the following:

$$\left.\begin{array}{l} \text{mon} \\ \text{ton} \\ \text{son} \end{array}\right\} \text{ami} \qquad \left.\begin{array}{l} \text{mon} \\ \text{ton} \\ \text{son} \end{array}\right\} \text{amie}$$

The possessive determiners *mon, ton,* and *son* are used before both masculine and feminine nouns that begin with a vowel sound. Compare the pronunciation of the determiners in the following words:

mon crayon   mon͜ hôtel   ton père   ton͜ oncle
                          [n̄]   [n̄]

Hôtel and *oncle* begin with a vowel sound. Thus there is liaison, and the *n* of the possessive determiner is pronounced.

4. Like the plural definite determiner *(les),* plural possessive determiners do not have different feminine and masculine forms:

ma sœur   mes sœurs } the letter *m* gives the meaning "my"
mon frère   mes frères

ta cousine   tes cousines } the letter *t* gives the meaning "your"
ton cousin   tes cousins

| sa nièce | ses nièces | } | the letter *s* gives the meaning "his," |
| son neveu | ses neveux | } | "her," or "its" |

5. Note when the *s* of the plural determiners is pronounced:

me**s** maillots	te**s** tantes	se**s** parents
mes habits	tes oncles	ses enfants
[z̄]	[z̄]	[z̄]

When a plural determiner comes before a noun beginning with a vowel sound, there is liaison and the *s* is pronounced [z].

6. Note how these plurals are formed:

monsieur (mon + sieur)	messieurs (mes + sieurs)
madame (ma + dame)	mesdames (mes + dames)
mademoiselle (ma + demoiselle)	mesdemoiselles (mes + demoiselles)

These words literally mean "my lord," "my lady," and "my damsel." The plurals are formed just as if they were still two separate words.

Exercices

A. Form questions and answers based on the pictures. Always use the appropriate form of the possessive determiner. Follow the models.

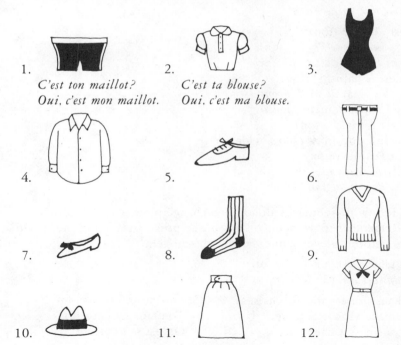

1.
C'est ton maillot?
Oui, c'est mon maillot.

2.
C'est ta blouse?
Oui, c'est ma blouse.

3.

4.

5.

6.

7.

8.

9.

10.

11.

12.

B. Answer the questions, replacing the words in italics with the appropriate form of the possessive determiner *sa* or *son*. Follow the models.

1. C'est *la* grand-mère *de Philippe?*
   Oui, c'est sa grand-mère.
2. C'est *le* neveu *de Mme Deschamps?*
   Oui, c'est son neveu.

3. C'est *la* nièce *de Mme Dubonnet?*
4. C'est *le* père *d'Annick?*
5. C'est *la* tante *de Jérôme?*
6. C'est *le* grand-père *d'Isabelle?*
7. C'est *le* frère *de Marianne?*
8. C'est *la* fille *de Mme Thomas?*
9. C'est *la* mère *de ton ami?*
10. C'est *le* fils *de ton professeur?*
11. C'est *la* cousine *de ta grand-mère?*
12. C'est *la* sœur *de ton grand-père?*

C. Say the following sentences aloud, replacing the words in italics with the cues in parentheses. Remember to pronounce the *n* of the possessive determiner before a vowel sound. Follow the model.

1. Où est *le* cahier? (mon)
   Où est mon cahier?

2. C'est *l'*hôtel? (ton)
3. C'est *l'*oncle *de Paul?* (son)
4. Voici *le* maillot. (mon)
5. Où est *le* pupitre? (ton)
6. C'est *l'*enfant *de M. Dupont.* (son)
7. Voici *l'*appartement. (mon)
8. Où est *le* stylo? (ton)
9. Où est *le* cousin *de Diane?* (son)
10. C'est *l'*usine. (mon)
11. Voilà *le* chapeau. (ton)
12. C'est *l'*école *de Jean.* (son)

D. Say the following sentences aloud, then change them entirely to the plural. Remember to pronounce the *s* of the possessive determiner when it comes before a vowel sound. Follow the model.

1. Mon affiche est sur le bureau.
   Mes affiches sont sur les bureaux.

2. Ta chaussure est sous la chaise.
3. Son image est sur la table.
4. Ma cousine est chez elle.
5. Ton enfant est là-bas.
6. C'est son oncle.
7. Où est ma chaussette?
8. Ton ami est chez lui.
9. Où est sa sœur?
10. Voilà mon amie.
11. C'est ton fils?

E. Look at the pictures under the pronoun headings *moi, toi, lui/elle*. Then, using the form of the possessive determiner which corresponds to that pronoun, complete the sentences below. Follow the models.

MOI   TOI   LUI/ELLE

1. C'est *mon affiche*.
2. Ce sont *tes gommes*.
3. Où est _____?

4. Voilà _____.
5. C'est _____.
6. Il va à _____.

7. Voilà _____.
8. Où sont _____?
9. On va à _____.

10. Où est _____?
11. Voici _____.
12. Voilà _____.

13. Ce sont _____.
14. Où sont _____?
15. Ce sont _____.

Vérifiez vos progrès

Answer the questions by writing sentences telling how the people are related to *you*. Follow the model.

1. Brigitte est la sœur de ta mère?   *Oui, c'est ma tante.*
2. Paul et Marcel sont les frères de ta cousine?
3. Louis est le frère de ton père?
4. Anne est la nièce de ta mère?
5. Martine est la mère de ta mère?
6. Gérard est le fils de ton père?
7. Monsieur et Mme Dupont sont les parents de ton père?
8. Thomas et Claude sont les fils de ta sœur?

RÉVISION ET THÈME

Consult the model sentences, then put the English cues into French and use them to form new sentences based on the models.

1. *Nous sommes chez nous.*
   (I'm at Martin's house.)
   (He's at home.)

2. Monsieur et Mme Lafont sont *mes cousins.* Raymond est *mon frère.*
   (her grandparents)   (her father)
   (his friends)   (his grandfather)

3. Je vais *à la campagne* avec *ma sœur.*
   (to church)   (his aunt)
   (to the bank)   (your mother)

4. *Je suis en jupe et en blouse.*
   (She has a dress on.)
   (The boys are in pants and sweaters.)

Now that you have done the *Révision*, you are ready to write a composition. Put the English captions describing each cartoon panel into French to form a paragraph.

Nadine is at home.

Mr. and Mrs. Duclos are her parents. Denise is her sister.

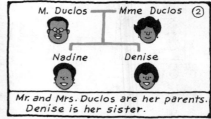

Nadine is going to the beach with her family.

The girls are in bathing suits.

AUTO-TEST

A. Write the answers to the following questions using the cues in parentheses. Follow the model.

1. Jean est à la banque. Et toi? (la poste)
   Moi, je suis à la poste.

2. Vous êtes à l'église. Et lui? (l'école)
3. Etienne est à l'hôtel. Et nous? (l'appartement)
4. Marie et Pierre sont à la piscine. Et elles? (la plage)
5. Je suis à la campagne. Et vous? (la montagne)
6. Tu es à l'usine. Et eux? (l'hôpital)
7. Paul est à la gare. Et elle? (la maison)

B. Identify the articles of clothing. Use *c'est* or *ce sont* and the possessive determiner *sa, son,* or *ses.* Follow the model.

1. *C'est sa blouse.*

C. Answer the following questions and then ask where the items mentioned in parentheses are. Be sure to use the appropriate form of the possessive determiner *ma, mon,* or *mes.* Follow the model.

1. C'est ton crayon? (les stylos)
   Oui, c'est mon crayon, mais où sont mes stylos?

2. C'est ton frère? (la sœur)
3. Ce sont tes gommes? (le cahier)
4. C'est ta robe? (les chaussures)
5. Ce sont tes bandes? (le magnétophone)
6. C'est ton oncle? (la tante)
7. C'est ton chapeau? (le pull-over)
8. C'est ta table? (les chaises)
9. C'est ton calendrier? (les livres)
10. Ce sont tes nièces? (les grands-parents)

Quatrième Leçon

Dans le parc

Trois copains—Antoine et sa sœur Nicole et leur amie Chantal—sont dans le parc.

CHANTAL   Vous n'avez pas vos vélos?
NICOLE   Non, nous sommes à pied. Pourquoi?
5   CHANTAL   Parce que moi, j'ai mon vélo là-bas, devant le Guignol.[1]
ANTOINE   Oh, c'est chouette, le Guignol.
NICOLE   Oui, allons-y!
CHANTAL   D'accord, mais vite!
(Pan! pan! pan!)[2]

---

[1]*Le Guignol* is the traditional French equivalent of Punch and Judy shows. When the weather is nice, these puppet shows are performed in parks and attract great crowds. *Guignol* is the name of the main character.

[2]Any theatrical performance in France always begins with three loud knocks from backstage.

In the park

Three friends—Antoine and his sister Nicole and their friend Chantal—are in the park.

CHANTAL   Don't you have your bikes?
NICOLE   No, we're on foot. Why?
5 CHANTAL   Because I've got my bike over there, in front of the Guignol.
ANTOINE   Gee, the Guignol is great.
NICOLE   Yeah, let's go on over there.
CHANTAL   Okay, but hurry!
(*Boom, boom, boom*)

Questionnaire

1. Où sont les trois amis?   2. Qui est Chantal?   3. Nicole et Antoine sont à pied?   4. Où est le vélo de Chantal?   5. Le Guignol est chouette?

PRONONCIATION

1. In French, a consonant at the very end of a word is usually not pronounced. Listen to the following words.

   je vais   tu vas   ils vont
   chez nous   chez vous   chez Raymond

2. Three consonants that very often are pronounced when they come at the end of a word are *c, l,* and *r.*

   avec   parc   mal   il   bonjour   professeur

3. When certain very common words are followed by a word which begins with a vowel sound and with which they are closely linked, their final consonant is always pronounced. This is called "liaison."

   allons!   nous   nous allons   allons-y!
                            [z]   [z]

   allez!   vous   vous allez   allez-y!
                          [z]   [z]

4. When a word ends in the letter *e*, the consonant before it is always pronounced. Compare: Louis, Louise; port, porte.

Exercice

Practice saying the final consonant sound in the following sentences.

Michèle est ma cousine.   La carte est dans la salle de classe.
Suzanne est ma voisine.   Madame Lafontaine va à la banque.
Vous allez à la campagne?   Vite, Daniel! Voilà le Guignol.
Nadine est ma voisine.   Nous allons dans le parc avec Luc.

MOTS NOUVEAUX I

Jean est en France
C'est le jean de ma voisine
C'est le cousin de mon voisin

Le bureau est **dans** la salle de classe.
Le tableau est **derrière** le bureau.
Le professeur est **devant** le bureau.
Les crayons sont **sur** le bureau.
La corbeille est **sous** le bureau.

Le copain[1] de Marc est en jean.[2]
La copine de Marc est en jean
aussi.
Pourquoi? Parce que ses copains
vont à la campagne.

Le voisin de Bernadette est en
maillot.
La voisine de Bernadette est en
maillot aussi.
Pourquoi? Parce qu'ils vont à la
plage.
Et toi et moi, nous allons à la
plage aussi.
Chouette! Vite! Allons-y!

*The desk is **in** the classroom.*
*The blackboard is **behind** the desk.*
*The teacher is **in front of** the desk.*
*The pencils are **on** the desk.*
*The wastebasket is **under** the desk.*

*Marc's **friend (m.) has** jeans on.*
*Marc's **friend (f.)** is wearing jeans,
too.*
***Why? Because** his friends are
going to the country.*

*Bernadette's **neighbor (m.)** is wearing a bathing suit.*
*Bernadette's **neighbor (f.)** has on a
bathing suit, too.*
*Why? Because they're going to the
beach.*
*And you and I are going to the
beach, too.*
Great! Hurry! Let's get going!

---

[1]In French, there are many words that are more or less equivalent to the English word "friend."
L'ami and *l'amie* mean "friend" in general. *Le copain* and *la copine* are used to speak of someone
with whom you spend a lot of time.
[2]*Le jean*, like *le pantalon*, is a singular noun.

Exercice de vocabulaire

Answer the questions according to the pictures. In your answers, use the appropriate preposition. Follow the model.

1. Ton voisin est devant sa maison?
   Non, il est dans sa maison.

2. Les chaussures sont sur la chaise?

3. Le livre est sous le pupitre?

4. Le professeur est sur son bureau?

5. Les copains sont dans la banque?

7. Le chapeau est sous la table?

6. Sa copine est devant lui?

8. Le drapeau est derrière le tableau?

9. Ton vélo est derrière la fenêtre?

MOTS NOUVEAUX II

Nous allons à Paris	*We're going to Paris*
en avion	*by plane*
en voiture	*by car*
en bateau	*by boat*
en bateau à voiles	*by sailboat*
en autobus	*by bus*
en camion	*by truck*
en vélo	*by bike*
en moto	*by motorcycle* (or ***motorbike***)
par le train	*by train*
à pied	*on foot*

l'avion (m.)

l'arbre (m.)

fleur

l'herbe (f.)

ateau
oiles

la feuille

le garage

le bateau

le vélo

la moto

le camion

parc

le jardin

la voiture

le train

Exercices de vocabulaire

A. Answer the questions according to the pictures. Follow the model.

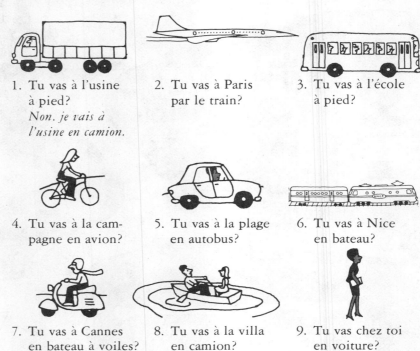

1. Tu vas à l'usine
   à pied?
   *Non, je vais à
   l'usine en camion.*

2. Tu vas à Paris
   par le train?

3. Tu vas à l'école
   à pied?

4. Tu vas à la cam-
   pagne en avion?

5. Tu vas à la plage
   en autobus?

6. Tu vas à Nice
   en bateau?

7. Tu vas à Cannes
   en bateau à voiles?

8. Tu vas à la villa
   en camion?

9. Tu vas chez toi
   en voiture?

B. Answer the questions according to the picture. Follow the model.

1. Où sont les fleurs?   *Les fleurs sont dans le jardin.*

2. Où est le jardin?
3. Où est l'arbre?
4. Où sont les feuilles?

5. Où est la jeune fille?
6. Où est la voiture?
7. Où est le garçon?

C. Answer the questions based on the picture on page 50. If your answer is negative, tell where the object is located. Follow the model.

1. La voiture est dans le parc?
   Non, la voiture est dans le garage.

2. Les feuilles sont sur l'arbre?
3. La moto est devant la maison?
4. Le jardin est devant la maison?
5. L'arbre est dans le jardin?

6. Le garçon est avec la jeune fille?
7. La jeune fille est dans la maison?
8. Les fleurs sont dans la maison aussi?

EXPLICATIONS I

Les déterminants possessifs pluriels

1. Look at the following:

   C'est **notre** frère.   Ce sont **nos** frères.
   C'est **votre** sœur.   Ce sont **vos** sœurs.
   C'est **leur** frère.   Ce sont **leurs** frères.
   C'est **leur** sœur.   Ce sont **leurs** sœurs.

   These are the possessive determiners equivalent to "our," "your," and "their." They have the same form before both masculine and feminine nouns.

2. The *e* of *notre* and *votre* is pronounced before a word beginning with a consonant sound, but not before a word beginning with a vowel sound:

   notre tante   notr¢ oncle   votre maison   votr¢ appartement

3. When *nos, vos,* and *leurs* appear before a word beginning with a vowel sound, there is liaison and the *s* is pronounced [z]:

   no$ copains   vo$ villas   leur$ cartes
   but: nos‿amis   vos‿hôtels   leurs‿images

Exercices

A. Answer the questions using the appropriate form of the determiner *notre* or *nos.* Follow the models.

1. C'est votre voisin?   *Oui, c'est notre voisin.*
2. Ce sont vos bateaux?   *Oui, ce sont nos bateaux.*

3. C'est votre voiture?
4. Ce sont vos parents?
5. C'est votre appartement?
6. C'est votre ami?
7. Ce sont vos copines?
8. Ce sont vos images?
9. C'est votre jardin?
10. Ce sont vos habits?

B. Answer the questions using the cues in parentheses and the appropriate form of the determiner *votre* or *vos*. Follow the models.

1. Où sont nos chaussures? (dans la voiture)
   Vos chaussures sont dans la voiture.
2. Où est notre voiture? (dans le garage)
   Votre voiture est dans le garage.

3. Où est notre hôtel? (derrière l'église)
4. Où sont nos vélos? (devant la maison)
5. Où sont nos amis? (chez eux)
6. Où est notre professeur? (dans la salle de classe)
7. Où sont nos images? (dans le bureau)
8. Où vont nos parents? (à la plage)
9. Où va notre oncle? (à la campagne)

C. Replace the words in italics with the appropriate form of the determiner *leur* or *leurs*. Follow the models.

1. C'est *l'*appartement *de ses parents.*
   C'est leur appartement.
2. Ce sont *les* chapeaux *de Jean et de Guy.*
   Ce sont leurs chapeaux.

3. Voici *les* cahiers *de Sylvie et d'Yvette.*
4. Je vais à *la* villa *de M. Lafont et de sa sœur.*
5. Où est *l'*hôtel *d'Annie et de Marie-France?*
6. Où sont *les* affiches *de Serge et de Marie?*
7. Voilà *le* jardin *de mon oncle et de ma tante.*
8. Nous allons à *l'*usine *de M. Dupont et de son frère.*
9. Ce sont *les* habits *de Benoît et de Philippe.*

D. Look at the pictures under the pronoun headings *nous, vous, eux/elles.* Then, using the appropriate form of the possessive determiner which corresponds to that pronoun, complete the sentences.

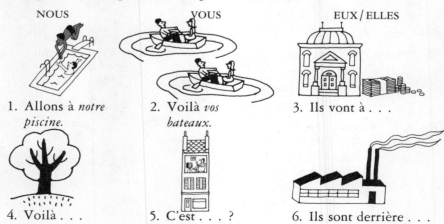

NOUS   VOUS   EUX / ELLES

1. Allons à *notre piscine.*
2. Voilà *vos bateaux.*
3. Ils vont à . . .
4. Voilà . . .
5. C'est . . . ?
6. Ils sont derrière . . .

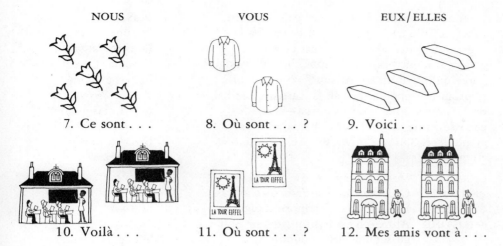

NOUS	VOUS	EUX/ELLES
7. Ce sont . . .	8. Où sont . . . ?	9. Voici . . .
10. Voilà . . .	11. Où sont . . . ?	12. Mes amis vont à . . .

Vérifiez vos progrès

Rewrite the following sentences, changing the italicized words to the plural. Follow the model.

1. *Notre vélo est* dans le garage.
   Nos vélos sont dans le garage.

2. *Votre cousine va* à la plage en autobus.
3. *Leur livre est* sous le pupitre.
4. *Votre copain est* chez nous.
5. *Notre crayon est* avec le cahier.
6. *Leur ami va* à la gare en moto.
7. *Notre chaise est* derrière la porte.
8. *Leur bateau à voiles est* à la plage.
9. *Votre sœur va* à l'église à pied.

CONVERSATION ET LECTURE

Parlons de vous

1. Vous allez à l'école en autobus?   2. Vos amis sont dans votre classe de français?   3. C'est chouette, votre classe?   4. Où sont vos livres?   5. Où est le bureau de votre prof?

Le mardi gras[1]

Ce soir° Etienne et Françoise Lemaire sont chez leurs amis Philippe et Christine Bonnel.

ce soir: *this evening*

---

[1]*Le mardi gras* is the day before Ash Wednesday *(le mercredi des Cendres),* which is the beginning of Lent. It is the last day of Carnival time, with parties, parades, and great feasts and festivities before the forty days of Lent begin.

Etienne est en béret. Il a° une° palette et un
pinceau.° Il a aussi un foulard° et une barbe.°
5 C'est un artiste? Mais non, c'est le mardi
gras et Etienne et sa sœur sont chez les Bonnel[1]
parce qu'il y a° un bal masqué° ce soir. Voilà
pourquoi Etienne a ses habits d'artiste. Les habits
de Françoise sont bizarres° aussi—elle a les
10 chaussures de son père et le pantalon de son
grand-père. Son nez° est rouge.° C'est le clown
Auguste.[2]

CHRISTINE   Voilà Etienne. C'est un artiste.
PHILIPPE   Oui, mais où est Françoise alors?
15 ETIENNE   Elle est là°—c'est notre Gugusse.
CHRISTINE   Ah! Ce n'est pas un garçon? Son dé-
             guisement° est chouette!
PHILIPPE   Elle est très drôle!°

il a: *he has*
un, une: *a, an*
le pinceau: *brush*
le foulard: *scarf*
la barbe: *beard*
il y a: *there is*
le bal masqué: *cos-
tume party*
bizarre: *strange*
le nez: *nose*
rouge: *red*

là: *there*

le déguisement: *cos-
tume*
drôle: *funny*

À propos...

1. Où sont Etienne et Françoise?   2. Décrivez ("describe") le déguisement
d'Etienne.   3. Etienne est en habits d'artiste. Pourquoi?   4. Qui est le
clown Gugusse?   5. Décrivez son déguisement.   6. Les clowns sont drôles?

[1]The French do not add an *s* to make a family name plural. "The Bonnels" is *les Bonnel;* "the
Bonnels' villa" would be *la villa des Bonnel.*
[2]In France, *Auguste* is a common name for a clown. The nickname is *Gugusse*. The name is
funny because the word *auguste* means "dignified" or "solemn."

EXPLICATIONS II

Les nombres 1 à 20

In French, the numbers 1 to 20 are as follows:

1	un	11	onze
2	deux	12	douze
3	trois	13	treize
4	quatre	14	quatorze
5	cinq	15	quinze
6	six	16	seize
7	sept	17	dix-sept
8	huit	18	dix-huit
9	neuf	19	dix-neuf
10	dix	20	vingt

Exercice

Determine the pattern in the following series of numbers, then continue them as far as you can.

1. un, trois, cinq, sept . . .
2. deux, quatre, six . . .
3. cinq, dix . . .
4. vingt, dix-neuf, dix-huit . . .

Le verbe <u>avoir</u>

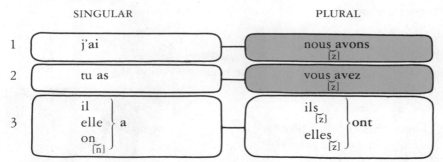

1. When *je* comes before a verb form beginning with a vowel sound, the *e* is dropped. This is called "elision." In spelling, an apostrophe is used in place of the *e*. Thus, *je + ai → j'ai*.

2. In all of the plural forms of *avoir*, there is liaison between the pronoun and the verb. Remember that liaison *s* is pronounced [z]. The *n* of *on* also represents a liaison consonant here: *on a*.

Exercice

Restate the sentences using the pronoun and the form of *avoir* that correspond to the determiner in italics. Follow the models.

1. Ce sont *leurs* bateaux à voiles.
   Ils ont leurs bateaux à voiles.
   or: *Elles ont leurs bateaux à voiles.*
2. C'est *mon* maillot.
   J'ai mon maillot.

3. C'est *son* jean.
4. Ce sont *nos* bas.
5. C'est *votre* magnétophone.
6. C'est *ton* stylo.
7. Ce sont *mes* chaussettes.
8. Ce sont *vos* cahiers.
9. C'est *leur* livre.
10. Ce sont *ses* habits.
11. Ce sont *tes* crayons.
12. C'est *notre* craie.

Les phrases négatives

Look at the following:

Je suis dans le parc.   Je **ne** suis **pas** chez moi.
La voiture est dans le garage. Elle **n**'est **pas** devant la maison.

To make a French sentence negative, put *ne* before the verb and *pas* after it. *Ne* becomes *n*' before a word beginning with a vowel sound.

Exercice

Answer the following questions in the negative. Follow the model.

1. Vos parents ont trois bateaux?
   Non, nos parents n'ont pas trois bateaux.

2. Thomas va à l'école à pied?
3. La moto est dans le garage?
4. Tu as cinq frères?
5. Nous allons à Montréal par le train?
6. J'ai son livre?
7. Il est dans le parc?
8. Claire et Jeanne sont en pantalon?
9. Ils vont à Cannes en moto?
10. Nous avons nos maillots?
11. Elles vont dans le jardin?
12. Tu vas à Paris en voiture?

Vérifiez vos progrès

Write negative answers to the following questions. Spell out the numbers in your answers. Follow the model.

1. Vous avez 3 frères?
   Non, je n'ai pas trois frères.

2. Elle a 17 livres?
3. Jean-Jacques a 5 calendriers?
4. Nous avons 8 fenêtres
   dans la salle de classe?
5. Elles ont 15 robes?
6. Vous avez 20 crayons?
7. Madame Lebeau a 13 chapeaux?
8. Tu as 14 cousins?
9. Ils ont 9 stylos?

RÉVISION ET THÈME

Consult the model sentences, then put the English cues into French and use them to form new sentences based on the models.

1. *Notre oncle et notre tante* sont devant leur garage.
   (Your (pl.) *bike and motorbike)*
   (Their shoes and shirts)

2. *Nous avons nos chapeaux.*
   (You (sing.) *have your boats.)*
   (They (f.) *have their sailboats.)*

3. *Son camion n'est pas* dans le garage. *Il est dans le parc.*
   (My car isn't)   *(It's under the tree.)*
   (Our bikes aren't)   *(They're on the grass.)*

4. *Il est là, derrière son jardin.*
         (in front of his house)
         (with his neighbors (f.))

5. *Nous avons deux copines.*
   (The tree has nine leaves.)
   (I have five trucks.)

6. *Ils vont à la campagne en avion* avec mes parents.
   (We're going to church by bus)
   (I'm going to the mountains by train)

Now that you have done the *Révision.* you are ready to write a composition. Put the English captions describing each cartoon panel into French to form a paragraph.

Marc and Chantal are in front of their house.

They have their bikes.

Their mother isn't in the house. She's in the garage.

Their father is behind the house, in his garden.

He has four flowers.

Marc and Chantal are going to the post office with their friends.

AUTO-TEST

A. Replace the words in italics with the cues in parentheses. Be sure to change the possessive determiner to agree with the cue. Follow the model.

1. Anne est avec *son frère.* (copines)
   Anne est avec ses copines.

2. Nous allons à Cannes avec *notre tante.* (oncles)
3. Vous avez *vos jupes.* (robe)
4. Tu vas à la gare avec *ton voisin?* (voisine)
5. Ils ont *leurs motos.* (voiture)
6. Nous sommes avec *notre ami.* (amies)
7. Vous avez *votre vélo.* (motos)
8. Voilà *leur garage.* (jardins)

B. Rewrite the sentences, spelling out each number.

1. Georges a 3 sœurs, 2 frères, 10 cousins, 13 cousines, 4 oncles et 5 tantes.
2. Dans la salle de classe, nous avons 19 élèves et 20 pupitres.
3. Monsieur Dupont a 16 crayons, 8 stylos, 3 gommes et 11 cahiers sur son bureau.

C. Write the sentences in the negative, using the correct form of the appropriate verb *aller. être.* or *avoir.* Follow the model.

1. Le drapeau . . . devant la poste.
   Le drapeau n'est pas devant la poste.

2. Vous . . . vos motos.
3. Je . . . à l'école à pied.
4. Nous . . . nos pull-overs.
5. Tu . . . à Nice en vélo.
6. Ce . . . mes cousines.
7. Tu . . . ma voiture.
8. Ils . . . à Paris par le train.
9. Elles . . . leurs bateaux à voiles.
10. Les feuilles . . . sur l'herbe.
11. Nous . . . en jean.
12. Vous . . . en pantalon et en blouse.

Cinquième Leçon

A Cannes

Michèle est à Cannes,[1] sur la Côte d'Azur, avec sa sœur Françoise. Elles vont au Palais des Festivals.[2] Maintenant elles sont au coin de la rue, près de l'hôtel Carlton.

MICHÈLE Pardon, monsieur l'agent.[3] Le Palais des Festivals, s'il vous plaît?
5   Est-ce qu'il est loin d'ici?
L'AGENT Pas du tout, mademoiselle. Il est là, en face de l'hôtel.
MICHÈLE Merci beaucoup, monsieur.
L'AGENT Je vous en prie, mademoiselle. A votre service.[4]

---

[1]Cannes is a resort city on the Mediterranean in southeastern France. The Mediterranean is warm, and the area is ideal for swimming and boating. The sea is noted for its color, a deep blue known as azure. The French name for the Riviera—la Côte d'Azur—means "the Azure Coast."

[2]The Palais des Festivals is a convention hall where, among other events, the Cannes Film Festival is held.

[3]The French never address someone simply as "officer" or "teacher." They always use the polite form: *monsieur l'agent, monsieur le professeur* (or *madame le professeur*), or simply *monsieur, madame,* or *mademoiselle.*

[4]Here *A = à.* When a letter that has an accent mark is capitalized, the accent mark is usually dropped.

In Cannes

Michèle is in Cannes, on the Riviera, with her sister Françoise. They are going to the Palais des Festivals. Right now they are on the corner, near the Hotel Carlton.

MICHÈLE   Excuse me, officer. Where's the Palais des Festivals, please? Is
5   it far from here?
POLICEMAN Not at all, miss. It's there, opposite the hotel.
MICHÈLE   Thanks a lot.
POLICEMAN Certainly, miss. At your service.

Questionnaire

1. Qui est avec Françoise? 2. Où sont Michèle et Françoise? 3. Où est-ce qu'elles vont? 4. Est-ce que le Palais des Festivals est loin ou ("or") près de l'hôtel? 5. Où est-ce qu'il est?

PRONONCIATION

You have learned the numbers from 1 to 20. When some of these numbers appear with other words, their pronunciation changes. Pronounce the numbers 1 through 10 in the following examples:

la Côte d'Azur   Cannes

1. un[1]	un frère	un oncle [n]
2. deux	deux camions	deux autobus [z]
3. trois	trois cartes	trois affiches [z]
4. quatre	{ quatre lycées or: quatre lycées	quatre écoles
5. cinq	cinq feuilles	cinq avions [k]
6. six	six fleurs	six arbres [z]
7. sept	sept copains [t]	sept amis [t]
8. huit	huit copines	huit amies [t]
9. neuf	neuf maisons	neuf hôtels [f]
10. dix	dix professeurs	dix élèves [z]

11–20. Most of the numbers from 11 through 20 have only one pronunciation. Two exceptions are *dix-huit,* which is like *huit,* and *vingt:*

vingt gares   vingt aéroports
                              [t]

[1]*Un* is used only with masculine nouns.

MOTS NOUVEAUX I

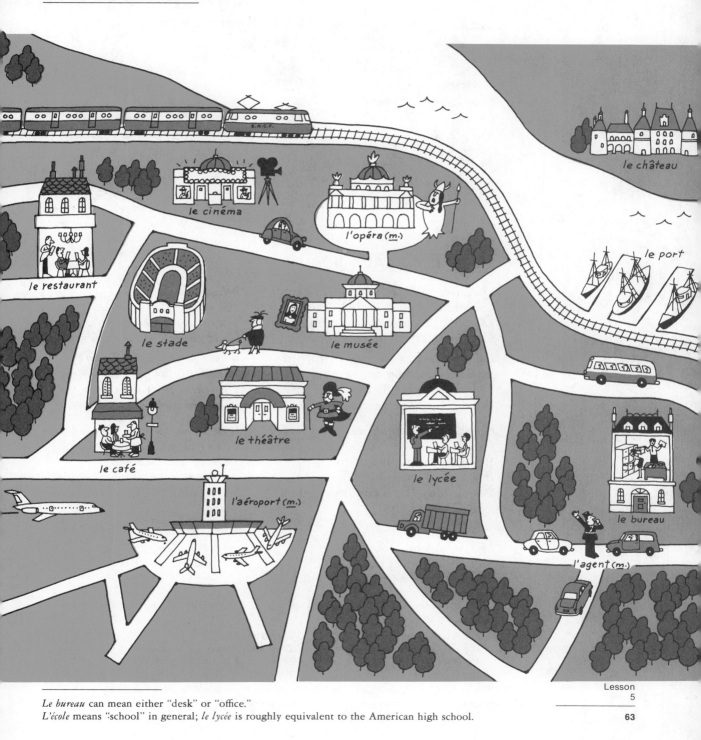

le château

le cinéma

l'opéra (m.)

le port

le restaurant

le stade

le musée

le théâtre

le lycée

le café

l'aéroport (m.)

le bureau

l'agent (m.)

Le bureau can mean either "desk" or "office."
L'école means "school" in general; *le lycée* is roughly equivalent to the American high school.

Exercice de vocabulaire

Tell where you are going according to the pictures. Follow the model.

1. 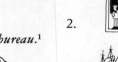 2. 3.

Nous allons au bureau.[1]

4. 5. 6.

7. 8.  9.

MOTS NOUVEAUX II

Qu'est-ce qui est **au coin de la rue**?	*What's **on the corner**?*
L'autobus est **au coin de la rue**.	*The bus is **on the corner**.*
La voiture est **à côté de** l'opéra.	*The car is **next to** the opera house.*
Elle est **à gauche de** l'opéra.	*It's **to the left of** the opera house.*
Qu'est-ce qui est **loin de** l'aéroport?	*What's **far from** the airport?*
Le bureau est **loin de** l'aéroport.	*The office is **far from** the airport.*
Le lycée est **près de** l'aéroport.	*The lycée is **near** the airport.*
Il est **à droite de** l'aéroport.	*It's **to the right of** the airport.*
Combien de camions **est-ce qu'il y a**?[2]	***How many** trucks **are there**?*
Deux **ou** trois?	*Two **or** three?*
Il y a deux camions.	***There are** two trucks.*
Il y a deux fleurs?	***Are there** two flowers?*
Pas du tout. Il y a sept fleurs **maintenant**.	***Not at all. There are** seven flowers **now**.*
Qui est là?	***Who's there?***
Moi, je suis **là**.	*I'm **here**.*
Moi, je suis **ici** et toi, tu es **là**.[3]	*I'm **here** and you're **there**.*

---

[1]*Au = à + le.*

[2]*Il y a* and *voilà* both mean "there is" and "there are." However, they are not interchangeable. Look at the following examples:

Voilà le camion.	*There's the truck.*
Il y a un camion dans le garage.	*There's one truck in the garage.*
Voilà tes chemises.	*There are your shirts.*
Il y a deux chemises sur la chaise.	*There are two shirts on the chair.*

Use *voilà* to point something out. Otherwise use *il y a* to mean "there is" or "there are."

[3]Though *ici* always means "here," *là* may mean either "here" or "there." *Là* always means "there" when it is used in a sentence with *ici*.

Exercices de vocabulaire

A. Answer the questions according to the picture. Follow the model.

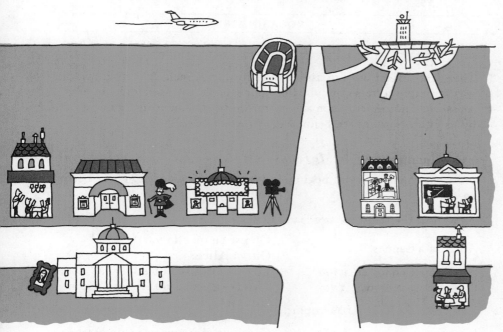

1. Qu'est-ce qui est à gauche du théâtre?[1]
   Le restaurant est à gauche du théâtre.

2. Qu'est-ce qui est à côté du cinéma?
3. Qu'est-ce qui est en face du café?
4. Qu'est-ce qui est au coin de la rue?
5. Qu'est-ce qui est près de l'aéroport?
6. Qu'est-ce qui est à droite du bureau?
7. Qu'est-ce qui est loin du restaurant?
8. Qu'est-ce qui est en face du théâtre?
9. Qu'est-ce qui est près du stade?
10. Qu'est-ce qui est à gauche du lycée?

B. Choose the inappropriate word in each series, then make up a complete sentence using that word.

1. à gauche	à côté	à pied	à droite
2. en avion	en maillot	en voiture	en autobus
3. dix	dans	deux	douze
4. l'opéra	le théâtre	le cinéma	l'usine
5. le port	la gare	le garçon	l'aéroport
6. lui	eux	toi	trois
7. l'agent	la feuille	la fleur	l'arbre

---

[1]*Du = de + le.*

EXPLICATIONS I

Les phrases interrogatives

VOCABULAIRE

comment? *how?*   n'est-ce pas?   *(see point 3)*

---

1. There are several ways of asking questions in French. As you know, one way is simply to raise the pitch of your voice on the last syllable of a sentence. Another common way of turning a statement into a question is by using *est-ce que* at the beginning of the sentence:

   Il est là.   *He's there.*
   Est-ce qu'il est là?   *Is he there?*

   Note that before a word beginning with a vowel sound, *est-ce que* becomes *est-ce qu'.*

2. Note how the question words are used:

   Alice va à Cannes.   { Où est-ce qu'elle va?
                                         { Où va Alice?

   Alice va à Cannes en avion.   Comment est-ce qu'elle va à Cannes?
   Elle va à Cannes avec Yves.   Avec qui est-ce qu'elle va à Cannes?
   Alice et Yves sont }   Qui est[1]   }
   L'avion est   } à l'aéroport.   Qu'est-ce qui est   } à l'aéroport?
   Il y a trois aéroports et dix   Combien d'aéroports et de gares
       gares à Paris.   est-ce qu'il y a à Paris?

3. *N'est-ce pas* is used at the end of a sentence and implies that a "yes" answer will be given. It has several English equivalents. For example:

   Elle va à l'école, n'est-ce pas?   { *She goes to school, doesn't she?*
                                         { *She's going to school, isn't she?*

   Tu vas à la plage, n'est-ce pas?   { *You go to the beach, don't you?*
                                         { *You're going to the beach, aren't you?*

4. One other question word that you know is *pourquoi,* "why":

   Pourquoi est-ce qu'elle va à Cannes?   Parce que sa famille est là.

Exercices

A. Change the statements into questions with *est-ce que.* Follow the model.

1. Etienne et son frère vont au cinéma.
   Est-ce qu'Etienne et son frère vont au cinéma?

2. La maison de leurs amis est près de la banque.

---

[1] Like "who," *qui* is followed by a singular form of the verb unless the people are mentioned:

   Qui est à l'aéroport?   *Who's at the airport?*
   but: Qui sont Alice et Yves?   *Who are Alice and Yves?*

3. Les agents vont dans le parc.
4. Le camion est dans le garage.
5. Il y a deux restaurants au coin de la rue.
6. Votre bureau est en face de la gare.
7. Il y a deux arbres à côté de l'école.
8. Ses parents vont à Nice en bateau.

B. Redo the above exercise using *n'est-ce pas*. Follow the model.

1. Etienne et son frère vont au cinéma.
   Etienne et son frère vont au cinéma, n'est-ce pas?

C. Read the following statements, then ask as many questions as you can about each one. Follow the model.

1. Georges va à Nice en voiture avec ses trois sœurs.
   Est-ce que Georges va à Paris?
   Où va Georges?
   Qui va à Nice?
   Avec qui est-ce qu'il va à Nice?
   Comment est-ce qu'ils vont à Nice?
   Combien de sœurs est-ce qu'il a?

2. Le théâtre est au coin de la rue, en face de la banque.
3. Ils vont à la plage en autobus parce qu'ils n'ont pas leur voiture.
4. Ses amis vont à New York avec leurs deux enfants.
5. Le musée est à droite de l'hôtel et à gauche de l'église.

Les adjectifs comme <u>rouge</u>, <u>noir</u> et <u>joli</u>

VOCABULAIRE

de quelle couleur?	*what color?*	jeune	*young*
bleu, -e	*blue*	joli, -e	*pretty*
jaune	*yellow*	facile / difficile	*easy / difficult*
noir, -e	*black*	possible / impossible	*possible / impossible*
rouge	*red*	riche / pauvre	*rich / poor*

1. In French, adjectives have different forms and must agree with the person or thing they are describing. The forms are masculine and feminine, singular and plural. Look at the adjectives in the following sentences:

Le maillot est	rouge.	La robe est	rouge.
Les maillots sont	rouges.	Les robes sont	rouges.

An adjective whose masculine form ends in the letter *e* has identical masculine and feminine forms. In the plural, an *s* is added. All four forms are pronounced the same.

2. Now look at the adjectives *noir* and *joli:*

Le maillot est	**noir.**	Le chapeau est	**joli.**
Les maillots sont	**noirs.**	Les chapeaux sont	**jolis.**
La robe est	**noire.**	La jupe est	**jolie.**
Les robes sont	**noires.**	Les jupes sont	**jolies.**

Certain adjectives that end in a pronounced consonant or in a vowel other than *e* also have only one pronunciation. But they have four different written forms.

3. Look at the following:

| | Voilà ma robe bleue. | *There's my blue dress.* |
| *but:* | Voilà ma jolie robe. | *There's my pretty dress.* |

Most adjectives follow the noun. A few very common ones, such as *jeune* and *joli*, come before. For the moment, we will deal mostly with adjectives that follow the noun.

Exercices

A. Form sentences using the feminine cues in parentheses and the possessive determiner *sa*. Follow the model.

1. Le vélo de Jean est rouge. (la moto)
   Sa moto est rouge aussi.

2. Le fils de M. Lenoir est riche. (la fille)
3. Le crayon d'Hélène est jaune. (la gomme)
4. L'oncle de ma copine est jeune. (la tante)
5. Le maillot de mon amie est rouge. (la robe)
6. L'ami de Marie est pauvre. (la voisine)

B. Redo the above exercise in the plural. Follow the model.

1. Les vélos de Jean sont rouges. (les motos)
   Ses motos sont rouges aussi.

C. Answer the questions, using the feminine cues in parentheses and the possessive determiner *sa*. Follow the model.

1. Le chapeau de M. Lebeau est noir, n'est-ce pas? (la chemise)
   Oui, et sa chemise est noire aussi.

2. Le maillot de mon amie est joli, n'est-ce pas? (la jupe)
3. Le pull-over d'Hélène est bleu, n'est-ce pas? (la blouse)
4. Le vélo de ton voisin est noir, n'est-ce pas? (la moto)
5. Le bureau de leur grand-père est jaune, n'est-ce pas? (la chaise)
6. Le camion de votre frère est bleu, n'est-ce pas? (la voiture)

D. Answer the questions using the appropriate pronoun and the cues in parentheses. Be careful! Some of the nouns are masculine and others are feminine. Follow the model.

1. De quelle couleur sont les tableaux? (noir)
   Ils sont noirs, n'est-ce pas?

2. De quelle couleur sont les robes? (rouge)
3. De quelle couleur sont les bateaux? (jaune)
4. De quelle couleur sont les vélos? (noir)
5. De quelle couleur sont les feuilles? (rouge)
6. De quelle couleur sont les voitures? (bleu)
7. De quelle couleur sont les motos? (noir)
8. De quelle couleur sont les autobus? (bleu)

E. Combine the following pairs of sentences according to the model.

1. C'est mon maillot. Il est bleu.
   C'est mon maillot bleu.

2. Ce sont leurs chaussures. Elles sont noires.
3. C'est ma robe. Elle est rouge.
4. Voilà ma chemise. Elle est bleue.
5. C'est le livre. Il est difficile.
6. Voici ta jupe. Elle est noire.
7. Voilà les fleurs. Elles sont rouges.
8. Voilà les cahiers. Ils sont jaunes.

Vérifiez vos progrès

Write questions based on the statements, using the appropriate interrogative word *qu'est-ce qui, comment, combien,* or *de quelle couleur.* Follow the model.

1. L'arbre est à côté de la maison.
   Qu'est-ce qui est à côté de la maison?

2. Elle a cinq livres et trois cahiers.
3. Les chaussures sont noires.
4. Ils vont à Cannes par le train.
5. Le palais est en face de notre hôtel.
6. Le musée est à droite de l'opéra.
7. L'autobus est jaune et bleu.
8. Ils ont sept enfants.
9. Nous allons à l'aéroport en voiture.
10. Le théâtre est à gauche de l'église.

CONVERSATION ET LECTURE

Parlons de vous

1. Comment est-ce que vous allez à l'école? à pied? en vélo? 2. Qu'est-ce qu'il y a dans votre salle de classe qui est jaune? noir? bleu? rouge? 3. Est-ce que votre maison ou appartement est loin de votre lycée? 4. Qu'est-ce qui est en face de votre maison? de votre lycée? 5. Est-ce que vous allez à la campagne? à la montagne? à la plage? 6. Comment est-ce que vous allez à la plage? Avec qui?

Le match° de football¹

Dans un° coin de la cantine,° près de la fenêtre, il y a deux garçons. Le garçon à gauche porte° un pantalon noir et une chemise rouge. Il s'appelle° Marc. Le garçon à droite est en jean et il porte une jolie
5 chemise jaune et bleue. C'est Jean-Jacques. Devant eux, sur la table, il y a une revue° de football.

MARC	Je vais au cinéma samedi° avec Sara.
JEAN-JACQUES	Moi, je vais au match de football avec mon père.
10 MARC	Dis,° le stade est près du cinéma, n'est-ce pas?
JEAN-JACQUES	Oui, c'est à côté.°
MARC	Après° le match, allons ensemble° au café.
15 JEAN-JACQUES	Merci, mais c'est impossible. Après un match, mon père est toujours° fatigué.°
MARC	Fatigué? Pourquoi?
JEAN-JACQUES	Mon père est un vrai° fana de football² et il crie° beaucoup. . . .

le match: *game*

un, une: *a, an*
la cantine: *lunchroom*
porter: *to wear*
il s'appelle: *his name
    is*
la revue: *magazine*

samedi: *Saturday*

dis: *say!*

à côté: *(here) next door*
après: *after*
ensemble: *together*

toujours: *always*
fatigué, -e: *tired*

vrai, -e: *real*
crier: *to shout*

À propos . . .

1. Où sont les deux garçons? 2. Qui est le garçon en chemise rouge? 3. De quelle couleur sont les habits de Jean-Jacques? 4. Qu'est-ce qu'il y a sur la table? 5. Où vont Marc et son amie samedi? 6. Jean-Jacques va au cinéma avec eux? Pourquoi? 7. Où est le stade? 8. Jean-Jacques et son père vont au café après le match? Pourquoi? 9. Est-ce que vous allez aux³ matchs de football ou de football américain de votre lycée? 10. Quand ("when") vous êtes à un match de football, est-ce que vous criez beaucoup?

---

¹In France, what we call soccer is called *le football*. American football is *le football américain*.
²The French use *le* or *la fana* to speak of someone who enjoys a particular activity or thing: *un fana du cinéma, une fana des sports*. They use *le* or *la fan* to describe someone who is a fan of a particular performer or sports figure.
³*Aux = à + les*.

EXPLICATIONS II

A et de

1. The word *à* has several meanings:

Je vais à Paris.	*I'm going to Paris.*
Je suis à Paris.	*I'm in Paris.*
Je vais à la plage.	*I'm going to the beach.*
Je suis à la plage.	*I'm at the beach.*

The word *de* also has several meanings:

Anne est l'amie de ma cousine.	*Anne is my cousin's friend.*
Mon ami de New York est ici.	*My friend from New York is here.*

Both *à* and *de* are also part of many common expressions:

Ils vont à pied.	*They're going on foot.*
Ils sont à côté de la porte.	*They're next to the door.*

2. Look at the following:

Voilà Paris.	Je suis à Paris.	Je suis près de Paris.
Voilà la porte.	Je suis à la porte.	Je suis près de la porte.
Voilà l'hôtel.	Je suis à l'hôtel.	Je suis près de l'hôtel.
Voilà le café.	Je suis au café.	Je suis près du café.

The prepositions *à* and *de* combine with the masculine definite determiner *le* to become *au* and *du*.

3. Look at the plural forms:

Voilà les portes.	Ils vont aux portes.	Ils sont près des portes.
Voilà les hôtels.	Ils vont aux hôtels.	Ils sont près des hôtels.
Voilà les cafés.	Ils vont aux cafés.	Ils sont près des cafés.

The prepositions *à* and *de* combine with the plural determiner *les* to become *aux* and *des*. Before a noun beginning with a vowel sound, the *x* and *s* are pronounced [z].

Exercices

A. Answer the questions according to the pictures. Follow the model.

1. Où est-ce que tu vas?

   Je vais à la montagne.

2. Où est-ce que vous allez, mes amis?

3. Où est-ce qu'ils vont?

4. Où est-ce qu'on
   va?

5. Où est-ce qu'elles
   vont?

6. Où est-ce que tu
   vas, Cécile?

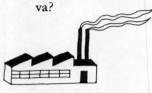

7. Où est-ce qu'il
   va?

8. Où est-ce que nous
   allons?

9. Où est-ce que tu
   vas, Jean?

B. Answer the questions using the cues in parentheses. Follow the model.

1. Où est-ce que vous allez, messieurs? (le bureau)
   Nous allons au bureau.

2. Où est-ce qu'ils vont? (le restaurant)
3. Où est-ce que vous allez, madame? (le jardin)
4. Où est-ce que tu vas, Léon? (le lycée)
5. Où est-ce qu'elle est? (le cinéma)
6. Où est-ce qu'elles sont? (le musée)
7. Où est-ce que tu es? (le café)
8. Où est-ce qu'ils vont? (le parc)

C. Combine the following pairs of sentences according to the models.

1. Voici l'élève. Ce sont ses livres.
   Ce sont les livres de l'élève.
2. Voilà le copain de Guy. C'est son vélo.
   C'est le vélo du copain de Guy.

3. Voici la jeune fille. Ce sont ses robes.
4. Voici le professeur. C'est sa voiture.
5. Voici l'enfant. C'est sa chemise.
6. Voici l'agent. C'est son bureau.
7. Voilà l'ami de Guy. Ce sont ses bateaux.
8. Voilà le neveu de Mme Lafont. C'est son pull-over.
9. Voilà le frère d'Alice. C'est son camion.
10. Voilà la cousine de Marie. C'est sa maison.

D. Each day five policemen make their rounds. Tell where each of them goes, using the appropriate form of *à* + determiner. Follow the model.

1. Monsieur Leclerc . . . (les écoles/la poste/le parc)
   Monsieur Leclerc va aux écoles, à la poste et au parc.

2. Monsieur Alphonse . . . (l'opéra/le théâtre/les cinémas)
3. Monsieur Dupont . . . (les banques/les cafés/le musée)
4. Monsieur Lenoir . . . (les jardins/le lycée/l'hôpital)
5. Monsieur Bernard . . . (l'aéroport/la gare/le stade)

E. Answer the questions using the plural form of the cues in parentheses. Follow the model.

1. Où est le drapeau? (près de la fenêtre)
   Le drapeau est près des fenêtres.

2. Où est le musée? (en face du jardin)
3. Où est la moto? (à côté du vélo)
4. Où est le cahier? (à gauche du livre)
5. Où est le stade? (en face de l'usine)
6. Où est l'aéroport? (loin de l'hôtel)
7. Où est le bureau? (en face du pupitre)
8. Où est la carte? (à droite de l'affiche)

Vérifiez vos progrès

Write complete sentences using the correct form of the words given. Follow the model.

1. Le café/être/en face de/le musée
   Le café est en face du musée.

2. La banque/être/à gauche de/la poste
3. Je/aller/à/le bureau
4. L'arbre/être/à côté de/le garage
5. Les enfants/aller/à/les lycées/en autobus
6. Nous/aller/à/le théâtre
7. Sa villa/être/près de/le port
8. Nous/être/loin de/l'aéroport
9. L'opéra/être/à droite de/les restaurants
10. Le cinéma/être/en face de/les jardins

REVISION ET THÈME

Consult the model sentences, then put the English cues into French and use them to form new sentences based on the models.

1. *Voilà le cinéma.* Les élèves sont *là, près du cinéma.*
   (There's the theater.)   (here, across from the theater)
   (Here's the museum.)   (there, to the left of the museum)

2. *Le restaurant* est *à côté du musée.*
   (The hotel)   (on the corner)
   (The stadium)   (far from the airport)

3. Il y a *cinq camions rouges devant l'hôtel.*
   (three yellow bikes behind the tree)
   (two blue cars in the garage)

4. Les motos sont *à droite de l'autobus.*
   (across from the factories)
   (next to the movie theater)

5. Les *quatre cousins* vont *au lycée près de la gare.*
   (six girl friends)   (to the café to the right of the high school)
   (eight girls)   (to the beach far from the port)

Now that you have done the *Révision,* you are ready to write a composition. Put the English captions describing each cartoon panel into French to form a paragraph.

1. There's the opera house. The students are there, opposite the opera house.

2. The restaurant is on the corner.

3. There are two black cars near the restaurant.

4. The students are to the left of the cars.

5. They're going to the café to the right of the opera house.

AUTO-TEST

A. Write questions based on the statements, using an appropriate interrogative. Sometimes you may be able to ask more than one question. Follow the model.

1. Marie-Thérèse est là.
   Qui est là? Où est Marie-Thérèse?

2. Il y a trois bateaux à voiles.
3. Leurs chaussettes sont bleues.
4. Thomas et Frédéric vont au restaurant.
5. Le cinéma est en face du café.
6. Nous allons à notre villa par le train.
7. Jean est à l'aéroport.
8. Ils ne vont pas à la piscine parce qu'ils n'ont pas leurs maillots.

B. Write answers to the questions using the cues in parentheses. Follow the model.

1. De quelle couleur sont tes chaussures? (noir)
   Mes chaussures sont noires.

2. De quelle couleur est ton pull-over? (rouge)
3. De quelle couleur est ta moto? (bleu)
4. De quelle couleur sont tes chemises? (jaune)
5. De quelle couleur sont tes livres? (noir)
6. De quelle couleur sont tes voitures? (bleu)

C. Write answers to the questions using the cues in parentheses. Follow the models.

1. Où est-ce que tu vas? (la poste/près de/le lycée)
   Je vais à la poste près du lycée.
2. Où est l'aéroport? (loin de/les maisons)
   L'aéroport est loin des maisons.

3. Où est-ce qu'il va avec son frère? (le café/à côté de/le cinéma)
4. Où est-ce que tu vas? (la plage/près de/le port)
5. Où est-ce que vous allez? (les jardins/en face de/le château)
6. Où sont les habits du garçon? (sur la chaise/à gauche de/la table)
7. Où est-ce qu'elles vont? (le restaurant/en face de/le bureau)
8. Où est l'école? (loin de/les hôtels)
9. Où est-ce qu'ils vont? (la banque/à droite de/les usines)
10. Où vont leurs amis? (les musées/près de/le parc)

Sixième Leçon

Au lycée

Il est huit heures. André Gallet entre dans la salle de classe. Il est triste.

LE PROFESSEUR	Bonjour, André. Comment ça va?
ANDRÉ	Ça va mal, monsieur.
LE PROFESSEUR	Pourquoi?
5 ANDRÉ	Parce que chez moi, mon frère regarde toujours les sports
	à la télé pendant que je révise mes leçons.
LE PROFESSEUR	Et alors?
ANDRÉ	Alors, j'aime étudier, mais j'aime aussi regarder les sports.
	Et quand mon frère . . .
10 LE PROFESSEUR	André!
ANDRÉ	Oui, monsieur?
LE PROFESSEUR	Où sont vos devoirs?[1]
ANDRÉ	Euh . . .

---

[1]*Les devoirs* is a masculine noun that is used in the plural to mean written homework. Note that the teacher uses the *vous* form (*vos devoirs*). Usually, elementary-school teachers use *tu* when talking to students and secondary-school teachers use *vous*.

At school

It is eight o'clock. André Gallet comes into the classroom. He is sad.

TEACHER Good morning, André. How are you?
ANDRÉ Not very well, sir.
TEACHER Why?
5 ANDRÉ Because at home, my brother always watches sports on TV while I'm going over my lessons.
TEACHER So?
ANDRÉ Well, I like to study, but I like to look at sports, too. And when my brother . . .
10 TEACHER André!
ANDRÉ Yes, sir?
TEACHER Where's your homework?
ANDRÉ Er . . .

Questionnaire

1. Où est André? 2. Comment est-ce qu'il est? 3. Pourquoi est-ce que ça va mal? 4. Qu'est-ce qu'il y a (= qu'est-ce qui est) à la télé pendant qu'André étudie? 5. Est-ce que le frère d'André aime regarder les sports? Et André aussi? 6. Est-ce qu'André a ses devoirs?

PRONONCIATION

The vowel sound [e] is produced with the lips in a smiling position and the jaws held very steady.

Exercices

A. Listen to the following words, then say them aloud. Be sure to hold your jaws absolutely steady as you pronounce the [e] sound.

c'est	chez	les	le cahier	le papier
le café	l'école	l'église	la télé	le lycée

B. Carefully pronounce the [e] sound in the following words. Pronounce each syllable with equal stress.

aller   entrer   regarder   étudier   réviser

C. Listen to the following sentences, then say them aloud.

C'est le café.   J'aime regarder la télé.
Allez chez René.   Edith révise ses leçons.
Il est chez André.   Bénédicte aime étudier.

MOTS NOUVEAUX I

la radio
la télé
le disque
le journal télévisé
le documentaire

jouer au football américain
jouer au football
jouer au tennis

la pièce
le dessin animé
le film policier
réviser ses leçons

le journal
les devoirs
jouer aux cartes
jouer aux échecs

Qu'est-ce qu'il fait?
Est-ce qu'il **regarde les dessins animés?**

Non, il **écoute la radio.**
Est-ce qu'elle **joue au tennis?**
Non, elle regarde **le match de football.**

What's he doing?
Is he watching cartoons?

No, he's listening to the radio.
Is she playing tennis?
No, she's watching the soccer match.

Exercice de vocabulaire

Answer the questions according to the pictures. Follow the model.

1. Il joue aux cartes?
   Non, il ne joue pas aux cartes. Il joue aux échecs.

2. Elle écoute la radio?

3. Elle regarde le film policier?

4. Il joue au football?

5. Il joue au football américain?

6. Il regarde le journal?

7. Il regarde le documentaire?

8. Elle joue aux échecs?

9. Elle regarde le dessin animé?

MOTS NOUVEAUX II

Qu'est-ce qu'elle fait? — *What's she doing?*

Où sont **ses devoirs**? — *Where's **her homework**?*

Pourquoi est-ce qu'elle n'**étudie** pas? — *Why isn't she **studying**?*

Elle ne **révise** pas la leçon? — *Isn't she **reviewing the lesson**?*

Elle n'aime pas **réviser** ses leçons. — *She doesn't **like to go over her lessons**.*

Elle **aime mieux** regarder les matchs de football américain à la télé. — *She **prefers** to watch **football games on TV**.*

On n'étudie pas **pendant qu'on** regarde la télé. — *We don't study **while** we're watching TV.*

Quand est-ce que tu vas à l'école?
Je vais à l'école **le matin.**[1]
L'après-midi je joue au football.
Le soir je révise mes leçons.

When do you go to school?
*I go to school **in the morning.***
***In the afternoon** I play soccer.*
***In the evening** I go over my lessons.*

le matin

le petit déjeuner

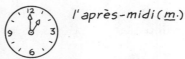

l'après-midi (m.)

le déjeuner

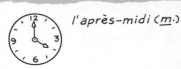

l'après-midi (m.)

le goûter

le soir

le dîner

Je prépare le petit déjeuner.
    le déjeuner.
    le dîner.
    le goûter.[2]

I'm making breakfast.
    lunch.
    dinner.
    the snack.

---

[1]*Le matin* means both "the morning" and "in the morning"; *l'après-midi (m.)* means "the afternoon" and "in the afternoon"; *le soir* means "the evening" and "in the evening."

[2]*Le goûter* is an afternoon snack. It may be bread and butter or jam and perhaps a cup of hot chocolate. Another very common snack is a piece of chocolate eaten with bread.

Maintenant je déjeune.
          déjeune.
          dîne.

Now I'm eating breakfast.
          eating lunch.
          eating dinner.

Le matin mon père va **toujours**
     à son bureau.
Est-ce qu'il est **toujours** là?
Non, **pas maintenant**.

*My father **always** goes to his office*
     in the morning.
*Is he **still** there?*
*No, **not now**.*

Exercices de vocabulaire

A. Answer the questions by telling when the activity mentioned would most likely occur. Follow the model.

1. Est-ce que sa mère prépare le petit déjeuner l'après-midi?
   Pas du tout! Elle prépare le petit déjeuner le matin.

2. Est-ce que ses parents vont au théâtre le matin?
3. Est-ce qu'on prépare le goûter le soir?
4. Est-ce que nous allons au cinéma le matin?
5. Est-ce que Martine déjeune le soir?
6. Est-ce que sa cousine dîne l'après-midi?
7. Est-ce que Jean regarde les documentaires le matin?

B. Answer the questions according to the pictures. Follow the model.

1. Qu'est-ce qu'elle fait?
   Elle écoute le disque.

2. Qu'est-ce qu'elle fait?   3. Qu'est-ce qu'il fait?

4. Qu'est-ce qu'il fait?   5. Qu'est-ce qu'elle fait?

6. Qu'est-ce qu'elle fait?   7. Qu'est-ce qu'il fait?

8. Qu'est-ce qu'il fait?   9. Qu'est-ce qu'elle fait?

EXPLICATIONS I

Qu'est-ce qui / qu'est-ce que

1. Look at the following:

La télé est sur la table.   Qu'est-ce qui est sur la table?

Ma mère regarde la télé.   { Qu'est-ce que ta mère regarde?
                            { Qu'est-ce qu'elle regarde?

Qu'est-ce qui means "what" as the subject of a question ("What's on the table?"). *Qu'est-ce que* means "what" as the object of a question ("What's she watching?").

2. *Qu'est-ce qu'il y a* can be used in place of *qu'est-ce qui est:*

Qu'est-ce qu'il y a sur la table?   *What's on the table?*
Qu'est-ce qu'il y a à la télé?   *What's on TV?*

3. Another common use of *qu'est-ce que* is in the expression *Qu'est-ce que c'est?* ("What's that?").

Exercices

A. Based on the statements, ask questions using *qu'est-ce que*. Follow the model.

1. Paul regarde le match de football à la télé.
   Qu'est-ce que Paul regarde à la télé?

2. Son frère révise les trois leçons difficiles.
3. Marie aime les documentaires.
4. Roger écoute son disque.
5. Elle aime les livres faciles.
6. On joue les films policiers au cinéma.

B. Restate the questions using *qu'est-ce qu'il y a*. Follow the model.

1. Qu'est-ce qui est sous la chaise?
   Qu'est-ce qu'il y a sous la chaise?

2. Qu'est-ce qui est dans le parc?
3. Qu'est-ce qui est au coin de la rue?
4. Qu'est-ce qui est devant le camion?
5. Qu'est-ce qui est derrière l'arbre?
6. Qu'est-ce qui est en face du théâtre?

Les verbes réguliers en -er

VOCABULAIRE			
apporter	*to bring*	ouvrir	*to open*
arriver	*to arrive*	parler	*to speak, to talk*
demander	*to ask, to ask for*	porter	*to wear*
donner	*to give*	rentrer { à	*to go back to*
entrer dans	*to go in, to come in*	rentrer { de	*to come back from*
fermer	*to close*	rester	*to stay, to remain*
habiter	*to live, to live in*	travailler	*to work*
montrer	*to show*		

Aller, avoir, and *être* are irregular verbs; that is, the six forms do not follow a pattern. Regular verbs do have a standard pattern. The most common class of regular verbs has infinitives ("to" forms) ending in *-er.* To get the present-tense forms, start with the "stem," which is the infinitive minus the *-er,* then add the appropriate ending *-e, -es, -e; -ons, -ez,* or *-ent:*

INFINITIVE: **regarder** *to look at, to watch*
STEM: **regard-**

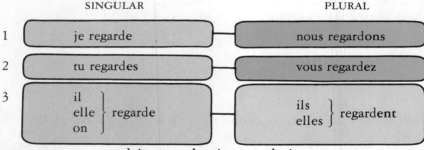

	SINGULAR	PLURAL
1	je regarde	nous regardons
2	tu regardes	vous regardez
3	il elle } regarde on	ils elles } regardent

IMPERATIVE: **regarde! regardons! regardez!**

1. All three singular forms and the 3 pl. form are pronounced the same:

   je regarde   tu regardes̸   il regarde   ils regarde̸nt̸

2. As with *tu vas* "you're going" and *va!* "go!" the *s* of the 2 sing. form does not appear in the imperative.

3. When a verb begins with a vowel sound, elision and liaison occur: *j'écoute, on‿écoute, nous‿écoutons, vous‿écoutez, ils‿écoutent, elles‿écoutent.* Remember that liaison *s* is always pronounced [z].

4. Although *ouvrir,* "to open," is not an *-er* verb, in the present tense its forms are just like those of *aimer* or *écouter.* The stem of *ouvrir* is *ouvr-* (*j'ouvre, tu ouvres,* etc.).

5. Sometimes we use a preposition in English where the French do not:

J'écoute les disques.   *I'm listening to the records.*

Je regarde le professeur.   { *I'm looking at the teacher.* / *I'm watching the teacher.* }

Je demande les cartes.   *I'm asking for the cards.*
J'habite l'hôtel.   *I live in the hotel.*

Similarly, the French sometimes use a preposition where we do not:

Je joue au tennis.   *I play tennis.*

J'entre dans le musée.   { *I'm entering the museum.* / *I'm going into the museum.* }

Je montre[1] la voiture à Jean.   { *I'm showing Jean the car.* / *I'm showing the car to Jean.* }

Je demande les cartes à Jean.   *I'm asking Jean for the cards.*

Exercices

A. Answer the questions according to the pictures. Follow the model.

1. Qu'est-ce qu'elle ouvre?
   Elle ouvre les fenêtres.

2. Qu'est-ce qu'elle porte?

3. Où est-ce qu'il habite?

4. Où est-ce qu'il travaille?

5. Où est-ce qu'elle arrive?

6. Qu'est-ce qu'il donne à Martine?

7. Qu'est-ce qu'il apporte aux élèves?

8. Où est-ce qu'elle rentre?

9. Où est-ce qu'il entre?

[1]*Apporter* and *donner* also follow this pattern: *J'apporte le livre à Jean; Je donne le livre à Jean.*

10. Qu'est-ce qu'elle demande?

11. Qu'est-ce qu'elle regarde?

12. Qu'est-ce qu'elle montre à Jacques?

B. Answer the questions according to the statements. In your answer, use the appropriate pronoun *ils* or *elles*. Follow the models.

1. Jacqueline et Anne portent leurs pull-overs noirs.
   (a) Qu'est-ce que les jeunes filles portent?
   Elles portent leurs pull-overs.
   (b) De quelle couleur sont les pull-overs?
   Ils sont noirs.

2. Tes cousins donnent les fleurs rouges aux jeunes filles.
   (a) Qu'est-ce que mes cousins donnent aux jeunes filles?
   (b) De quelle couleur sont les fleurs?

3. Maintenant Odile et Georges jouent aux échecs à la maison.
   (a) Odile et Georges jouent aux cartes maintenant?
   (b) Est-ce qu'Odile et Georges sont à l'hôtel?

4. Mes trois tantes arrivent toujours par le train.
   (a) Combien de tantes est-ce que tu as?
   (b) Comment est-ce que tes tantes arrivent?

5. Mes frères étudient pendant que mes sœurs écoutent leurs disques.
   (a) Est-ce que tes frères écoutent leurs disques?
   (b) Est-ce que tes sœurs étudient aussi?

6. Le soir ses neveux dînent toujours au restaurant.
   (a) Où est-ce qu'ils dînent?
   (b) Quand est-ce que ses neveux vont au restaurant?

7. Antoinette et Elise habitent la maison en face de la gare.
   (a) Où habitent les jeunes filles?
   (b) Leur maison est loin de la gare?

8. Barbara et Colette ont quatre frères qui aiment regarder les matchs de football.
   (a) Combien de frères ont Barbara et Colette?
   (b) Qu'est-ce que leurs frères aiment regarder?

C. Answer the questions using the cues in parentheses. Follow the models.

1. J'aime aller à la plage. Et toi, Brigitte? (jouer au tennis)
   Oui, mais j'aime mieux jouer au tennis.
2. Tu aimes aller à Paris. Et lui? (rester chez lui)
   Oui, mais il aime mieux rester chez lui.

3. Vous aimez travailler au bureau. Et elle? (rester à la maison)
4. Elle aime aller par le train. Et vous, monsieur? (aller en avion)
5. Nous aimons regarder la télé. Et eux? (écouter la radio)
6. Ils aiment habiter Paris. Et elles? (habiter la campagne)

7. Elle aime dîner au restaurant. Et toi? (dîner à la maison)
8. Tu aimes parler à tes amis après la classe. Et lui? (rentrer chez lui)
9. J'aime rentrer du stade en autobus. Et vous, mes amis? (rentrer à pied)
10. Vous aimez aller au cinéma. Et moi? (aller au théâtre)

D. Answer the questions using the cues in parentheses. Follow the models.

1. Qu'est-ce que votre grand-mère fait pendant que vous regardez le journal télévisé? (préparer le dîner)
   Elle prépare le dîner pendant que nous regardons le journal télévisé.
2. Qu'est-ce que ta sœur fait pendant que tu écoutes les disques? (jouer aux échecs)
   Elle joue aux échecs pendant que j'écoute les disques.

3. Qu'est-ce que son frère fait pendant que nous jouons au tennis? (préparer le goûter)
4. Qu'est-ce que votre oncle fait pendant que vous regardez la pièce? (rester à la maison)
5. Qu'est-ce que Catherine fait pendant que Jeanne et Denise parlent à Georges? (regarder les dessins animés)
6. Qu'est-ce qu'Adèle fait pendant que ses enfants sont au lycée? (travailler à Paris)
7. Qu'est-ce que David fait pendant que je ferme les fenêtres? (ouvrir la porte)
8. Qu'est-ce que votre mère fait pendant que vous étudiez? (jouer aux cartes)
9. Qu'est-ce que Bruno fait pendant que nous déjeunons? (arriver)
10. Qu'est-ce que son père fait pendant que vous dînez au restaurant? (rentrer à l'appartement)
11. Qu'est-ce que le professeur fait pendant que tu apportes les chaises? (regarder mes devoirs)
12. Qu'est-ce que Pierre fait pendant que je montre le jardin à Yvonne? (parler aux enfants)

Vérifiez vos progrès

Complete the sentences using the appropriate form of each verb in the correct slot. You will use each verb once.

1. Les Leclerc . . . quatre enfants maintenant. Ils . . . toujours Montréal, où M. Leclerc . . . à l'hôpital. (*travailler/habiter/avoir*)
2. L'après-midi les jeunes filles . . . au tennis. Le soir elles . . . leurs leçons pendant que tu . . . la télé. (*regarder/réviser/jouer*)
3. Notre mère . . . à la banque et nos grands-parents . . . à la maison avec nous. Le soir nous . . . chez nous ou au restaurant au coin de la rue. (*travailler/rester/dîner*)
4. Vous . . . la porte et Thomas . . . dans la maison. Il . . . son pull-over rouge et son jean. Il . . . du lycée. (*rentrer/porter/ouvrir/entrer*)

CONVERSATION ET LECTURE

Parlons de vous

1. Est-ce que vous aimez les sports? Est-ce que vous jouez au football? au football américain? 2. Est-ce que vous aimez jouer au tennis? aux cartes? aux échecs? 3. Avec qui est-ce que vous jouez? 4. Est-ce que vous aimez regarder la télé? Qu'est-ce que vous aimez regarder à la télé? le journal télévisé? les dessins animés? 5. Est-ce que vous aimez regarder le journal? les revues ("magazines") de sports? les revues de mode ("fashion")? 6. Est-ce que vous écoutez la radio? les disques? 7. Est-ce que vous habitez loin du lycée? 8. Est-ce que vous aimez rester chez vous le soir? Si ("if") non, où est-ce que vous aimez aller? au théâtre? au cinéma? au restaurant?

Le matin chez les Guichard

C'est aujourd'hui° mercredi° et Mme Guichard prépare le petit déjeuner pour° M. Guichard et leurs deux filles, Viviane et Michèle.[1] Les Guichard ont quatre enfants, mais les deux aînés° n'habitent pas
5   chez leurs parents. Alain est marié° et travaille dans une° banque à Paris. Il y a aussi Marie qui travaille à Radio-Canada à Montréal.

Pendant qu'ils déjeunent, le facteur° arrive. Il apporte une carte postale° de Marie. Madame Gui-
10   chard montre la carte à son mari° et à ses filles. Regardons la carte avec eux:

"Ça va toujours très bien ici. Aujourd'hui on travaille de 8 h.° jusqu'à° 20 h.[3] Nous préparons un documentaire sur les Esquimaux.° Le documentaire
15   n'est pas en français, mais en anglais. C'est toujours très difficile pour moi et je suis très fatiguée."°

VIVIANE	Ecoute, Michèle! Ce n'est pas facile pour elle! Elle est paresseuse,° notre sœur!
20 MME GUICHARD	Mais non, ta sœur n'est pas paresseuse! L'anglais est très difficile pour elle.
VIVIANE	Mais moi aussi, je travaille douze heures° par jour.° Je suis au lycée de huit heures jusqu'à cinq heures. Et le soir je révise mes leçons.
MME GUICHARD	Pauvre Viviane!
VIVIANE	Oui! Et qui paie° les élèves quand ils travaillent?

c'est aujourd'hui: *today is*
mercredi: *Wednesday*
pour: *for*
l'aîné, -e: *older child*
marié, -e: *married*
un, une: *a, an*

le facteur: *mailman*
la carte postale: *post card*
le mari: *husband*

h. = heures: *o'clock*
jusqu'à: *until*
l'Esquimau: *Eskimo*
fatigué, -e: *tired*

paresseux, -euse: *lazy*

l'heure (f.): (here) *hour*
par jour: *per day*

payer: *to pay*

À propos ...

1. Qui prépare le petit déjeuner?   2. Combien d'enfants ont M. et Mme Guichard?   3. Où habite Alain? Qu'est-ce qu'il fait?   4. Où habite Marie? Qu'est-ce qu'elle fait?   5. Qui arrive pendant que les Guichard déjeunent?   6. Qu'est-ce qu'il apporte?   7. A qui est-ce que Mme Guichard montre la carte?   8. Qu'est-ce que Marie prépare à Montréal?   9. Est-ce qu'elle tra-

---

[1]In most cases, French students are in school from 8:00 to 4:00, 5:00, or even 6:00, with two hours off for lunch. There are no classes on Wednesday, but there are classes on Saturday until noon. Students are expected to study on Wednesdays, but they also take the opportunity to participate in sports or cultural activities, such as visiting museums.

[2]Radio-Canada is the French name of the Canadian Broadcasting Company.

[3]Note that the French often use a twenty-four-hour system to avoid confusion between morning and evening. Train and plane schedules are always based on this system. In everyday conversation, however, the French usually speak in terms of a twelve-hour clock.

vaille beaucoup? Pourquoi? 10. Et Viviane, est-ce qu'elle travaille beaucoup? 11. Et vous, est-ce que vous travaillez beaucoup? 12. Est-ce que
vous aimez étudier? 13. Qu'est-ce que vous aimez mieux: écouter la radio
ou regarder la télé? les documentaires ou les films? les films ou les dessins
animés? 14. Est-ce que vous aimez mieux regarder les journaux ou le journal télévisé?

EXPLICATIONS II

Les adjectifs comme petit, heureux, blanc

VOCABULAIRE			
blanc, blanche	*white*	généreux, généreuse	*generous*
gris, grise	*gray*	avare	*stingy*
vert, verte	*green*		
		heureux, heureuse	*happy*
grand, grande	*big, large*	triste	*sad*
petit, petite	*little, small*		
		paresseux, paresseuse	*lazy*
		énergique	*energetic*

1. Look at the adjective *petit* in the following sentences:

    Le camion est **petit**.   La voiture est **petite**.
    Les camions sont **petits**.   Les voitures sont petites.

    Most adjectives whose masculine form ends in a silent consonant have
    feminine forms ending in *e*.[1] Remember that a consonant followed by *e* is
    always pronounced:

    Le por~t~ est peti~t~.   *but:* La por~te~ est peti~te~.
    Les por~ts~ sont peti~ts~.   *but:* Les por~tes~ sont peti~tes~.

2. Adjectives like *heureux* and *blanc* also have masculine and feminine forms
    pronounced differently. In addition, they show special features of spell-
    ing:

    Son frère est **heureux**.   Sa sœur est **heureuse**.
    Ses frères sont **heureux**.   Ses sœurs sont **heureuses**.
    Le maillot est **blanc**.   La robe est **blanche**.
    Les maillots sont **blancs**.   Les robes sont **blanches**.

    Almost all adjectives whose masculine forms end in *eux* have feminine
    forms ending in *euse*. The masculine singular and plural forms are the
    same.[2]

    There are very few adjectives like *blanc*. It is the only one of its type
    that you will learn this year.

---

[1]Note, however, that there is no *e* on the word *grand* in *la grand-mère*. The plural forms are *les grands-pères, les grands-mères*, and *les grands-parents*.

[2]A singular adjective or noun that ends in *x* or *s* does not add *s* to form the plural. For example: *l'autobus gris, les autobus gris; son fils paresseux, ses fils paresseux*.

Exercices

A. Answer the questions using the feminine cues in parentheses and the possessive determiner *sa.* Follow the model.

1. Le fils de Mme Renoir est triste? (la fille)
   Non, mais sa fille est triste.

2. Le grand-père de Christian est avare? (la grand-mère)
3. Le copain de Guy est énergique? (la sœur)
4. Le chapeau d'Aude est joli? (la robe)
5. L'oncle de Jean est jeune? (la tante)
6. Le bureau du professeur est noir? (la chaise)
7. Le voisin d'Yvette est riche? (la voisine)

B. Put the words in italics into the plural. Follow the model.

1. Nos sœurs regardent *le bateau noir.*
   Nos sœurs regardent les bateaux noirs.

2. Les enfants habitent toujours *la maison rouge.*
3. Ma copine demande *son pull-over noir et rouge.*
4. Elles aiment *le chapeau jaune.*
5. Ils aiment *la leçon facile.*
6. Est-ce que vous avez *le cahier bleu?*
7. Est-ce que vous êtes toujours *triste, monsieur?*
8. *La jeune fille énergique joue.*

C. Answer the questions using the cues in parentheses and the appropriate possessive determiner *son* or *sa.* Follow the model.

1. La villa de M. Dupont est petite? (le jardin)
   Oui, et son jardin est petit aussi.

2. La blouse de Véronique est grise? (le pull-over)
3. Le bureau du professeur est grand? (la maison)
4. Le bateau du garçon est vert? (la moto)
5. La nièce de Mme Lejeune est paresseuse? (le neveu)
6. Le professeur de Julie est heureux? (la famille)
7. Le cousin de Thierry est généreux? (la cousine)
8. La chemise d'Hervé est blanche? (le pantalon)

D. Answer the questions using the adjective that means the opposite of the one given. Follow the models.

1. Est-ce que les vélos sont noirs?   *Mais non, ils sont blancs.*
   Et les motos?   *Elles sont blanches aussi.*

2. Est-ce que vos frères sont énergiques? Et vos sœurs?
3. Est-ce que les tableaux sont grands? Et les affiches?
4. Est-ce que les devoirs sont difficiles? Et les leçons?
5. Est-ce que vos grands-pères sont avares? Et vos grands-mères?
6. Est-ce que vos oncles sont tristes? Et vos cousines?

Quelle heure est-il?

Il est une heure. Il est neuf heures.[1] Il est midi. Il est minuit.

A quelle heure est-ce que vous allez à l'école?

What time do you go to school?

Je vais à l'école à 9 h.[2]

I go to school at 9:00.

Je rentre chez moi à 1 h.

I return home at 1:00.

A quelle heure est-ce que tu arrives?

What time are you arriving?

J'arrive à 10 h. du matin.

I'm arriving at 10:00 A.M.

    à 2 h. de l'après-midi.

at 2:00 P.M.

    à 9 h. du soir.

at 9:00 P.M.

Exercice

Answer the question according to the pictures.

Quelle heure est-il?

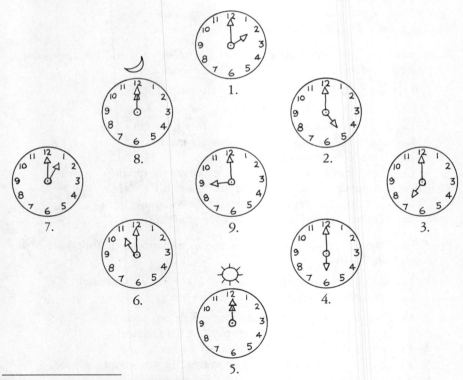

[1]When *neuf* comes before the word *heures*, the *f* is pronounced [v].
[2]The abbreviation for *heure* or *heures* is *h.*

Vérifiez vos progrès

Write answers to the questions, using the correct form of the adjective which means the opposite of the one given. Follow the model.

1. Est-ce que Virginie est triste?   *Non, elle est heureuse.*
2. Est-ce que les garçons sont énergiques?
3. Est-ce que leur maison est grande?
4. Est-ce que les jeunes filles sont avares?
5. Est-ce que ses chaussures sont noires?
6. Est-ce que Jean-Luc est petit?
7. Est-ce que Marie-France est paresseuse?
8. Est-ce que ses amis sont généreux?
9. Est-ce que son pull-over est blanc?
10. Est-ce que ses frères sont heureux?

RÉVISION ET THÈME

Consult the model sentences, then put the English cues into French and use them to form new sentences based on the models.

1. Il est *huit heures. Madame Lambert arrive à l'usine.*
   (six o'clock) (Mr. Lambert returns from the office.)
   (two o'clock) (Gigi and Paul Lambert go into the house.)

2. *Jean est paresseux.*
   (Louise is happy.)
   (Eric is sad.)

3. *Il regarde la télé* pendant que *sa sœur travaille.*
   (She's playing chess) (her brother makes lunch)
   (He's going over the lesson) (his friends play football)

4. *A quatre heures il prépare le goûter.*
   (At noon they eat lunch.)
   (At seven o'clock we eat dinner.)

5. L'après-midi, *j'aime jouer aux cartes.*
   (you (pl.) *like to look at the newspapers*)
   (you (sing.) *like to listen to the radio*)

Now that you have done the *Révision*, you are ready to write a composition. Put the English captions describing each cartoon panel into French to form a paragraph.

It's 5:00. Andrée is returning from school.

She's energetic. She plays tennis while her brother listens to the radio.

At 7:00 her family eats dinner.

In the evening, they like to watch TV.

AUTO-TEST

A. Write answers to the questions using the cues in parentheses. Follow the model.

1. Quand il rentre de l'école, Georges aime jouer au football. Et toi? (aimer jouer au football américain)
   Moi, j'aime jouer au football américain.

2. Les garçons écoutent la radio. Et vous? (regarder la télé)
3. Guy et Luc jouent aux échecs. Et nous? (préparer le goûter)
4. Ses fils vont à l'école. Et ses filles? (travailler au bureau)
5. Maintenant nous dînons. Et vous? (regarder le journal télévisé)
6. Il aime déjeuner au café. Et moi? (aimer mieux rester ici)
7. Claude donne son livre à Marie. Et elle? (demander son cahier à Claude)
8. Grégoire et Christine montrent l'affiche à Henri. Et toi? (montrer les images à Cécile)

B. Write answers to the questions according to the pictures.

1. A quelle heure est-ce que tu vas à l'école?
   Je vais à l'école à huit heures.

2. A quelle heure est-ce que tu déjeunes?

3. A quelle heure est-ce que tu joues au tennis?

4. A quelle heure est-ce que tu rentres du bureau?

5. A quelle heure est-ce que tu dînes?

C. Rewrite the paragraphs using the proper form of each adjective.

1. Martin va toujours au lycée à 8 h. du matin. Il est *(grand)*. Il porte son pantalon *(bleu)*, sa chemise *(blanc)* et son pull-over *(rouge)*. Ses chaussettes sont *(bleu)* aussi, mais ses chaussures sont *(noir)*.
2. Françoise n'est pas du tout *(paresseux)*. Elle travaille à la banque. Aujourd'hui elle porte sa jupe *(vert)*, ses bas *(gris)* et sa blouse *(blanc)*. Ses chaussures sont *(gris)* et son chapeau est *(vert)*. Ses habits sont *(joli)*, n'est-ce pas?

Septième Leçon

Mercredi matin

Nous sommes mercredi, neuf heures du matin, le premier décembre. Catherine écoute la radio. Sa sœur, Annick, regarde par la fenêtre.

ANNICK Oh zut! Il neige.
CATHERINE Il neige?! Chic! Allons dans le jardin.[1]
5 ANNICK Mais non. Il fait trop froid dehors.
CATHERINE Bof. . . .[2] Tu es trop paresseuse.
ANNICK Je ne suis pas paresseuse, moi. Mais quand il fait froid, j'aime mieux rester à l'intérieur.
CATHERINE Toi, tu es toujours difficile.

---

[1]*Le jardin* is the area surrounding the house. A vegetable garden is *un jardin potager;* a flower garden is *un jardin de fleurs.*
[2]This expression is usually accompanied by a shrug, which to the French is a sign of annoyance or indifference.

Wednesday morning

It's Wednesday, nine o'clock in the morning, December first. Catherine is
listening to the radio. Her sister, Annick, looks out the window.

ANNICK   Oh darn, it's snowing.
CATHERINE   It's snowing?! Great! Let's go out in the yard.
5 ANNICK   No way. It's too cold out.
CATHERINE   Aw, you're too lazy.
ANNICK   I'm *not* lazy. But when it's cold, I'd rather stay inside.
CATHERINE   You're always a killjoy.

Questionnaire

1. Quelle heure est-il?   2. Quelle est la date?   3. Qu'est-ce que Catherine
fait? Et sa sœur, qu'est-ce qu'elle fait?   4. Est-ce qu'Annick est heureuse
quand il neige? Et Catherine?   5. Pourquoi est-ce qu'Annick n'aime pas
aller dehors quand il neige?   6. Où est-ce qu'elle aime mieux rester?

PRONONCIATION

Liaison consonants join two words into a single pronunciation unit. The
liaison consonants that you have learned are the plural markers *s* and *x,*
which are pronounced [z], and the *n* in *on, mon, ton, son,* and *en.*

Exercices

A. Listen carefully, then say the following sentences aloud.

Nous apportons nos affiches.   Vous aimez vos amis.
Vous avez deux enfants.   Nous arrivons à trois heures.
On arrive en avion.   Mon oncle aime son appartement.

B. When *-er* verbs begin with a vowel sound, the [z] sound of the liaison *s*
lets you know that the subject and verb are plural. Say the following
singular and plural sentences aloud.

Elle écoute l'élève.   Elles écoutent les élèves.
Elle apporte l'image.   Elles apportent les images.
Il entre dans l'appartement.   Ils entrent dans les appartements.
Elle aime l'opéra.   Elles aiment les opéras.
Il arrive devant l'usine.   Ils arrivent devant les usines.
Il habite l'hôtel.   Ils habitent les hôtels.

MOTS NOUVEAUX I

Il fait chaud

Il fait froid

Il gèle

Quel temps fait-il?
Il pleut aujourd'hui.
Est-ce qu'il fait souvent mauvais?
Non, quelquefois il fait beau.
Est-ce qu'il gèle quelquefois?[1]
Pas souvent. Mais il pleut beaucoup.
  Et il fait toujours trop frais.
Toujours?
Non, pas toujours. Mais presque
  toujours.
Est-ce que tu aimes aller dehors
  quand il fait frais?
J'aime mieux rester à l'intérieur.

En quelle saison est-ce qu'il fait
  beau?
Il fait beau au printemps.
Ecoute le vent.
Il fait chaud en été.
Regarde le soleil.
Il fait frais en automne.
Ecoute la pluie.
Il fait froid en hiver.
Regarde la neige et la glace.

What's it like out?
It's raining today.
Is the weather often bad?
No, sometimes it's nice out.
Does it freeze sometimes?
Not often. But it rains a lot.
  And it's always too cool.
Always?
No, not always. But almost
  always.
Do you like to go outside when
  it's cool?
I prefer to stay indoors.

In what season is the weather
  nice?
It's nice out in the spring.
Listen to the wind.
It's hot in the summer.
Look at the sun.
It's cool in the fall.
Listen to the rain.
It's cold in the winter.
Look at the snow and ice.

Il fait frais

Il neige

Il fait mauvais

Il pleut

Il fait du vent

Il fait beau
Il fait du soleil

[1]On the Celsius scale, 0° is freezing; 18 – 20° is comfortable room temperature.

Exercices de vocabulaire

A. Answer the questions according to the pictures. Follow the model.

1. Est-ce qu'il fait mauvais?
   Non, il fait beau.

2. Est-ce qu'il fait froid?

3. Est-ce qu'il fait chaud?

4. Est-ce qu'il fait du soleil?

5. Est-ce qu'il gèle?

6. Est-ce qu'il fait beau?

7. Est-ce qu'il neige?

8. Est-ce qu'il pleut?

9. Est-ce qu'il fait frais?

B. Answer the following questions.

1. En quelle saison est-ce qu'on joue au football américain?
2. Est-ce qu'il pleut souvent chez vous? En quelle saison?
3. Est-ce qu'il neige beaucoup chez vous? En quelle saison?
4. Est-ce qu'il gèle en hiver chez vous? Presque toujours ou quelquefois?
5. Est-ce que vous aimez la neige et la glace? Est-ce que vous aimez aller dehors quand il fait froid?
6. En été est-ce qu'il fait toujours du soleil chez vous? Est-ce qu'il fait trop chaud?
7. Est-ce que vous aimez mieux le soleil ou la pluie?
8. En quelle saison est-ce que les feuilles sont jaunes et rouges?
9. Quel temps fait-il en automne chez vous? Est-ce qu'il fait quelquefois très chaud en automne chez vous?
10. Quel temps fait-il aujourd'hui?

MOTS NOUVEAUX II

	L	M	M	J	V	S	D
		1	2	3	4	5	6
une semaine →	7	8	9	10	11	12	13
	14	15	16	17	18	19	20
un jour →	21	22	23	24	25	26	27
	28	29	30	31			

un mois

Il y a combien de **jours** dans **une semaine?** Il y a 7 jours dans une semaine.

de mois	une année?	12 mois	une année.
de mois	une saison?	3 mois	une saison.
de saisons	une année?	4 saisons	une année.

Les quatre saisons sont:

le printemps   **l'été** *(m.)*   **l'automne** *(m.)*   **l'hiver** *(m.)*

Les douze mois de l'année sont:

janvier   février   mars   avril   mai   juin
juillet   août   septembre   octobre   novembre   décembre

Les sept jours de la semaine sont:

lundi   mardi   mercredi   jeudi   vendredi   samedi   dimanche

Quel jour sommes-nous?
Nous sommes lundi (mardi, mercredi, etc.).

What day is it?
It's Monday (Tuesday, Wednesday, etc.).

Quelle est la date?
C'est aujourd'hui lundi, **le premier** janvier.

What's the date?
It's Monday, January 1.

C'est aujourd'hui mardi, **le deux** février.

It's Tuesday, February 2.

Après les vacances de Noël, quand est-ce qu'on rentre au lycée?[1]
On rentre au lycée
après le premier janvier.
avant le dix janvier.
vers le quatre ou le cinq janvier.

After Christmas vacation, when do you go back to school?
We go back to school
after the first of January.
before the tenth of January.
around the fourth or fifth.

---

[1]*Les vacances* is a feminine noun that is always used in the plural.

Exercices de vocabulaire

A. Answer the questions according to the picture.

1. Est-ce qu'il fait chaud?
2. Est-ce qu'il pleut?
3. Est-ce qu'il gèle?
4. Ils sont à la montagne?
5. Quelle est la date?
6. C'est avant ou après les vacances de Noël?
7. Quelle est la saison?
8. Quels sont les mois de la saison?
9. Il neige souvent en hiver?

le 13 janvier

B. Answer the questions according to the picture.

1. Quel temps fait-il?
2. Est-ce qu'il fait froid?
3. Est-ce qu'il fait du soleil?
4. Elles jouent aux cartes?
5. Elles sont à l'intérieur?
6. Quelle est la date?
7. Quelle est la saison?
8. Quels sont les mois de la saison?

le 15 juillet

C. Answer the questions according to the picture.

1. Quel temps fait-il?
2. Est-ce qu'il fait beau?
3. Combien d'arbres et de fleurs est-ce qu'il y a?
4. Quelle est la date?
5. Quelle est la saison?
6. Quels sont les mois de la saison?
7. Il pleut souvent au printemps?

le 20 avril

D. Answer the questions according to the picture.

1. Quel temps fait-il?
2. Est-ce qu'ils jouent au tennis?
3. Quelle est la date? la saison?
4. Quels sont les mois de la saison?
5. De quelle couleur sont les feuilles en automne?
6. Est-ce qu'il fait quelquefois très chaud en automne?

le 18 octobre

EXPLICATIONS I

Les verbes en -ir/-iss-

VOCABULAIRE			
choisir	*to choose*	finir	*to finish*
grossir	*to gain weight*	jaunir	*to turn yellow*
maigrir	*to lose weight*	rougir	*to turn red, to blush*

Most verbs whose infinitive form ends in *-ir* follow this pattern in the present tense:

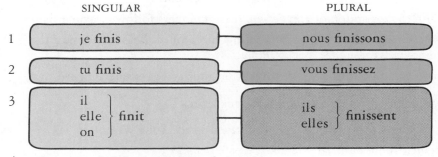

SINGULAR   PLURAL

1 je finis — nous finissons

2 tu finis — vous finissez

3 il / elle / on } finit — ils / elles } finissent

IMPERATIVE: finis! finissons! finissez!

1. The plural forms have a stem ending in *iss (finiss-),* to which the plural endings *-ons, -ez, -ent* are added.

2. For the singular forms, the *ss* of the plural stem is dropped *(finiss- →* *fini-)* and the endings *-s, -s, -t* are added. All three singular forms are pronounced the same.

3. Remember that in the present tense, *ouvrir* follows the pattern of regular *-er* verbs.

Exercice

Complete the sentences using the appropriate form of the verbs in parentheses.

1. Après les vacances, vers le premier octobre, les feuilles des arbres *(jaunir)*.
2. Est-ce que tu *(choisir)* toujours tes habits? Presque toujours, mais quelquefois ma mère *(choisir)* mes habits.
3. Nous *(finir)* nos devoirs et après nous *(aller)* dehors. Quand nous *(jouer)* au tennis ou au football nous ne *(grossir)* pas.
4. Moi, je *(grossir)*. Mais toi, tu *(maigrir)* parce que tu ne *(déjeuner)* pas.
5. Quand est-ce que vous *(rougir)?* Eh bien, nous *(rougir)* quand nous ne *(réviser)* pas nos leçons et quand le professeur *(demander)* pourquoi.
6. Le professeur *(entrer)* dans la salle de classe: "*(Ouvrir)* vos livres! *(Finir)* vos devoirs!" Les élèves *(ouvrir)* leurs livres et leurs cahiers et ils *(finir)* leurs devoirs avant onze heures.

Les nombres 21–69

<table>
<tr><td colspan="6">VOCABULAIRE</td></tr>
<tr><td>trente</td><td>*thirty*</td><td>cinquante</td><td>*fifty*</td><td>zéro</td><td>*zero*</td></tr>
<tr><td>quarante</td><td>*forty*</td><td>soixante</td><td>*sixty*</td><td></td><td></td></tr>
</table>

1. Note how the numbers 21 through 29 are formed:

20	vingt	22	vingt-deux	25	vingt-cinq	28	vingt-huit
21	vingt et un	23	vingt-trois	26	vingt-six	29	vingt-neuf
		24	vingt-quatre	27	vingt-sept		

With the exception of *vingt et un,* these numbers follow a regular pattern.

When used before nouns, they follow the pronunciation pattern of the numbers 1 through 9. For example:

vingt et un garçons   *but:* vingt et un amis (vingt et une amies)
[t]   [t]   [n]   [t]

vingt-deux fleurs   *but:* vingt-deux arbres
[z]

2. The numbers 30 through 69 are formed in the same way:

trente, trente et un, trente-deux, trente-trois . . .
quarante, quarante et un, quarante-deux, quarante-trois . . .
cinquante, cinquante et un, cinquante-deux, cinquante-trois . . .
soixante, soixante et un, soixante-deux, soixante-trois . . .

Exercices

A. Look at a calendar for this year and write the dates in French for the occasions listed below. Include the day, the date, and the month. Then say them aloud. Follow the model.

1. Memorial Day   *C'est lundi, le 25 mai.*

2. New Year's Day   6. Mother's Day   10. Halloween
3. Valentine's Day   7. Father's Day   11. Thanksgiving
4. St. Patrick's Day   8. Bastille Day   12. Christmas
5. April Fool's Day   9. Labor Day   13. Your birthday

B. French license plates are written like this: 4502 DD 53. They are said like this: *quarante-cinq zéro deux DD cinquante-trois.* Look at the following license plates and write them in French. Practice saying them aloud, too.

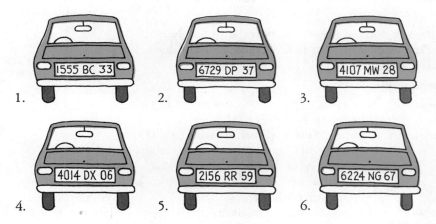

1. 1555 BC 33   2. 6729 DP 37   3. 4107 MW 28

4. 4014 DX 06   5. 2156 RR 59   6. 6224 NG 67

Vérifiez vos progrès

A. Answer the following questions, writing out the numbers in French.

1. Il y a combien de semaines dans une année?
2. Il y a combien de jours dans le mois de février?
3. Il y a combien de jours dans le mois de juillet?
4. Il y a combien d'heures dans deux jours?

B. Complete each sentence using the appropriate form of the verb in parentheses.

1. Quand il fait beau, nous ne *(finir)* pas toujours nos devoirs.
2. Quelquefois les feuilles ne *(jaunir)* pas en automne.
3. Je ne *(rougir)* pas souvent.
4. En été elle *(maigrir)* parce qu'elle joue au tennis.
5. En hiver tu *(grossir)* beaucoup parce que tu n'aimes pas aller dehors.
6. Quand il ne pleut pas, on *(ouvrir)* les fenêtres.
7. *(Choisir)* les affiches, mes enfants!

CONVERSATION ET LECTURE

Parlons de vous

1. En quelle saison est-ce que vous n'allez pas à l'école?   2. Est-ce que vous aimez les vacances? Est-ce que vous allez loin de chez vous?   3. En quelle saison est-ce que vous rentrez à l'école après les vacances? Vers quelle date?
4. Où est-ce que vous aimez aller quand il fait beau? quand il pleut? quand il neige?   5. Quel temps fait-il chez vous au printemps? en été? en hiver?
6. Quel jour sommes-nous aujourd'hui? Quelle est la date?

La fête foraine[1]

Nous sommes dimanche matin vers dix heures. Il y a une° fête foraine à Paris. C'est l'automne et il fait frais dehors. René Gobert et sa cousine Monique écoutent la météo° à la radio:

5 "Dans le nord° il pleut des cordes[2] et il va pleuvoir° à Paris avant midi. Sur la Côte d'Azur, il fait du soleil mais le vent . . ."

René ferme° la radio.

RENÉ	Zut alors. Il pleut toujours quand il y a une fête foraine!
MONIQUE	Mais ça, c'est le climat maritime[3] de la France. Voilà pourquoi j'aime beaucoup la Côte d'Azur. Là-bas il fait mauvais seulement° en hiver. Ce n'est pas comme° à Paris où il pleut souvent.
RENÉ	D'accord, d'accord, mais arrête° la classe de météo, je t'en prie![4] On va toujours à la fête foraine ou est-ce qu'on va au musée? ou quoi?°
20 MONIQUE	S'il° pleut on ne va pas à la fête foraine. Et dans les musées, il fait toujours un froid de canard[5] en automne. Alors, finissons notre déjeuner et allons chez

un, une: a, an

la météo: weather report
le nord: north
il va pleuvoir: it's going to rain
fermer: (here) to turn off

seulement: only
comme: like

arrêter: to stop

quoi: what
si (s'): if

Paris

La Côte d'Azur

---

[1] A *fête foraine* is like a small carnival, with rides, games, and other amusements. These carnivals often travel from town to town, especially on holidays. In smaller towns, they are eagerly awaited, and young and old take part in the festivities.

[2] The expression *pleuvoir des cordes* means "to rain ropes." It is equivalent to the English expression "to rain cats and dogs."

[3] Much of France has a maritime climate because it is bordered by water on three sides and because there are numerous rivers and streams in the middle sections of the country. As a result, in much of France it rains a great deal.

[4] *Je t'en prie* is used instead of *je vous en prie* when you are speaking to someone with whom you would use the *tu* form. In this context, it means "please" or "for goodness' sake."

[5] *Il fait un froid de canard* literally means "It's a duck's cold" or "It's for the ducks." It is equivalent to the English expression "It's freezing cold."

	Anne-Marie. Il fait toujours chaud	
25	dans son appartement et elle a beau-	
	coup de° disques.	beaucoup de: *a lot of*
RENÉ	Ce n'est pas une mauvaise idée,° ça!	une mauvaise idée:
		a bad idea

À propos ...

1. Nous sommes un samedi en automne? Qu'est-ce qu'il y a à Paris aujourd'hui? 2. Quel temps fait-il? 3. Qu'est-ce que René et Monique écoutent? 4. Où est-ce qu'il pleut des cordes? Est-ce qu'il pleut aussi à Paris? sur la Côte d'Azur? 5. Pourquoi est-ce que René n'est pas heureux? 6. Pourquoi est-ce que Monique aime la Côte d'Azur? 7. D'après ("According to") Monique, où est-ce qu'il fait trop froid en automne? 8. Après le déjeuner, où vont René et Monique? Pourquoi? 9. Et vous, est-ce que vous écoutez souvent la météo à la radio ou à la télé? 10. Quel temps fait-il chez vous maintenant? 11. Est-ce qu'il y a quelquefois des fêtes foraines chez vous? En quelle saison? Est-ce que vous aimez les fêtes foraines?

EXPLICATIONS II

Les déterminants indéfinis <u>un</u>, <u>une</u>, des

1. *Un* means "one." It can also mean "a" or "an":

Il a **un** fils et deux filles.	*He has **one** son and two daughters.*
On joue **un** dessin animé.	*They're showing **a** cartoon.*
Elle a **un** oncle à Paris.	*She has **an** uncle in Paris.*
[n̄]	

Un is used only with masculine nouns. When it comes before a word beginning with a vowel sound, there is liaison.[1]

2. Before feminine nouns, an *e* is added: *une*. The feminine form is pronounced [yn]:

Il a **une** fille et deux fils.	*He has **a** daughter and two sons.*
Il est **une** heure.	*It's **one** o'clock.*
Elle a **une** tante à Paris.	*She has **an** aunt in Paris.*

3. Look at the following:

Est-ce qu'elle a **des** disques?	{ *Does she have **any** records?* { *Does she have records?*
Ils ont **des** amis à Paris. [z]	{ *They have **some** friends in Paris.* { *They have friends in Paris.*

In these sentences, *des* is a plural indefinite determiner. Its English equivalent is "some" or "any." Though we can omit "some" or "any" in English, *des* cannot be omitted in French. As with all other plural determiners, the *s* is pronounced [z] before a vowel sound.

4. Note the following:

Est-ce qu'il y a **un** hôtel près d'ici?	Non, il **n'**y a **pas d'**hôtel près d'ici.
Est-ce qu'il a **une** sœur?	Non, il **n'**a **pas de** sœur.
Est-ce qu'elle regarde **des** dessins animés?	Non, elle **ne** regarde **pas de** dessins animés.

After a negative, the indefinite determiners *(un, une, des)* often become *de* or, before a vowel sound, *d'*. Its English equivalent is "a," "an," or "any."

---

[1]In English, too, some determiners have a different spelling or pronunciation when they come before a vowel sound: "*a* book," but "*an* author." Pronounce these words: "the bee," "the ant," "the lip," "the ear." Before a vowel, the word "the" has a distinct [i] sound; before a consonant, it is pronounced somewhat like the vowel sound in the French word *le*.

Exercices

A. Answer the questions according to the pictures, using the appropriate indefinite determiner, *un* or *une.* Follow the model.

1. Qu'est-ce que tu portes, Paul?
   Je porte un pantalon.

2. Qu'est-ce que vous demandez à votre père?

3. Qu'est-ce qu'ils ouvrent?

4. Qu'est-ce qu'il demande?

5. Qu'est-ce qu'elles choisissent?

6. Qu'est-ce que vous regardez?

7. Qu'est-ce qu'elle donne à Pierre?

8. Qu'est-ce qu'on joue?

9. Qu'est-ce qu'ils écoutent?

10. Qu'est-ce que vous regardez, madame?

11. Qu'est-ce que tu donnes à ton père?

12. Qu'est-ce qu'elle choisit?

B. Answer the questions according to the pictures, using the plural form of the indefinite determiner. Follow the model.

1. Qu'est-ce qu'on joue?
   On joue des dessins animés.

2. Qu'est-ce qu'elles demandent à leur mère?

3. Qu'est-ce qu'il apporte?

4. Qu'est-ce qu'ils écoutent?

5. Qu'est-ce que tu choisis?

6. Qu'est-ce qu'elle porte?

7. Qu'est-ce que vous finissez?

8. Qu'est-ce qu'elles apportent?

9. Qu'est-ce qu'il donne au professeur?

C. Change the definite statements to indefinite statements by using *il y a* and the plural indefinite determiner. Follow the model.

1. Les fleurs jaunes sont sous l'arbre.
   Il y a des fleurs jaunes sous l'arbre.

2. Les garçons sont sur l'herbe.
3. Les chemises blanches sont dans votre voiture.
4. Les livres sont sur ta table.
5. Les stylos rouges sont là-bas.
6. Les églises sont près de l'hôtel.
7. Les camions sont devant l'hôpital.
8. Les autobus verts et blancs sont au coin de la rue.
9. Les usines sont loin d'ici.
10. Les agents sont à l'intérieur du musée.

D. Redo the above exercise in the singular. Follow the model.

1. La fleur jaune est sous l'arbre.
   Il y a une fleur jaune sous l'arbre.

E. Answer the following questions in the negative. Follow the model.

1. Est-ce que tu as des frères?
   Non, je n'ai pas de frères.

2. Est-ce qu'il a un chapeau?
3. Est-ce qu'il y a des drapeaux devant la banque?
4. Est-ce que vous avez une voiture?
5. Est-ce qu'il y a des arbres près de la maison?
6. Est-ce qu'ils ont un magnétophone?
7. Est-ce que Paul et Mireille ont des cousins?
8. Est-ce qu'elles portent des jupes?
9. Est-ce que nous regardons des documentaires à la télé?
10. Est-ce qu'il y a des journaux dans la salle de classe?
11. Est-ce que tu as des images de Paris?
12. Est-ce qu'il apporte une radio à la villa?

Vérifiez vos progrès

Rewrite the sentences using the appropriate form of the verb *avoir* and the indefinite determiner. Be careful! Some are singular, some plural; some are affirmative, some negative. Follow the model.

1. Son pantalon est bleu et ses chaussures sont noires.
   Il (Elle) a un pantalon bleu et des chaussures noires.

2. Votre moto est grise.
3. Mon frère est paresseux.
4. Leurs livres sont difficiles.
5. Ton maillot n'est pas noir.
6. Leurs cousins ne sont pas riches.
7. Notre tante est avare et notre oncle est généreux.
8. Sa jupe est verte et sa chemise est blanche.

RÉVISION ET THÈME

Consult the model sentences, then put the English cues into French and use them to form new sentences based on the models.

1. C'est aujourd'hui *vendredi le vingt-cinq septembre.*
   (Tuesday, July 1)
   (Thursday. August 31)

2. *C'est l'automne. Il fait frais et il pleut.*
   (It's spring.)   *(It's sunny out but it's freezing.)*
   (It's summer.)   *(It's windy and cold out.)*

3. *Mathieu et Danielle regardent un film policier.*
   (I'm listening to a play.)
   (We're preparing some documentaries.)

4. Parce que *c'est lundi nous n'avons pas de match.*
   (it's Saturday there are no cartoons)
   (it's Sunday she doesn't have a newspaper)

5. Quand *je choisis mon livre, je rentre à la maison.*
   (we finish our lessons, we go outside)
   (he finishes his lunch. he stays inside)

6. *Tu aimes le vent.*
   (She likes the sun.)
   (You (pl.) *like rain.)*

Now that you have done the *Révision,* you are ready to write a composition. Put the English captions describing each cartoon panel into French to form a paragraph.

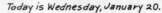

Today is Wednesday, January 20.

It's winter. It's cold and snowing.

Sophie and Didier are fixing a snack.

Because it's Wednesday, they don't have any homework.

So when they finish their snack, they go outdoors.

They like the snow.

AUTO-TEST

A. Describe the weather according to the pictures. Follow the model.

1. *Il fait chaud.*

2.

3.

4.

5.

6.

7.

8.

9.

B. Many French phone numbers are written like this: 20-34-02. They are said like this: *vingt trente-quatre zéro deux.* Look at the following phone numbers and write them in French. Then practice saying them aloud.

1. 46-50-21   3. 48-11-55   5. 32-30-27
2. 33-07-63   4. 62-49-19   6. 64-04-14

C. Answer the questions using the appropriate pronoun. Follow the model.

1. Il choisit un livre difficile. Et toi?
   Moi, je choisis un livre difficile aussi.

2. Tu maigris avant les vacances. Et tes copains?
3. Vous choisissez toujours des chemises bleues. Et lui?
4. Je finis mes devoirs. Et vous?
5. Elle grossit. Et moi?
6. Les garçons rougissent quelquefois. Et les jeunes filles?
7. Il finit souvent ses devoirs avant neuf heures. Et toi?
8. Je choisis une robe rouge. Et sa cousine?
9. Elles finissent leur déjeuner vers une heure. Et nous?

Proverbe

Après la pluie, le beau temps.

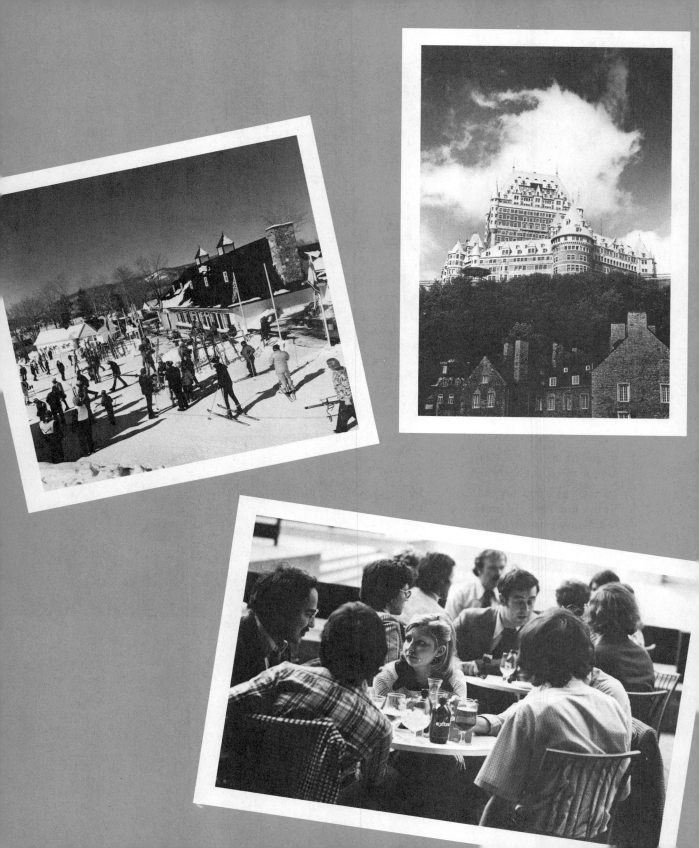

Huitième Leçon

A la montagne

Monsieur et Mme Pelletier et leurs enfants habitent Sherbrooke.[1] Aujour-
d'hui les Pelletier sont au Mont Tremblant,[2] où ils font du ski.

	MME PELLETIER	Tu n'as pas ton anorak, Julien?
	M. PELLETIER	Non, il est à la maison.
5	MME PELLETIER	Tu n'as pas froid?
	M. PELLETIER	Si, j'ai froid, mais mon anorak est trop laid.
	MME PELLETIER	Mais non, tu as tort. Il est beau, ton anorak . . . et toi aussi!
	M. PELLETIER	Bof . . .
10	MME PELLETIER	Mais ne rougis pas!

---

[1]Sherbrooke is a French-speaking university city in Quebec, located approximately 120 kilometers east of Montreal.
[2]Mont Tremblant is the highest peak in the Laurentian Mountains (*les Laurentides*). The Lauren-
tians extend from the St. Lawrence River to Hudson Bay.

In the mountains

Monsieur and Mme Pelletier and their children live in Sherbrooke. Today the Pelletiers are at Mont Tremblant, where they are skiing.

MME PELLETIER Don't you have your ski jacket, Julien?
M. PELLETIER No, it's at home.
MME PELLETIER Aren't you cold?
M. PELLETIER Yes, I'm cold. But my ski jacket's too ugly.
MME PELLETIER Oh no, you're wrong. Your ski jacket's good-looking . . . and so are you!
M. PELLETIER Aw . . .
MME PELLETIER Don't blush.

Questionnaire

1. Où habitent les Pelletier? 2. Où est-ce qu'ils sont maintenant? Qu'est-ce qu'ils font là? 3. Est-ce que M. Pelletier a son anorak? Où est l'anorak? 4. Est-ce que M. Pelletier n'a pas froid? 5. Est-ce qu'il aime son anorak? Pourquoi? 6. Est-ce que Mme Pelletier aime l'anorak de M. Pelletier? 7. D'après ("according to") Mme Pelletier est-ce que M. Pelletier est beau?

PRONONCIATION

The French sound [y] is not like any English vowel. It is produced with the lips tightly rounded and the tongue in the same position as for the [i] sound. Round your lips and try to say [i]; the result will be the [y] sound.

Exercices

A. Listen, then say the following words aloud.

tu	une	sur	la jupe
le pupitre	l'usine	la voiture	les chaussures

B. Listen to these pairs, then say them aloud.

[i]/[y]	si/su	sire/sur	la vie/la vue
[u]/[y]	tout/tu	vous/vu	nous/nu

C. Listen, then say the following sentences aloud.

Il fait du vent.
Tu vas chez Suzanne.
Bruno et Luc étudient.
Tu portes une jupe.
Les pupitres sont près du bureau.
L'autobus est au coin de la rue.

MOTS NOUVEAUX I

1. Look at the following:

En été, il fait chaud.	*In the summer, **it's warm**.*
C'est la saison chaude.	*It's **the warm** season.*
Nous avons chaud en été.	***We're warm** in the summer.*
En hiver, il fait froid.	*In the winter, **it's cold**.*
La neige est froide.	***The snow is cold**.*
J'ai froid.	***I'm cold**.*
Alors, porte ton **anorak** *(m.)*.	*So wear your **ski jacket**.*

Il fait froid and *il fait chaud* are used only to describe weather or temperature in a room. If an inanimate object—a thing—is being described, the French use a form of the verb *être,* and the words *froid* and *chaud* agree with the noun. If a person or animal feels warm or cold, the French use a form of the verb *avoir,* and *froid* and *chaud* do not agree with the noun.

2. The verb *avoir* is also used in certain expressions to show emotional or physical states:

avoir chaud
avoir froid
avoir faim
avoir soif

avoir peur
avoir sommeil
oui? oui! non? non!
avoir raison avoir tort

Tu as peur du dragon, toi?	*Are you afraid of the dragon?*
Mais oui! Il est laid, le dragon.	*Of course! The dragon's **ugly**.*
Alors, tu as peur de la nuit aussi?	*Then **are you afraid of the dark**, too?*
Mais non! La nuit n'est pas laide!	*No! The dark isn't **ugly**.*

Exercices de vocabulaire

A. Complete the sentences using the appropriate form of *avoir* or *être*.

1. Ils _____ faim.
2. Tu _____ froid.
3. Le dîner _____ chaud.
4. Nous _____ tort.
5. Le soleil _____ chaud.
6. Vous _____ raison.
7. Les nuits _____ froides.
8. Tu _____ sommeil.

B. Answer the questions according to the pictures. Follow the model.

1. Est-ce que ta grand-mère a chaud?
   Non, elle a froid.

2. Est-ce que le garçon a faim?

3. Est-ce que vos amis ont peur?

4. Est-ce qu'ils ont soif?

5. Est-ce que l'élève a tort?

6. Est-ce qu'il a raison?

7. Est-ce que votre oncle a froid?

8. Est-ce que votre frère et votre sœur ont sommeil?

C. Form sentences using the correct verb: *avoir*, *être*, or *faire*. Follow the models.

1. ma mère/froid   *Ma mère a froid.*
2. la glace/froid   *La glace est froide.*
3. il/du vent   *Il fait du vent.*

4. tu/raison
5. vous/peur
6. il/tort
7. le vent/chaud
8. il/du soleil
9. nous/sommeil
10. les nuits/chaud
11. il/frais
12. les agents/froid
13. tu/soif

MOTS NOUVEAUX II

le jour

le soleil · le ciel · le nuage · le lac · l'eau (*f.*) · le fleuve · la terre

Il fait jour

la nuit

l'étoile (*f.*) · la lune · le sable · la mer · l'eau (*f.*)

Il fait nuit

Exercice de vocabulaire

Choose the word that best completes each sentence. Follow the model.

1. Les nuages sont dans (*le lac|le ciel|la terre*).
   Les nuages sont dans le ciel.

2. Quand il fait nuit, il y a souvent (*des fleuves|des mers|des étoiles*) dans le ciel.

3. La plage est près de (*la mer|la lune|la corbeille*).

4. Quand il neige, (*la lune|l'étoile|la terre*) est blanche.

5. Leur bateau à voiles est sur (*le stade|le lac|le ciel*).

6. Quand il fait (*beau|jour|nuit*), le ciel n'est pas bleu.

7. Le soleil et (*le fleuve|le sable|la terre*) sont jaunes.

8. Quand ils sont à la plage, ils vont dans (*l'eau|l'étoile|l'école*).

9. Quand il pleut, (*le ciel|le soleil|le sable*) est gris.

EXPLICATIONS I

Le verbe faire

	SINGULAR	PLURAL
1	je fais	nous faisons
2	tu fais	vous faites
3	il elle on } fait	ils elles } font

IMPERATIVE: fais! faisons! faites!

1. All three singular forms are pronounced the same: [fe]. In *nous faisons* the *ai* is pronounced like the letter *e* in *le;* in *vous faites* it is pronounced [ɛ].

2. *Faire* is used in many common expressions:

faire du ski

faire la vaisselle

faire des achats

faire de l'alpinisme

faire du ski nautique

faire de l'auto-stop

faire une faute

faire un voyage

faire ses devoirs

The main English equivalents of the verb *faire* are "to do" or "to make":

Nous faisons nos devoirs.　　　*We're doing our homework.*
Ils font des fautes.　　　　　*They make mistakes.*

However, *faire* also has many special meanings:

Vous faites du ski, n'est-ce pas?　　*You ski, don't you?*
Tu fais un voyage, n'est-ce pas?　　*You're taking a trip, aren't you?*
Ils font des achats, n'est-ce pas?　　*They're shopping, aren't they?*
Il fait mauvais, n'est-ce pas?　　　*It's bad out, isn't it?*
Il fait du soleil, n'est-ce pas?　　　*It's sunny, isn't it?*

Another common use of *faire* is in arithmetic:

Combien font deux et deux?　　　*How much are two and two?*
Deux et deux font quatre.　　　　*Two and two are four.*
Combien font quatre moins deux?　　*How much is four minus two?*
Quatre moins deux font deux.　　　*Four minus two is two.*

The plural form, *font,* is used in both addition and subtraction.

Exercices

A. Complete the sentences according to the pictures, using the appropriate form of the verb *faire.* Follow the model.

1. J'ai peur quand je . . .
J'ai peur quand je fais du ski.

2. Tu n'as pas toujours raison. Quelquefois tu . . .

3. Au printemps, quand il fait beau, nous . . .

4. Porte tes habits chauds! Il . . .

5. Le soir, après le dîner, je . . .

6. Je n'aime pas aller dehors quand il . . .

7. Luc! Suzanne! . . . !

8. En automne nous . . .

9. Elles aiment . . .

10. Est-ce qu'elles . . .   11. On joue au tennis   12. L'après-midi
                               quand il . . .   vous . . .

B. Answer the following questions.

1. Combien font quatorze et quarante?
2. Combien font soixante-huit moins trente-deux?
3. Combien font cinquante et un moins vingt?
4. Combien font vingt-neuf et vingt-sept?
5. Combien font trente-trois et trente-quatre?
6. Combien font quarante-six moins onze?

C. Complete the passage using the appropriate forms of the verb *faire.*

Il est quatre heures. Hugues et Bruno Pasteur _____ leurs devoirs pendant que leur mère _____ des achats. Monsieur Pasteur entre et parle
aux garçons:

   —Qu'est-ce que vous _____, mes enfants?
5   —Je _____ mes devoirs, papa.
   —Et toi, Bruno? Qu'est-ce que tu _____?
   —Moi aussi, je _____ mes devoirs.
   —Mais nous sommes samedi après-midi.
   —Oui, mais demain ("tomorrow") nous _____ un voyage à Chamonix
10   avec les Lejeune.
   —Ah, oui?
   —Oui, eux aussi ils aiment _____ du ski.

Trois adjectifs irréguliers

VOCABULAIRE

beau, belle	*beautiful, handsome*	vieux, vieille *old*
nouveau, nouvelle	*new*	

Beau, nouveau, and *vieux* have very different masculine and feminine forms:

Le lac est **beau**.	La fleur est **belle**.
Les lacs sont **beaux**.	Les fleurs sont **belles**.
Le théâtre est **nouveau**.	La pièce est **nouvelle**.
Les théâtres sont **nouveaux**.	Les pièces sont **nouvelles**.
Le camion est **vieux**.	La voiture est **vieille**.
Les camions sont **vieux**.	Les voitures sont **vieilles**.

Note that since *beau* and *nouveau* end in *-eau,* their plural is formed by adding an *x.* The singular form *vieux* ends in an *x,* so it remains the same in the
plural.

Exercice

Answer the questions using the adjective that means the opposite of the one given. Follow the model.

1. Est-ce que l'arbre est beau?
   Non, il est laid.
   Et la fleur? Est-ce qu'elle est belle?
   Non, elle est laide aussi.

2. Est-ce que le jardin est laid?
   Et la maison? Est-ce qu'elle est laide?

3. Est-ce que le bateau est vieux?
   Et la voile? Est-ce qu'elle est vieille?

4. Est-ce que l'anorak est nouveau?
   Et la chemise? Est-ce qu'elle est nouvelle?

5. Est-ce que ses neveux sont laids?
   Et ses nièces? Est-ce qu'elles sont laides?

6. Est-ce que les bas sont nouveaux?
   Et les chaussures? Est-ce qu'elles sont nouvelles?

7. Est-ce que les lycées sont vieux?
   Et les écoles? Est-ce qu'elles sont vieilles?

Vérifiez vos progrès

A. Complete the sentences with the appropriate form of *avoir*, *être*, or *faire*.

1. En hiver, quand il _____ froid, l'eau _____ froide aussi.
2. Pourquoi est-ce que tu _____ peur de l'eau?
3. Quand est-ce que vous _____ des achats?
4. Quand ils ne révisent pas leurs leçons, ils _____ toujours des fautes.
5. En été, les nuits _____ chaudes, mais il _____ souvent du vent.
6. Quand il _____ mauvais, Georges n'aime pas _____ de l'auto-stop.

B. Answer the questions using the cue in parentheses. Follow the model.

1. Est-ce que leur moto est nouvelle? (les vélos)
   Oui, et leurs vélos sont nouveaux aussi.

2. Est-ce que la lune est belle? (le sable)
3. Est-ce que les motos sont laides? (le camion)
4. Est-ce que ses oncles sont vieux? (les tantes)
5. Est-ce que les nuages sont beaux? (la mer)
6. Est-ce que ses chaussures sont nouvelles? (le jean)
7. Est-ce que leur villa est vieille? (les voitures)

CONVERSATION ET LECTURE

Parlons de vous

1. Est-ce qu'il y a des nuages dans le ciel aujourd'hui? Est-ce que le ciel est bleu? gris? noir?   2. Est-ce qu'il fait froid? Est-ce que vous avez froid? chaud?   3. A quelle heure est-ce que vous déjeunez? Est-ce que vous aimez mieux les déjeuners chauds ou froids?   4. Est-ce que vous habitez près de la mer? d'un lac? des montagnes?   5. Est-ce que vous faites de l'alpinisme? du ski? du ski nautique? des voyages avec votre famille?   6. Est-ce que vous faites de l'auto-stop?   7. Qui prépare le dîner chez vous? Qui fait la vaisselle après le dîner?   8. Qu'est-ce que vous aimez faire après les classes? pendant ("during") vos vacances?   9. Est-ce que vous aimez faire des achats?

A Sainte-Agathe-des-Monts

En hiver les Caron, qui habitent Montréal, louent° un châlet près de Sainte-Agathe-des-Monts. Les Caron ont deux enfants, Serge et Suzanne.

louer: *to rent*

Sainte-Agathe est une ville° à soixante-cinq kilo-
5 mètres de Montréal. On connaît° Sainte-Agathe pour° ses très belles pistes de ski° et pour le Festival des Neiges.¹ De décembre à avril il neige beaucoup à Sainte-Agathe, et il fait très froid. Les Caron aiment les sports d'hiver. Ils font du ski et ils pati-
10 nent.° Serge aime jouer au hockey aussi.

la ville: *town*
connaître: *to know*
pour: *for; in order to*
la piste de ski: *ski run*

patiner: *to skate*

SUZANNE	Je vais gagner° le concours° de ski, moi!	gagner: *to win* l'équipe (f.): *team*
SERGE	Et notre équipe° va gagner le match de hockey.	le concours: *contest*
15 SUZANNE	Mais tu es fou!° Toi et tes copains, vous êtes trop jeunes.	fou, folle: *crazy*
MME CARON	Doucement, doucement!° Ce ne sont pas les Jeux° Olympiques, mes enfants. Ce sont les vacances.	doucement: *hold it!* le jeu: *game*
20 SERGE	Oui, mais c'est amusant,° les concours.	amusant, -e: *fun*
M. CARON	Moi, j'aime mieux faire des excursions en traîneau.° Je ne suis pas énergique comme° vous. Et la neige et les arbres et les montagnes sont très beaux.	l'excursion (f.) en traîneau: *sleigh ride*
25 SERGE	Oh, il radote.°	comme: *like*
SUZANNE	On n'est pas ici pour rester à l'intérieur. Allons, Serge. On va faire du ski.	radoter: *to be "out of it"*

---

¹*Le Festival des Neiges* is a winter carnival that begins in the middle of January and continues through Mardi Gras. In addition to athletic events, there are also ice sculpture contests, costume parties, and fireworks.

À propos ...

1. Où habitent les Caron?   2. Où est-ce qu'ils louent un châlet?   3. Pourquoi est-ce qu'on connaît Sainte-Agathe?   4. Est-ce que Sainte-Agathe est près ou loin de Montréal? Quel temps fait-il là-bas en hiver?   5. Qu'est-ce que les Caron aiment faire?   6. Qui aime jouer au hockey?   7. Qui veut ("wants") gagner le concours de ski? le match de hockey?   8. Qu'est-ce que M. Caron aime faire?   9. Et vous, est-ce que vous aimez aller à la montagne? En quelle saison? Pourquoi? Qu'est-ce que vous faites quand vous êtes à la montagne?   10. Est-ce que vous faites du ski? Est-ce que vous patinez? Est-ce que vous jouez au hockey? Est-ce que vous aimez les excursions en traîneau?   11. Est-ce que vous regardez les Jeux Olympiques à la télé tous les quatre ans ("every four years")?

EXPLICATIONS II

Phrases et questions négatives

1. You have learned how to form negative sentences:

Nous faisons nos devoirs.   Nous **ne** faisons **pas** nos devoirs.
Ils aiment l'eau froide.   Ils n'aiment **pas** l'eau froide.

You have learned, too, that *un, une,* and *des* often become *de* or *d'* after a negative:

Elles ont un frère.   Elles n'ont **pas de** frère.
Tu fais des fautes.   Tu ne fais **pas de** fautes.

2. Look at the following:

Fais la vaisselle, s'il te plaît!   Ne fais pas la vaisselle!
Restez, s'il vous plaît!   Ne restez pas!
Regardons la télé!   Ne regardons pas la télé!

To give a negative command, the French put *ne* before the imperative form, and *pas* after. Remember that when the 2 sing. form of *aller* and of *-er* verbs is used as a command, the *s* is dropped:

tu vas → va!   tu entres → entre!

3. When there is no verb, *pas* is used without *ne:*

Pas moi.   *Not I.*
Pas toujours.   *Not always.*
Pas de devoirs aujourd'hui.   *No homework for today.*

4. Look at these questions and answers:

Vous avez froid?   { Non, je n'ai pas froid.
or: Vous avez froid, n'est-ce pas?   { Oui, j'ai froid.

Vous n'avez pas froid?   { Non, je n'ai pas froid.
                                       { Si, j'ai froid.

There are two ways of saying "yes" in French. *Oui* is used to answer an affirmative question, *si* to answer a negative question. *N'est-ce pas* almost implies a "yes" answer, so *oui* is used to answer "yes" to a question that includes *n'est-ce pas*.

Exercices

A. Change the statements to negative commands. Follow the model.

1. Tu arrives à minuit.
   N'arrive pas à minuit!
2. Nous allons au Mont Tremblant.
3. Vous faites vos achats aujour- d'hui.
4. Nous faisons la vaisselle.
5. Vous écoutez, mes fils.
6. Tu vas à la porte.
7. Nous faisons nos devoirs maintenant.
8. Tu portes ton jean.
9. Tu rougis.

B. Answer by saying that the first part of the "this or that" question is correct and that the second part is incorrect. Follow the models.

1. Où est-ce qu'il va? Au cinéma ou au match de football?
   Il va au cinéma—pas au match de football.
2. Quand est-ce qu'elle arrive? Vendredi soir ou samedi matin?
   Elle arrive vendredi soir—pas samedi matin.
3. A quelle heure est-ce qu'ils finissent leurs devoirs? A 10 h. ou à 11 h.?
4. Combien font dix moins zéro? Dix ou zéro?
5. Qui a raison? Monique ou Yvette?
6. Comment est-ce qu'elles vont au théâtre? A pied ou en voiture?
7. Quand est-ce qu'elle fait des voyages? En été ou en automne?
8. Qu'est-ce qu'ils aiment? Les documentaires ou les films policiers?
9. Où est-ce qu'il va? A l'aéroport ou à la gare?
10. Quand est-ce qu'on porte des habits chauds? En hiver ou au prin- temps?
11. Qui a sommeil? Le professeur ou les élèves?
12. Quand est-ce qu'elle aime faire des achats? Le matin ou l'après- midi?

C. Answer the questions in the affirmative. Follow the models.

1. Nous faisons de l'auto-stop aujourd'hui, n'est-ce pas?
   Oui, nous faisons de l'auto-stop aujourd'hui.
2. Le sable n'est pas chaud?
   Si, il est chaud.
3. Est-ce qu'elles ne font pas de voyages?
4. Est-ce qu'elle ne finit pas son petit déjeuner?
5. Est-ce qu'elles ne vont pas aux matchs?
6. Est-ce qu'ils déjeunent vers midi?
7. Elle grossit, n'est-ce pas?
8. Est-ce qu'il fait du vent aujourd'hui?
9. Est-ce qu'il n'y a pas de piscine ici?
10. Est-ce qu'ils ne rentrent pas à la maison?

Vérifiez vos progrès

Write true, full-sentence answers to the questions.

1. Vous ne faites pas la vaisselle après le dîner?
2. Est-ce que vous avez une moto?
3. Est-ce que vous faites toujours vos devoirs?
4. Vous ne révisez pas vos leçons?

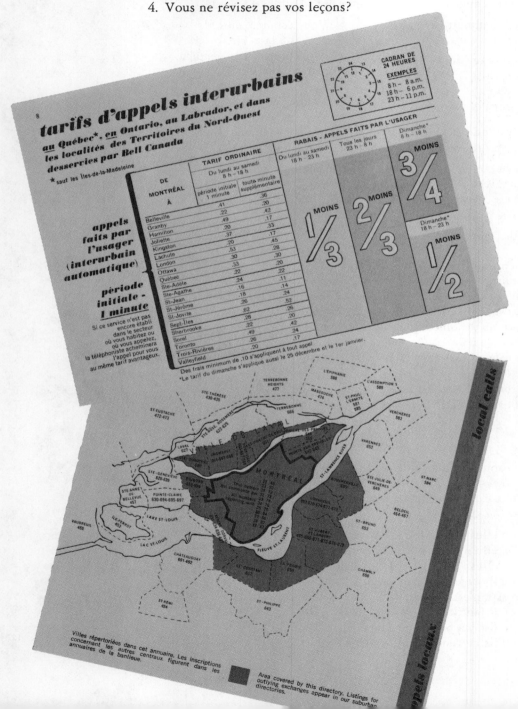

RÉVISION ET THÈME

Consult the model sentences, then put the English cues into French and use them to form new sentences.

1. Elles sont *à la plage. Il fait nuit.*
   (at the lake) (It's daytime.)
   (near the sea) (It's windy.)

2. *Il y a des étoiles, mais pas de lune.*
   (There are rivers, but no mountains.)
   (There are lakes, but no sand.)

3. *La terre est jaune et laide.*
   (The sky is blue and beautiful.)
   (The cars are old and white.)

4. *Martin est à la maison, mais il n'a pas faim.*
   (We're inside, but we're not sleepy.)
   (I'm outside, but I'm not afraid.)

5. *Il fait ses achats.*
   (They're doing the dishes.)
   (We're hitchhiking.)

Now that you have done the *Révision,* you are ready to write a composition. Put the English captions describing each cartoon panel into French to form a paragraph.

We're in the mountains. It's daytime.

There are clouds, but no sun.

The snow is beautiful and white.

Huguette is outside, but she isn't cold.

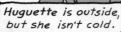

She's skiing.

AUTO-TEST

A. Write answers to the questions according to the pictures. Follow the models.

1. Vous n'avez pas sommeil?
   Si, nous avons sommeil.

2. Ils n'ont pas froid?
   Non, ils ont chaud.

3. Tu n'as pas faim?

4. Elle n'a pas peur?

5. Vous n'avez pas chaud?

6. Je n'ai pas raison?

B. Write negative answers to the questions. Follow the model.

1. La lune est belle. Et le ciel?
   Le ciel n'est pas beau.

2. L'appartement est nouveau. Et la maison?
3. Les montagnes sont belles. Et les lacs?
4. Monsieur Lenoir est vieux. Et ses nièces?
5. Les jours sont chauds. Et les nuits?

C. Write answers to the questions using the cues in parentheses. Follow the model.

1. Quand est-ce que vous faites vos devoirs? (le soir)
   Nous faisons nos devoirs le soir.

2. Où est-ce que nous faisons du ski nautique? (près de la villa)
3. Quand est-ce que je fais la vaisselle? (le matin)
4. Quand est-ce que tu fais un voyage? (au printemps)
5. Quand est-ce qu'elle fait des achats? (lundi)

D. Write complete answers to the questions. Follow the model.

1. Combien font seize et trois?
   Seize et trois font dix-neuf.

2. Combien font quarante moins onze?
3. Combien font seize et dix-huit?
4. Combien font soixante-cinq moins quatorze?

Poème

REFRAINS ENFANTINS°   enfantin, -e: *children's*

     . . . Il pleut Il pleut
        Il fait beau
       Il fait du soleil

         Il est tôt°   tôt: *early*

5   Il se fait tard°   il se fait tard: *it's
getting late*

           Il
           Il
           Il
           Il

10   toujours Il
Toujours Il qui pleut et qui neige
Toujours Il qui fait du soleil
      Toujours Il
     Pourquoi pas Elle

15   Jamais° Elle   jamais: *never*
    Pourtant° Elle aussi   pourtant: *however*
souvent se fait° belle!   se fait: *makes herself*

Jacques Prévert, *Spectacle*
(© Editions Gallimard, 1951)

Proverbe

Tout est bien qui finit bien.

MARDI 22 JUIN
20 h 30

une nuit à l'opéra

(A Night at the Opera), 1935
Réalisation : Sam Wood
Production : Metro-Goldwyn-Mayer
Durée : 93 minutes
Interprétation : Groucho, Harpo,
Chico et Margaret Dumont,
Siegfried Rumann, Kitty Carlisle,
Allan Jones, etc.

Après un voyage animé sur un transa-
tlantique, les frères Marx mettent leur
talent au service du monde du spectacle.

un jour aux courses

(A Day at the Races), 1937
Réalisation : Sam Wood
Production : Metro-Goldwyn-Mayer
Durée : 109 minutes
Interprétation : Groucho, Chico,
Harpo et Margaret Dumont,
Siegfried Rumann, Allan Jones,
Maureen O'Sullivan, etc.

Un univers encore différent : celui des
courses de chevaux, que Groucho,
vétérinaire énergique, connait parfai-
tement.

« Une nuit à l'opéra » : M. Dumont et Groucho.

MARS 25 et 26
LES DIABLES
Britannique 1971
Drame historique de Ken Russel
avec VANESSA REDGRAVE
OLIVER REED, DUDLEY SUTTON
''Vision délirante d'une histoire vraie''   (18 ans)

AVRIL 1 et 2
LA TETE DE NORMANDE ST-ONGE
112 minutes
Québécois 1975
Drame psychologique de Gilles Carle
avec CAROLE LAURE, RENE GIRARD
RAYMOND CLOUTIER
•Jeudi: Une seule représentation (7h.30) suivie
d'une discussion

AVRIL 8 et 9
AMERICAN GRAFFITI [s. titré]
110 minutes
Américain 1973
Comédie de Georges Lucas
avec RICK DREYFUS, RONNY HOWARD
PAUL LE MAT
''Intéressante approche documentaire à la fois
drôle et nostalgique''

JEUDI VENDREDI 8, 9 avril 19 h 30/ 21 h 30	Salle Maurice O'Bready CINÉMAFEUS: ''American Graffiti'' film américain (1973) du réalisateur Georges Lucas avec, entre au- tres, Rick Dreyfus, Ronny Howard et Paul Le Mat.
VENDREDI SAM. ET DIM. 9, 10, 11 avril 20 h 30	Petite salle, Pavillon central LA BÉBELLE présente ''Z'avez vu nos clowns? '' Il y aura une représentation pour les enfants à 14 h le 11 avril.
SAMEDI 10 avril 20 h 30	Salle Maurice O'Bready LE CHOEUR HÉRITAGE présente ''Fantaisie, rêve, alléluia'' sous la direction de Marc Bernier.
LUNDI 12 avril 20 h 30	Salle Maurice O'Bready ''LA NEF DES SORCIÈRES'' d'un groupe d'auteurs féminins québécois, dont Marthe Blackburn, Marie- Claire Blais et Nicole Brossard, dans une mise en scène de Luce Guilbeault avec, entre autres, Michelle Magny et Luce Guilbeault.
JEUDI VENDREDI 15, 16	Salle Maurice O'Bready CINÉMAT...

Neuvième Leçon

Le choix d'un film

Alain téléphone à Delphine. Plus tard il va sortir avec elle et sa cousine.
Ils vont au cinéma. Mais d'abord il faut choisir un film.

ALAIN   Allô, Delphine. Ici Alain.[1] On sort toujours avec ta cousine?

DELPHINE   Bien sûr.

5 ALAIN   Il y a *Mon Colt 45, mon cheval et moi*[2] à Epernay.[3]

DELPHINE   Pas de westerns, s'il te plaît. Qu'est-ce qu'on joue à Reims?

ALAIN   Eh bien, si tu n'aimes pas les westerns, à Reims il y a un film
italien et aussi un film policier . . .

DELPHINE   Bon, allons à Reims. J'aime bien les films policiers.

---

[1] The French say *bonjour* or *bonsoir* when they greet someone in person. Over the phone, they
say *allô*. Note how they identify themselves on the phone: *Ici Alain.*

[2] French film and book titles are usually capitalized only up to and including the first noun or
pronoun. Proper names are always capitalized.

[3] Epernay, 140 kilometers northeast of Paris, is located in the champagne-producing region of
France. Nearby, Reims, the capital of Champagne, is an industrial city with a population of
160,000. French kings were traditionally crowned in the magnificent cathedral there because
Clovis, the first Christian king, converted and was baptized at Reims in 496.

Epernay   Reims

Choosing a movie

Alain is phoning Delphine. Later he's going to go out with her and her cousin. They are going to the movies. But first they have to choose a film.

ALAIN	Hello, Delphine. This is Alain. Are we still going out with your cousin?
DELPHINE	Sure.
ALAIN	There's *My Colt 45, My Horse and Me* in Epernay.
DELPHINE	No westerns, please! What's playing in Reims?
ALAIN	Well, if you don't like westerns, there's an Italian movie in Reims and also a detective film . . .
10 DELPHINE	Good. Let's go to Reims. I really like detective films.

Questionnaire

1. Pourquoi est-ce qu'Alain téléphone à Delphine? 2. Qu'est-ce qu'il demande à Delphine? 3. Qu'est-ce qu'on joue à Epernay? 4. Est-ce que Delphine aime les westerns? 5. Qu'est-ce qu'on joue à Reims? 6. Est-ce que Delphine aime les films policiers? Alors, où est-ce que les trois amis vont aller plus tard?

PRONONCIATION

The nasal vowel sound [ɛ̃] is somewhat like the vowel sound in the English word *sang,* but it is shorter, more nasal, and pronounced with greater tension.

Exercices

A. In the following pairs, the first word contains the [i] sound plus a clearly released final [n] sound. The second word contains the nasal vowel sound [ɛ̃]. Practice saying them aloud.

[in]/[ɛ̃]   vois<u>ine</u>/vois<u>in</u>   cous<u>ine</u>/cous<u>in</u>   cop<u>ine</u>/cop<u>ain</u>

B. In the following pairs, the first word contains the [ɛ] sound plus a clearly released final [n] sound. The second word contains the nasal vowel sound [ɛ̃]. Practice saying them.

[ɛn]/[ɛ̃]   améric<u>aine</u>/améric<u>ain</u>   mexic<u>aine</u>/mexic<u>ain</u>
italienne/itali<u>en</u>   canadi<u>enne</u>/canadi<u>en</u>

C. Listen, then say the following sentences aloud.

Al<u>ain</u> arrive le qu<u>inze</u> ju<u>in</u>.
Jacquel<u>ine</u>, ma vois<u>ine</u>, a une pisc<u>ine</u>.
Mart<u>in</u>, mon vois<u>in</u>, va au jard<u>in</u>.

Son cous<u>in</u> arrive par le tr<u>ain</u>.
Hél<u>ène</u> et Germ<u>aine</u> sont cana-di<u>ennes</u>.
Al<u>ain</u> et Luci<u>en</u> sont canadi<u>ens</u>.

MOTS NOUVEAUX I

Où est-ce que tu vas pendant les vacances?	*Where are you going during vacation?*
Le choix est très difficile.	*The choice is very difficult.*
Pas pour moi. Il faut aller à Epernay.[1]	*Not for me. I have to go to Epernay.*
Pour aller à Epernay je fais de l'auto-stop.	*(In order) to go to Epernay, I hitch-hike.*
Où est-ce que vous allez?	*Where are you going?*
Il faut aller en ville.[2]	*I have to go to town.*
Aujourd'hui?	*Today?*
Oui, malheureusement!	*Yes, unfortunately.*
Si on va à Reims, est-ce qu'il ne faut pas téléphoner à la gare?	*If we're going to Reims, don't we have to phone the train station?*
Si, mais d'abord il faut téléphoner à maman et à papa.	*Yes, but first we have to call Mom and Dad.*
S'il faut téléphoner, allons-y![3] Il est 5 h.	*If we have to call, let's get going. It's 5:00.*

Je vais à **Paris**. C'est une ville **française**. On parle **français** là-bas.[4]

Londres	anglaise	anglais
Tokyo	japonaise	japonais
Lisbonne	portugaise	portugais
Dakar	sénégalaise	wolof et français
Pékin	chinoise	chinois
Washington	américaine	anglais
Mexico[5]	mexicaine	espagnol
Rome	italienne	italien
Montréal	canadienne	français et anglais
Madrid	espagnole	espagnol
Bonn	allemande	allemand

---

[1]Though *il faut* literally means "it is necessary," its best English equivalent always depends on the context.

[2]*La ville* can mean either "city" or "town."

[3]*Si* means both "yes" and "if." When it means "if," it elides with *il* and *ils* (*s'il, s'ils*). When it means "yes," it does not elide.

[4]The names of languages are the same as the masculine form of the adjective and are not capitalized.

[5]The French name for Mexico City is *Mexico*.

Exercices de vocabulaire

A. Your neighbor is going to go to another city. Ask if he or she speaks the language or languages that they speak there. Follow the model.

1. Je vais à Paris.   *Ah, tu parles français?*

2. Je vais à Pékin.
3. Je vais à Londres.
4. Je vais à Tokyo.
5. Je vais à Rome.
6. Je vais à Madrid.
7. Je vais à Lisbonne.
8. Je vais à Bonn.
9. Je vais à Mexico.
10. Je vais à Dakar.
11. Je vais à Montréal.

B. Answer the questions. Follow the model.

1. La jeune fille parle allemand. Pourquoi?
   Parce qu'elle est allemande.

2. Sa mère parle français. Pourquoi?
3. Sa cousine parle anglais. Pourquoi?
4. Leur voisine parle portugais. Pourquoi?
5. Sa copine parle chinois. Pourquoi?
6. Ma tante parle espagnol. Pourquoi?
7. Leur grand-mère parle wolof. Pourquoi?
8. Son amie parle japonais. Pourquoi?

C. Combine the sentences by making the first one an "if" clause and the second a "have to" clause. Follow the models.

1. On va au cinéma. Choisissons un film!
   Si on va au cinéma, il faut choisir un film.
2. Nous allons au théâtre. Nous ne dînons pas au restaurant.
   Si nous allons au théâtre, il ne faut pas dîner au restaurant.

3. Ils arrivent à minuit. Allons à l'aéroport vers 11 h.!
4. Elles habitent New York. Elles n'ont pas de voiture.
5. Tu aimes le football. Regarde les matchs dimanche!
6. Vous travaillez. Allez au bureau le matin!
7. Il fait très chaud le soir. Apporte ton maillot!
8. Je téléphone à Marie. Je téléphone aussi à Georges.
9. Tu n'aimes pas faire de l'auto-stop. Va en ville par le train!
10. Nous sommes pauvres. Nous restons chez nous pendant les vacances.
11. Les devoirs sont très difficiles. Révisons la leçon!

MOTS NOUVEAUX II

le concert

le roman

le poème

le poète

l'auteur (m.)

l'histoire (f.)

jouer au basketball

le grand magasin

le gymnase

le western

jouer au hockey

la bibliothèque

le marché

jouer au volleyball

le supermarché

The *h* in *le hockey* is called an "aspirate *h*." When a determiner appears before it, there is no elision: *aller à l'hôpital*. but *jouer au hockey; un jour d'hiver*. but *un match de hockey*.

The plural of *le grand magasin* is *les grands magasins*. The French use *dans* rather than *à* with *le grand magasin*. For example: *Je vais dans le grand magasin aujourd'hui*.

Exercice de vocabulaire

Answer the questions according to the pictures. Follow the models.

1. Où est-ce qu'il faut aller?
   Il faut aller au concert.

2. Qu'est-ce que vous faites?
   Nous jouons au volleyball.

3. Où est-ce que tu vas d'abord?

4. Où est-ce qu'il fait ses achats?

5. Qu'est-ce qu'ils font?

6. Qu'est-ce que nous étudions?

7. Qu'est-ce qu'il y a là?

8. Qu'est-ce qu'elles finissent?

9. Qu'est-ce que tu regardes?

10. Qu'est-ce qu'elles font?

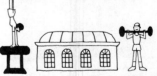

11. Où est-ce qu'on va pour choisir un roman?

12. Pour maigrir, où est-ce qu'il faut aller?

13. Qui aime les livres?

EXPLICATIONS I

Les verbes en -ir

VOCABULAIRE			
dormir	*to sleep, to be asleep*	servir	*to serve, to wait on*
partir[1]	*to leave*	sortir[1]	*to go out*

You have learned the present tense of the most common type of verbs whose infinitives end in *-ir*. Those are the *-ir/-iss-* type. Here is the second important type—the simple *-ir* verbs:

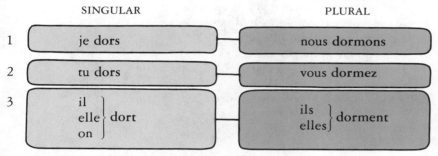

IMPERATIVE: dors! dormons! dormez!

1. The plural forms of simple *-ir* verbs are like those of *-er* verbs, with the endings *-ons, -ez,* and *-ent* added to the stem: *dorm-.*

2. For the singular forms, the last consonant of the plural stem is dropped *(dorm- → dor-)* and the endings *-s, -s, -t* are added. All three singular forms are pronounced the same.

Exercices

A. Replace the words in italics with the appropriate form of the cue in parentheses. Some are simple *-ir* verbs; others are *-ir/-iss-.* Follow the model.

1. Ils *font un voyage* avec Dominique. (sortir)
   Ils sortent avec Dominique.

2. Elles *rentrent avant* le dîner. (servir)
3. Tu *portes* un maillot blanc? (choisir)
4. Ils *font* leurs devoirs vers 9 h. du soir. (finir)
5. On *prépare* le petit déjeuner à 8 h. du matin. (servir)

---

[1]When the French speak of "leaving" or "going out of" a place, the word *de* is included. Try to think of these words as *partir de* and *sortir de.* Of course, when the place you are leaving is not mentioned, the *de* does not appear:

Je *pars de* la ville avec papa.   Je *pars* avec papa.
Il *sort du* théâtre maintenant.   Il *sort* maintenant.

6. Je *rentre* du gymnase avec des copains. (partir)
7. Est-ce que vous *restez* ou est-ce que vous *partez?* (maigrir/grossir)
8. Le train *arrive à* la gare de Lyon à midi. (partir de)
9. Ne *rougis* pas toujours! (dormir)
10. Nous *restons ici* pendant qu'elles *regardent la télé.* (sortir/dormir)

B. Answer the questions using the appropriate pronoun. Again note that some are simple -*ir* verbs; others are -*ir*/-*iss*-. Follow the model.

1. Après le concert, ils sortent du théâtre. Et vous?
   Après le concert, nous sortons du théâtre aussi.
2. Ils choisissent des livres à la bibliothèque. Et toi?
3. Elles servent le déjeuner à 1 h. Et nous?
4. Leur mère dort l'après-midi. Et eux?
5. Nos parents partent après le dîner. Et vous?
6. Je choisis des poèmes. Et lui?
7. Il sort du grand magasin. Et elles?
8. Quand je joue au basketball, je maigris. Et elle?
9. Nous sortons souvent. Et toi?
10. Tes sœurs partent pour l'aéroport à 5 h. Et moi?

Les adjectifs

	VOCABULAIRE		
blond, -e	*blond*	gros, grosse	*fat, large*
brun, -e	*brown; a brunette*	maigre	*skinny, thin*
roux, rousse	*redheaded; a redhead*	court, -e*	*short*
bon, bonne	*good*	long, longue	*long*
mauvais, -e	*bad*	étroit, -e	*narrow*
célèbre	*famous*	large	*wide*
inconnu, -e	*unknown*	*Court* is used for things, *petit* for people.

---

1. Note the pronunciation of the adjectives in these sentences:

Le roman est bon.   La bibliothèque est bonne.
Alain est brun.   Hélène est brune.
Le garçon est canadien.   La jeune fille est canadienne.
Son voisin est américain.   Sa voisine est américaine.

The vowel letters + *n* at the end of these adjectives represent a nasal vowel sound. In the feminine forms, the addition of the letter *e* causes the *n* to be pronounced and the vowel sound is no longer nasal. In spelling, masculine adjectives that end in -*on* or -*ien* double the *n* before adding the *e* for the feminine form.

2. Note the pronunciation of the adjectives in these sentences:

Le bateau est **grand**.	La voile est **grande**.
Le roman est **allemand**.	La pièce est **allemande**.
Son frère est **blond**.	Sa sœur est **blonde**.
Le poème est **long**.	L'histoire est **longue**.

These masculine adjectives all end in a nasal vowel sound followed by an unpronounced consonant. In the feminine forms, the addition of the letter *e* causes the last consonant to be pronounced, but the nasal vowel sound remains.

Exercices

A. A brother and sister are returning home. According to the cities mentioned, indicate their nationality. Follow the model.

1. Ils rentrent à New York.
   Il est américain. Elle est américaine. Ils sont américains.

2. Ils rentrent à Montréal.
3. Ils rentrent à Londres.
4. Ils rentrent à Rome.
5. Ils rentrent à Tokyo.
6. Ils rentrent à Bonn.
7. Ils rentrent à Dakar.
8. Ils rentrent à Mexico.
9. Ils rentrent à Lisbonne.
10. Ils rentrent à Madrid.
11. Ils rentrent à Pékin.

B. Answer the questions using the adjective that means the opposite of the one given. Follow the model.

1. Est-ce que ses neveux sont énergiques? Et ses nièces?
   Non, ils sont paresseux. Et ses nièces sont paresseuses aussi.

2. Est-ce que leurs fils sont maigres? Et leurs filles?
3. Est-ce que les romans sont célèbres? Et les pièces?
4. Est-ce que les bureaux sont étroits? Et les chaises?
5. Est-ce que les poèmes sont longs? Et les histoires?
6. Est-ce que les crayons sont bons? Et les gommes?
7. Est-ce que les fleuves sont larges? Et les plages?
8. Est-ce que les auteurs sont inconnus? Et les histoires?
9. Est-ce que les concerts sont mauvais? Et les bandes?
10. Est-ce que les films sont courts? Et les pièces?

C. Choose the appropriate adjective to complete each sentence. Pay close attention to the meaning and agreement of nouns or pronouns and adjectives. Then read the sentences aloud.

1. Tu es blond, mais tes parents sont *(bruns, brunes, blondes)*.
2. Le roman est bon, mais il est trop *(large, long, célèbre)*.
3. Pas de westerns! Ils sont presque toujours *(étroits, mauvais, grands)*.
4. Mon frère maigrit parce qu'il est trop *(gris, large, gros)*.
5. La rue est longue et *(maigre, étroite, courte)*.
6. Elles parlent espagnol parce qu'elles sont *(mexicaines, espagnols, mexicains)*.

7. Je suis brun mais ma sœur est *(rouge, roux, rousse)*.
8. Il dort toujours? Il est très *(avare, inconnu, paresseux)*.
9. Sa voisine est grande et *(gros, grosse, large)*.
10. L'auteur n'est pas célèbre, mais son histoire est *(brune, bonne, bon)*.
11. Ma cousine est blonde, belle et très *(courte, longue, petite)*.

Vérifiez vos progrès

Rewrite the sentences using the appropriate form of each verb and adjective in parentheses.

1. Pourquoi est-ce qu'il *(dormir)*? Parce que les histoires sont trop *(long)*.
2. Qu'est-ce qu'on *(servir)*? Il faut *(servir)* un dîner *(italien)*.
3. Pourquoi est-ce qu'elle *(maigrir)*? Parce qu'elle est trop *(gros)*.
4. Qui *(partir)*? Les auteurs *(célèbre)*.
5. Nous *(finir)* une pièce *(allemand)*. J'aime mieux les pièces *(anglais)* ou *(américain)*.
6. Pourquoi est-ce que tu *(choisir)* toujours des rues *(étroit)*?
7. Quand est-ce que tu *(sortir)* avec tes parents? Nous *(sortir)* samedi parce qu'on joue trois pièces *(canadien)* en ville. Les pièces sont presque *(inconnu)*, mais elles sont très *(bon)*.

CONVERSATION ET LECTURE

Parlons de vous

1. Est-ce que vous sortez souvent? Avec qui? votre famille? des copains?
2. Où est-ce que vous aimez aller quand vous sortez? au cinéma? à un match? dans un musée? au concert? au concert de rock? 3. Est-ce que vous allez souvent en ville pour faire des achats? au marché? au supermarché? dans un grand magasin? 4. Est-ce que vous jouez au volleyball? au basketball? au hockey? En quelle saison? Est-ce que vous allez souvent au gymnase? Qu'est-ce que vous aimez faire là-bas? 5. Au lycée, est-ce que vous étudiez des romans? des poèmes? des auteurs et des poètes célèbres? Des auteurs anglais? américains? français? allemands? Quels auteurs est-ce que vous aimez? 6. Est-ce que vous allez quelquefois à la bibliothèque? Pourquoi? 7. Est-ce que vous aimez mieux étudier chez vous ou à la bibliothèque?

Au cinéma

Deux amis, Martin et Sabine, sortent ce° soir. Ils
vont aller au cinéma en ville. Bien sûr, il faut
d'abord choisir un film, mais le choix n'est pas du
tout facile. Martin aime surtout° les films d'aven-
5 tures.° Sabine aime mieux les films d'épouvante.°

Martin regarde le journal du soir. Chouette! On
joue un film de Cousteau.¹ Vite il téléphone à
Sabine.

SABINE   Allô.
10 MARTIN   Allô, Sabine. Ici Martin. Je regarde le
         journal et il y a . . .
SABINE   Moi aussi. Au Plaza il y a *Le Loup-garou*°
         de Paris. C'est chic, n'est-ce pas?

Alors, comment faire un choix? Après une très
15 longue discussion, ils choisissent un vieux western.
A 7 h. 30² ils partent de chez eux et à 8 h. ils arrivent au cinéma. Ils entrent et l'ouvreuse³ demande
leurs billets.°

L'OUVREUSE   Vos billets, s'il vous plaît.
20 MARTIN   Voici, madame. Pas trop près de
         l'écran,° s'il vous plaît.

Martin donne un pourboire° à l'ouvreuse. Martin
et Sabine sont heureux parce que leurs places° sont
bonnes. Mais avant le grand film,° il y a un long
25 documentaire américain sur les grenouilles.°

SABINE   Il est ennuyeux,° le documentaire,
         n'est-ce pas, Martin?
MARTIN   Rrrrrrrrrr . . .
SABINE   Martin! Est-ce que tu dors?
30 MARTIN   Euh . . . Un esquimau,° s'il vous plaît.⁴
SABINE   Mais non, ce n'est pas l'entracte.°
MARTIN   Ah bon! J'ai sommeil . . . et si on a
         sommeil, il faut dormir, n'est-ce pas?
         Bon courage° avec les grenouilles, Sa-
35 bine.

ce, cette: *this*	
surtout: *especially*	
l'aventure *(f.)*: *adventure*	
l'épouvante *(f.)*: *horror*	
le loup-garou: *werewolf*	
le billet: *ticket*	
l'écran *(m.)*: *screen*	
le pourboire: *tip*	
la place: *seat*	
le grand film: *main feature*	
la grenouille: *frog*	
ennuyeux, -euse: *boring*	
l'esquimau *(m.)*: *ice cream bar*	
l'entracte *(m.)*: *intermission*	
le courage: *(here) luck*	

---

¹Jacques-Yves Cousteau, born in 1910, is a well-known French oceanographer who has made
many films about marine life.

²This can be said either as *sept heures trente* or *sept heures et demie*.

³An *ouvreuse* is an usher. All ushers in France are women. In both movies and theaters, one is
seated by an usher and, unless a notice is posted, the patron is expected to give a tip. Where
tipping is permitted, the ushers do not receive a salary and earn money only from their tips.

⁴Between the short features (documentaries, cartoons, and even commercial ads) and the main
film, there is usually a brief intermission, during which the ushers sell ice cream and candy.

1. Où est-ce que Martin et Sabine vont aller plus tard? 2. Pourquoi est-ce que le choix d'un film est difficile pour eux? 3. Est-ce que Sabine téléphone à Martin? 4. Qu'est-ce qu'il y a au Plaza? 5. Après leur discussion, qu'est-ce qu'ils choisissent? 6. Quand ils entrent dans le cinéma, avec qui est-ce que Martin parle? 7. Qu'est-ce que l'ouvreuse demande à Martin? 8. Décrivez ("describe") les places que Martin demande. 9. Qu'est-ce qu'on joue avant le grand film? 10. Est-ce que Martin et Sabine aiment le documentaire? 11. Qu'est-ce que Martin fait? 12. Et vous, est-ce que vous aimez les documentaires? 13. Est-ce que vous aimez les films d'aventures? les films d'épouvante? 14. Est-ce que vous aimez aussi les westerns? les films policiers? 15. Quand vous ne sortez pas, est-ce que vous regardez des films à la télé? Quels films? 16. Est-ce que Jacques-Yves Cousteau est célèbre? 17. Est-ce que vous regardez quelquefois Cousteau à la télé?

EXPLICATIONS II

Le futur formé avec <u>aller</u>

VOCABULAIRE			
geler	*to freeze*	demain	*tomorrow*
neiger	*to snow*	plus tard	*later*
pleuvoir	*to rain*		

1. Look at the following:

Il neige aujourd'hui.	*It's snowing today.*
Il va neiger plus tard.	*It's going to snow later.*
Je reste chez moi.	*I'm staying home.*
Je vais rester chez moi.	*I'm going to stay home.*

Just as in English, one way to speak of the future in French is to use a form of the verb "to go" *(aller)* followed by the infinitive form of another verb.

2. Note how the negative is formed in the future:

On va sortir du gymnase.	On ne va pas sortir du gymnase.
Nous allons partir demain.	Nous n'allons pas partir demain.

The *ne* and *pas* appear with the form of *aller*.

Exercices

A. Put the sentences in the future according to the model.

1. Papa ouvre la porte.   *Papa va ouvrir la porte.*

2. Nous parlons à l'agent.
3. Je donne mon livre à Guy.
4. Tu travailles au bureau.
5. L'enfant a peur.
6. Ils vont au supermarché.
7. Vous faites vos achats en ville?
8. Elle est très heureuse.
9. Elles portent leurs robes rouges.
10. Je sers le dîner.
11. Tu joues au hockey?

B. Redo the above exercise in the negative. Follow the model.

1. Papa n'ouvre pas la porte.
   Papa ne va pas ouvrir la porte.

C. Answer the questions according to the statements. Always use the appropriate pronoun in your response. Follow the models.

1. Il va pleuvoir demain.
   (a) Quel temps est-ce qu'il va faire?   *Il va pleuvoir.*
   (b) Quand est-ce qu'il va pleuvoir?   *Il va pleuvoir demain.*

2. Les garçons vont servir le dîner vers 7 h.
   (a) Qui va servir le dîner?
   (b) A quelle heure est-ce qu'ils vont servir le dîner?

3. On va faire du ski mercredi.
    (a) Qu'est-ce qu'on va faire?
    (b) Quand est-ce qu'on va faire du ski?
4. Plus tard je vais faire mes achats dans les grands magasins.
    (a) Où est-ce que tu vas aller plus tard?
    (b) Qu'est-ce que tu vas faire là-bas?
5. Nous allons porter nos robes blanches au théâtre.
    (a) Où est-ce que vous allez?
    (b) Qu'est-ce que vous allez porter?
6. Vous allez faire la vaisselle après le déjeuner.
    (a) Qu'est-ce que nous allons faire?
    (b) Quand est-ce que nous allons faire la vaisselle?
7. Je vais aller au gymnase pour jouer au basketball.
    (a) Où est-ce que tu vas aller?
    (b) Pourquoi est-ce que tu vas là?
8. Elles vont faire leurs devoirs à la bibliothèque.
    (a) Où est-ce qu'elles vont aller?
    (b) Pourquoi?

Quelle heure est-il?

VOCABULAIRE					
et quart	*quarter past*	et demie	*half past*	moins le quart	*quarter to*

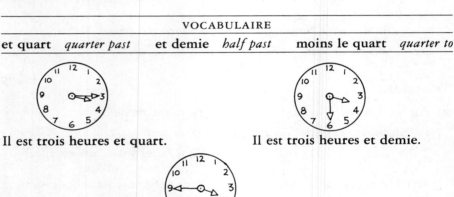

Il est trois heures et quart.   Il est trois heures et demie.

Il est quatre heures moins le quart.

Il est neuf heures cinq.   Il est midi vingt-sept.

Il est dix heures moins vingt-sept.   Il est minuit moins cinq.

Exercice

Answer the questions. Follow the model.

1. Vers quelle heure est-ce qu'il part?
   Il part vers sept heures et demie.

2. Vers quelle heure est-ce que maman sort du bureau?

3. A quelle heure est-ce que tu rentres chez toi?

4. A quelle heure est-ce qu'il faut être au gymnase?

5. Vers quelle heure est-ce que tu finis tes devoirs?

6. Vers quelle heure est-ce qu'ils servent le déjeuner?

7. Quand est-ce que nous partons?

8. Quand est-ce qu'elle va au match de volleyball?

Vérifiez vos progrès

Rewrite the dialogue, putting the italicized verbs in the future.

PAPA   Qu'est-ce que tu *fais?*
MADELEINE   Je *prépare* le déjeuner. Mes amies *arrivent* à 11 h. 30.
PAPA   Qu'est-ce que vous *faites* plus tard, toi et tes amies? Vous *sortez?*
5 MADELEINE   Non, nous *ne sortons pas.* Nous *restons* ici pour regarder un match de basketball à la télé. Tu *restes* à la maison aussi, papa?
PAPA   Non, je *sors* avec ta maman. Nous *partons* vers 1 h. 15.

RÉVISION ET THÈME

Consult the model sentences, then put the English cues into French and use them to form new sentences based on the models.

1. *Robert part du cinéma à quatre heures dix.*
   (I'm going out of the house at 8:35.)
   (You (pl.) are leaving for the airport at 11:05.)

2. *Il va jouer au basketball au gymnase.*
   (They're going shopping at the supermarket.)
   (We're going to eat lunch in the department store.)

3. Après le dîner, *il faut finir l'histoire.*
   (I have to choose a novel)
   (she has to go to the concert)

4. *On va jouer un western italien.*
   (You (sing.) are going to serve a German dinner.)
   (They're going to finish a Spanish poem.)

5. *Le fleuve n'est pas grand, mais il est très large.*
   (The stories aren't good, but they're very short.)
   (The girl isn't short, but she's very fat.)

6. Maintenant *il est midi vingt-cinq. Nous partons.*
   (it's 9:15)   *(They're going out.)*
   (it's 10:30)   *(You (sing.) are sleeping.)*

Now that you have done the *Révision,* you are ready to write a composition. Put the English captions describing each cartoon panel into French to form a paragraph.

Dominique and Madeleine go out of the house at 7:15.

They're going to have dinner at the restaurant.

After dinner, they have to go to the theater.

They're going to put on (*jouer*) an English play.

The play isn't bad, but it's very long.

It's now 11:45. Dominique and Madeleine are asleep.

AUTO-TEST

A. According to the cities mentioned, indicate where the city is and tell what language has to be spoken. Follow the model.

1. Il va à Pékin.   *C'est une ville chinoise. Il faut parler chinois.*

2. Nous allons à Mexico.
3. Elles vont à Bonn.
4. Vous allez à Washington.
5. Je vais à Rome.
6. Tu vas à Lisbonne.
7. Elle va à Dakar.

B. Rewrite the sentences in the affirmative, using the adjective that means the opposite of the one given. Follow the model.

1. Alain n'est pas maigre.
   Il est gros.

2. Le bateau n'est pas étroit.
3. Sa jupe n'est pas longue.
4. Marie n'est pas grande.
5. Le roman n'est pas court.
6. Ils ne sont pas célèbres.
7. Elles ne sont pas blondes.
8. L'histoire n'est pas mauvaise.
9. Leurs amies ne sont pas grosses.

C. Write complete sentences using the correct form of the words given. Convert the hours to the way in which you would say them and write out the numbers. Follow the model.

1. Je/arriver/à/le stade/vers 7 h. 55
   J'arrive au stade vers huit heures moins cinq.

2. Les poètes/partir/à 11 h. 30
3. Tu/servir/le dîner/à 7 h. 15
4. Nous/finir/nos leçons/vers 9 h. 45
5. Vous/dormir/pendant le concert?
6. Je/partir/pour le marché/à 8 h. 40
7. Nous/sortir/de/le grand magasin/avant 5 h. 20
8. Elles/dormir/à/la bibliothèque!
9. Est-ce qu'il/partir/ou est-ce qu'il/choisir/un livre?

D. Redo the above exercise using the future. Follow the model.

1. Je/arriver/à/le stade/vers 7 h. 55
   Je vais arriver au stade vers huit heures moins cinq.

Proverbe

La nuit, tous les chats sont gris.

Dixième Leçon

A la terrasse d'un café

Après la classe, Claire, Roger et Maryse vont à la terrasse d'un café. Roger
et Maryse commandent des cafés; Claire commande une grenadine.[1] Pendant
qu'ils attendent leurs boissons, Roger demande:

	ROGER	Qu'est-ce que vous faites ce soir, les filles?[2]
5	CLAIRE	Moi, je finis un roman policier, un Maigret.[3]
	MARYSE	Moi aussi, je reste à la maison. Mais c'est pour faire mes devoirs d'anglais.
	ROGER	Comment est ton prof?
	MARYSE	Pas mauvais.
10	ROGER	Tu parles bien cette langue, alors?
	MARYSE	Mais *of course!*[4]

---

[1]*La grenadine*, made from pomegranate juice, is a popular drink in France.

[2]When speaking of more than one girl, the French usually say *les filles* rather than *les jeunes
filles*. When speaking directly to them or when speaking of girls and boys together, the French
also use *les filles* or *les garçons et les filles*.

[3]Inspector Maigret, a detective created by Belgian-born writer Georges Simenon, is one of the
world's most popular fictional policemen.

[4]French students who intend to go to college usually study two foreign languages. Most select
English as their "first" language, so it is not unusual to hear them insert simple English words
into their conversation—as a joke or to impress their friends.

At a sidewalk café

After school, Claire, Roger, and Maryse go to a sidewalk café. Roger and
Maryse order coffee; Claire orders a grenadine. While they are waiting for
their drinks, Roger asks:

	ROGER	What are you doing tonight, girls?
5	CLAIRE	I'm finishing a detective novel, a Maigret.
	MARYSE	I'm staying home too—but to do my English homework.
	ROGER	How's your teacher?
	MARYSE	Not bad.
	ROGER	You speak the language well, then?
10	MARYSE	But "of course!"

Questionnaire

1. Où vont Claire, Roger et Maryse après la classe?   2. Qu'est-ce qu'ils
commandent?   3. Qu'est-ce que Claire va faire ce soir? Et Maryse?   4. Comment est le professeur d'anglais de Maryse?   5. Est-ce que Maryse parle
bien anglais?

PRONONCIATION

The French [r] sound has no equivalent in English. It is pronounced with
the tongue in more or less the same position as for the English sound [g].
When you pronounce the [r] sound, the back of your tongue does not quite
touch the roof of your mouth.

Exercices

A. Practice the [r] sound in the middle of words.

garage   arriver   parents   pardon   merci   arbre

B. At the end of a word, the [r] sound is very soft. In the following pairs,
the first word ends in a vowel sound; the second contains the same vowel, but ends in the [r] sound.

pou/pour   fou/four   lit/lire   soi/soir   pas/par

C. Now practice the [r] sound at the beginning of words.

rue   rouge   robe   rentrer   regarder   restaurant

D. Listen, then say the following sentences aloud.

Richard regarde le roman.   Le professeur regarde leurs devoirs.
Marie rentre du bureau.   Il dort? Alors, je pars pour l'aéroport.

MOTS NOUVEAUX I

un café
une glace
un esquimau
un Coca
le garçon
la serveuse
une bière
une orangeade
une grenadine
un citron pressé
l'argent (m.)
le billet

On va à la terrasse d'un café.
Qu'est-ce que vous allez **commander**?
Eric commande toujours **une glace** et
  un café.
Moi, je vais commander **une boisson**.
Une orangeade **peut-être**—ou un
  citron pressé.[1]

Elle travaille **bien**.
Oui, et très **vite**.
Mais lui, il travaille **mal**.
Oui, et beaucoup trop **lentement**.

Combien coûte un billet?
Il coûte **peu**. Cinq francs.[2]
Combien coûtent les billets?
Ils coûtent cher. Quarante francs.

We're going to a sidewalk cafe.
What are you going to order?
*Eric always orders a dish of ice
  cream and a cup of coffee.*
I'm going to order a drink.
*An orangeade perhaps—or a
  lemonade.*

She works well.
Yes, and very quickly.
But he works badly.
Yes, and much too slowly.

How much does a ticket cost?
It's inexpensive. Five francs.
How much do the tickets cost?
They're expensive. Forty francs.

---

[1]In France, lemonade is a kind of do-it-yourself drink. You are served a glass, half a lemon,
  sugar, and a pitcher of cold water, and you mix the ingredients to your own taste.
[2]The *franc* is worth between twenty and twenty-five cents.

Exercices de vocabulaire

A. Answer the question according to the pictures. Follow the model.

Qu'est-ce que tu commandes?

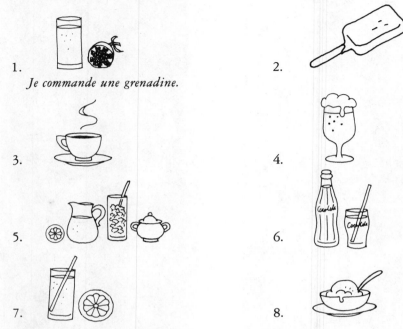

1. *Je commande une grenadine.*

2.

3.

4.

5.

6.

7.

8.

B. Choose the word or words that best complete each sentence.

1. Georges part à 7 h. 15. Mais quand il arrive au théâtre, il n'a pas *(son vélo / son billet / son café)*. Pauvre Georges!

2. Tu ne fais pas tes achats maintenant parce que tu n'as pas *(d'argent / d'agent / d'ami)*.

3. Nous allons à *(la terrasse / la terre / la serveuse)* d'un café. Nous allons commander *(des corbeilles / des dragons / des boissons)* parce que nous avons *(peur / soif / faim)*.

4. Ils ne vont pas au cinéma, peut-être parce que *(les maillots / les billets / les chaises)* coûtent très *(peu / cher)* — soixante-cinq francs.

5. Il faut être à Reims à 5 h. 30. Mais c'est impossible! Le train va trop *(vite / bien / lentement)*.

6. Une fille est quelquefois *(une serveuse / une glace / une boisson)*, mais un garçon n'est pas toujours un garçon.

Dixième
Leçon

154

MOTS NOUVEAUX II

Le monsieur là-bas est étranger.	*The gentleman over there is foreign.*
La dame[1] est étrangère.	*The lady is foreign.*
Ils parlent une langue étrangère.	*They're speaking a foreign language.*
Je vais étudier le français.	*I'm going to study French.*
L'anglais est une belle langue.	*English is a nice language.*
Je parle français et anglais.[2]	*I speak French and English.*
Les gens à côté parlent grec.	*The people nearby speak Greek.*
L'homme est grec.	*The man is Greek.*
La femme est grecque aussi.	*The woman is Greek too.*
Ils habitent Athènes.	*They live in Athens.*
A Moscou on parle russe.	*In Moscow they speak Russian.*
Il est russe; elle est russe.	*He's Russian; she's Russian.*
A Amsterdam on parle hollandais.[3]	*In Amsterdam they speak Dutch.*
Il est hollandais, n'est-ce pas?	*He's Dutch, isn't he?*
Non, mais elle est hollandaise.	*No, but she's Dutch.*
Il est belge; elle est belge.	*He's Belgian; she's Belgian.*
A Bruxelles on parle français et flamand.	*In Brussels they speak French and Flemish.*
A Montréal on parle français.	*In Montreal they speak French.*
Il est québécois; elle est québécoise.	*He's Quebecois; she's Quebecois.*
A Stockholm on parle suédois.	*In Stockholm they speak Swedish.*
Il est suédois; elle est suédoise.	*He's Swedish; she's Swedish.*
A Copenhague on parle danois.	*In Copenhagen they speak Danish.*
Il est danois; elle est danoise.	*He's Danish; she's Danish.*
A Oslo on parle norvégien.	*In Oslo they speak Norwegian.*
Il est norvégien; elle est norvégienne.	*He's Norwegian; she's Norwegian.*

C'est le seul garçon.	C'est la seule serveuse.	*only*
C'est le même monsieur.	C'est la même dame.	*same*
C'est l'autre monsieur.	C'est l'autre dame.	*other*
C'est un autre homme.	C'est une autre femme.	*another, a different*
Le garçon est occupé.	La serveuse est occupée.	*busy*
L'appartement est occupé.	La table est occupée.	*occupied*
L'appartement est libre.	La table est libre.	*unoccupied*

---

[1] In pointing someone out, the French almost never say *l'homme*, "the man," or *la femme*, "the woman." They use *le monsieur*, "the gentleman," or *la dame*, "the lady."

[2] The names of languages are masculine, but the definite determiner *le* is not used after the verb *parler*.

[3] The *h* in *hollandais* is an aspirate *h*: *J'étudie le hollandais.*

	Le jeune homme est	La jeune femme est	
	fatigué.	fatiguée.	*tired*
	inquiet.	inquiète.	*worried*
	aimable.	aimable.	*nice*
	calé.	calée.	*smart*
Il est sage.		Elle est sage.	*well-behaved*
bête.		bête.	*dumb, stupid*
vraiment bête.		vraiment bête.	*really*

Exercices de vocabulaire

A. Your neighbor is going to a foreign city. Ask if he or she speaks the language used there and express your own liking for it. Follow the model.

1. Je vais à Paris.
   Ah, tu parles français?
   J'aime le français.
2. Je vais à Copenhague.
3. Je vais à Moscou.
4. Je vais à Athènes.
5. Je vais à Amsterdam.
6. Je vais à Pékin.
7. Je vais à Bruxelles.
8. Je vais à Dakar.
9. Je vais à Mexico.
10. Je vais à Oslo.
11. Je vais à Bonn.
12. Je vais à Stockholm.
13. Je vais à Londres.
14. Je vais à Tokyo.

B. Tell the nationality of the people mentioned. Follow the model.

1. Tu habites Paris?
   Oui, je suis français. or *Oui, je suis française.*
2. Vous habitez Athènes, mesdames?
3. Ils habitent Stockholm?
4. Vous habitez Moscou, messieurs?
5. Elles habitent Copenhague?
6. Elles habitent Amsterdam?
7. Elle habite Oslo?
8. Elles habitent Madrid?
9. Il habite Québec? .
10. Tu habites Bruxelles?
11. Ils habitent Athènes?

C. Choose the adjective that best completes each sentence. Then make any necessary changes so that it agrees with the noun it is modifying.

1. Patricia a sommeil. Elle est toujours *(fatigué / occupé)*.
2. C'est lui, le garçon qui sert notre dîner? Non, c'est *(un autre / le même)* garçon.
3. J'aime leur enfant. Il est toujours *(bête / sage)*.
4. Notre voiture est très vieille et nous allons faire un long voyage. Maman est vraiment *(calé / inquiet)*.
5. Tu aimes les enfants de tes voisins? Bien sûr. Ils sont très *(aimable / bête)*.
6. J'aime être près de la fenêtre. Est-ce que la table là-bas est *(inquiet / libre)*? Non, madame. Malheureusement les tables près de la fenêtre sont *(libre / occupé)*.
7. Combien de serveuses travaillent ici? Moi, je suis la *(même / seul)* serveuse aujourd'hui.

EXPLICATIONS I

Les verbes réguliers en -re

VOCABULAIRE

attendre[1]	*to wait, to wait for*	répondre à[2]	*to answer*
entendre	*to hear*	vendre	*to sell*
perdre	*to lose*		

The last main type of regular verbs has infinitives ending in *-re*.

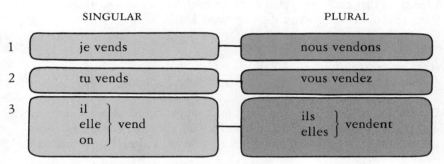

SINGULAR	PLURAL
1 je vends	nous vendons
2 tu vends	vous vendez
3 il elle } vend on	ils elles } vendent

IMPERATIVE: vends! vendons! vendez!

1. The stem is the infinitive form, minus the *-re* ending.

2. In the plural, the pattern is the same as with *-er* verbs. The plural endings are added and the final consonant of the stem is pronounced.

3. In the singular, the final consonant of the stem is not pronounced. An *s* is added for the 1 and 2 sing. forms, and all three forms are pronounced the same.

Exercice

Replace the verbs in italics with the appropriate form of the verbs in parentheses. Follow the model.

1. Nous *dînons* au restaurant. (attendre)   *Nous attendons au restaurant.*
2. Ils *finissent* le match de hockey. (perdre)
3. Je *téléphone* à Blanche. (répondre)
4. Tu *donnes* tes romans policiers à Frédéric? (vendre)
5. Nous *écoutons* le garçon. (entendre)
6. Vous *arrivez* chez Jacqueline. (attendre)
7. Qu'est-ce que tu *demandes* à Patrick? (vendre)
8. Gabrielle *apporte* les billets. (perdre)
9. *Téléphone* à ta maman, s'il te plaît! (répondre)
10. Je *regarde* les enfants qui *jouent* dans le jardin. (entendre/attendre)

[1]Like *écouter*, "to listen to," *attendre*, "to wait for," is not followed by a preposition.
[2]Like *téléphoner*, *répondre* is followed by a form of *à*.

Les adjectifs singuliers placés avant le nom

In French, most adjectives come after the noun. For example: *une robe blanche, un garçon français, des femmes avares.* Some common adjectives, however, usually come before the noun.

1. Look at the following:

C'est un **joli** jardin.   C'est une **jolie** bibliothèque.
C'est un **joli** arbre.   C'est une **jolie** histoire.
C'est le **seul** jardin.   C'est la **seule** bibliothèque.
C'est le **seul** arbre.   C'est la **seule** histoire.

Adjectives that end in a vowel or in a pronounced consonant do not change pronunciation when they are used before nouns.

2. Now look at the following:

Voilà un **petit** camion.   Voilà une **petite** carte.
Voilà un **petit** avion.   Voilà une **petite** affiche.
         [t]

When a masculine adjective ending in an unpronounced consonant comes before a noun beginning with a vowel sound, the final consonant is pronounced. In the feminine forms, this consonant is always pronounced.

3. Look at *grand* and *gros:*

C'est un **grand** château.   C'est une **grande** maison.
C'est un **grand** hôtel.   C'est une **grande** église.
         [t]

C'est un **gros** nuage.   C'est une **grosse** voiture.
C'est un **gros** avion.   C'est une **grosse** étoile.
         [z]

Before a masculine noun beginning with a vowel sound, the *d* of *grand* is pronounced [t], and the *s* of *gros* is pronounced [z]. The corresponding feminine forms end in a [d] and an [s] sound.

4. Here are some adjectives that may come before the noun:

TYPE 1: autre, jeune, joli, large, même, pauvre,[1] seul
TYPE 2: long, mauvais, petit
TYPE 3: grand, gros

---

[1]When *pauvre* is used before a noun, it means "unlucky" or "pitiful." After a noun it means "without money."

Exercices

A. Put the adjective in parentheses before the noun. Follow the model.

1. Le professeur porte un chapeau *(grand)*.
   Le professeur porte un grand chapeau.

2. Le monsieur *(gros)* parle à son ami.
3. Il y a un hôtel *(grand)* en face du théâtre.
4. Il y a un enfant *(petit)* là-bas, avec un vélo.
5. L'auteur finit un roman *(mauvais)*.
6. L'élève *(autre)* porte un pull-over.
7. C'est le train *(seul)* aujourd'hui.

B. Redo the sentences using the adjectives in parentheses. Pay close attention to the position of the adjectives. Follow the model.

1. On joue une pièce en ville. (autre / étranger)
   On joue une autre pièce étrangère en ville.

2. Ils étudient un poème. (danois / long)
3. Ils ont une villa. (blanche / jolie)
4. Vous attendez toujours le garçon? (même / paresseux)
5. Malheureusement, c'est la table. (libre / seule)
6. Elle vend un roman. (autre / policier)
7. C'est un auteur. (célèbre / jeune)
8. Le chapeau coûte cher. (grand / rouge)

Vérifiez vos progrès

Write complete sentences using the correct form of the words given and putting the adjectives in their appropriate form and position. Follow the model.

1. La dame *(fatigué, pauvre)* / demander / son argent
   La pauvre dame fatiguée demande son argent.

2. Je / vendre / ma jupe *(joli, norvégien)*
3. Une dame *(grec, jeune)* / attendre / le train *(même)*
4. Nous / répondre / à / la fille *(aimable, petit)*
5. Elle / commander / une boisson *(autre, froid)*
6. Elles / entendre / une langue *(autre, étranger)*

CONVERSATION ET LECTURE

Parlons de vous

1. Quelle heure est-il?   2. Quel temps fait-il aujourd'hui?   3. Quelle est la date?   4. Est-ce que vous êtes souvent occupé? Est-ce que vous travaillez beaucoup? Qu'est-ce que vous faites? Est-ce que vous travaillez vite ou lentement?   5. Est-ce que vous êtes quelquefois inquiet? Quand et pourquoi?   6. Combien de langues est-ce que vous parlez? Vous connaissez ("know") des gens qui parlent une langue étrangère? Si "oui," quelle langue est-ce qu'ils parlent?

Au café

Il est midi et demie et M. Germain entre dans le café tabac des Sports,[1] avenue de la République.[2] Il s'installe° à une petite table près de la fenêtre, parce qu'il aime regarder les gens dans la rue. Il
5 commande une bière et un sandwich au jambon.° "Tout de suite,° monsieur," répond le garçon.

Monsieur Germain déjeune souvent à ce café. C'est un habitué.° D'habitude° il arrive à la même heure avec son journal et s'installe à la même table. Il
10 habite loin de son bureau, trop loin pour rentrer chez lui à l'heure du déjeuner.[3] Voilà pourquoi il va si° souvent au café.

Aujourd'hui, la table derrière lui n'est pas occupée. Mais à côté il y a une jeune fille blonde. Devant
15 elle, il y a un café crème[4] et des livres. Près de la porte, des garçons et des filles jouent à la machine à sous.° Ce sont des élèves du lycée d'en face.° Eux aussi, ils ont des sandwichs et des boissons. Et voici une jeune fille, une brune, qui arrive. Elle va
20 à la table près de M. Germain où l'autre jeune fille attend. Monsieur Germain ne peut° pas entendre leur conversation, mais la jeune fille blonde donne un petit cadeau° à son amie. C'est peut-être son anniversaire° aujourd'hui.

s'installer: *to sit down*

le jambon: *ham*
tout de suite: *right away*

l'habitué, -e: *regular customer*
d'habitude: *usually*

si: *(here) so*

la machine à sous: *pinball machine*
d'en face: *across the street*
pouvoir: *to be able*

le cadeau: *gift*
l'anniversaire *(m.): birthday*

---

[1]A license is required to sell tobacco products. Certain stores, called *les bureaux de tabac,* specialize in tobacco. Some cafés, called *les cafés tabac,* also hold such a license.
[2]This avenue in Paris runs into the Place de la République, a large square where there is a monument commemorating the birth of the French Republic in 1792.
[3]Until very recently almost all working people in France had a two-hour lunch break and went home at noon. This was often the big meal of the day, with the evening meal being more of a light supper.
[4]A *café crème* is a cup of coffee with cream; a *café au lait,* usually served in a bowl and only at breakfast, is half coffee and half steamed milk.

25 Monsieur Germain finit sa bière et son sandwich et il regarde sa montre.° Il faut rentrer au bureau. Il demande l'addition.° "Voilà, monsieur," répond le garçon. "Au revoir et merci."

la montre: *watch*
l'addition (*f.*): *check*

À propos ...

1. Quelle heure est-il quand M. Germain entre dans le café?   2. Pourquoi est-ce qu'il choisit la table près de la fenêtre?   3. Qu'est-ce qu'il commande?
4. Pourquoi est-ce que M. Germain déjeune si souvent au café?   5. Qui est à la table à côté? Qu'est-ce qu'elle a devant elle?   6. Que font les jeunes gens qui sont près de la porte? Qu'est-ce qu'ils ont?   7. Qu'est-ce que la jeune fille blonde donne à son amie? Est-ce que M. Germain entend leur conversation?   8. Pourquoi est-ce que M. Germain demande tout de suite l'addition?   9. Et vous, est-ce que vous allez quelquefois au café? Est-ce qu'il y a un café près de votre lycée? Est-ce que vous allez là-bas pendant l'heure du déjeuner ou après la classe? Qu'est-ce que vous commandez?
10. Est-ce que vous aimez jouer aux machines à sous? Ça coûte cher?

EXPLICATIONS II

Les déterminants démonstratifs: <u>ce</u>, <u>cet</u>, <u>cette</u>, <u>ces</u>

The demonstrative determiners *ce, cet,* and *cette* mean "this" or "that." *Ces* means "these" or "those." Note how they are used:

Ce monsieur va à **cet** hôtel.   Ces messieurs vont à **ces** hôtels.
Cette dame vend **cette** image.   Ces dames vendent ces images.

Ce and *cet* are used before masculine singular nouns—*ce* before a consonant sound and *cet* before a vowel sound. *Cette* is used before all feminine singular nouns. *Ces* is used before all plural nouns. Before a vowel sound, the final *s* is a liaison consonant, pronounced [z].

Exercices

A. Answer the questions according to the pictures. Use the appropriate demonstrative determiner *ce* or *cette.* Follow the models.

1. Qu'est-ce qui est grand?
   Ce bateau est grand.

2. Qu'est-ce que tu vends?
   Je vends cette moto.

3. Qu'est-ce que tu fermes s'il fait froid?

 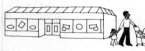

4. Qu'est-ce qui est chaud?

5. Qu'est-ce qui est nouveau?

6. Qu'est-ce qu'elles écoutent?

7. Qu'est-ce qui est beau?

8. Qu'est-ce qui est court?

9. Qu'est-ce qu'elles vendent?

  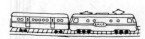

10. Qu'est-ce qui est mauvais?

11. Qu'est-ce qui est beau?

12. Qu'est-ce qu'elles attendent?

B. Redo the above exercise in the plural. Follow the models.

1. Qu'est-ce qui est grand?   *Ces bateaux sont grands.*
2. Qu'est-ce que tu vends?   *Je vends ces motos.*

C. Answer the questions using the cues in parentheses and the appropriate demonstrative determiner *cet* or *cette*. Follow the models.

1. Quand est-ce qu'ils font leur voyage? (l'hiver)
   Ils font leur voyage cet hiver.
2. Qu'est-ce que Charles aime? (l'orangeade)
   Il aime cette orangeade.

3. Qui est aimable? (l'auteur)
4. Qu'est-ce qu'il faut finir? (l'histoire)
5. Quand est-ce que Marc rentre chez lui? (l'après-midi)
6. Qu'est-ce qu'elles écoutent? (l'opéra)
7. Qu'est-ce que tu choisis? (l'affiche)
8. Qu'est-ce que vous regardez dans le ciel? (l'étoile)
9. Qu'est-ce qu'ils perdent? (l'argent)
10. Qu'est-ce que tu vends? (l'image)
11. Qu'est-ce qui est très grand? (l'hôpital)
12. Qui sert nos boissons? (l'autre serveuse)

Vérifiez vos progrès

Rewrite the sentences, changing the words in italics to the singular. Follow the model.

1. Il répond lentement à *ces jeunes femmes.*
   Il répond lentement à cette jeune femme.

2. Samedi elles vont à *ces marchés.*
3. Donnez *ces journaux* à papa, s'il vous plaît.
4. Arnaud regarde *ces étoiles.*
5. Son père joue quelquefois aux cartes avec *ces messieurs.*
6. Je n'aime pas *ces hôtels.*
7. Est-ce que vous entendez *ces avions* dans le ciel?
8. Il va perdre *ces stylos.*
9. Je ne révise pas *ces histoires.*
10. En automne il y a des feuilles jaunes sur *ces arbres.*

RÉVISION ET THÈME

Consult the model sentences, then put the English cues into French and use them to form new sentences based on the models.

1. *Ce soir,* les Dufort vont à *un petit théâtre espagnol* à New York.
   (This week)   *(a large Greek restaurant)*
   (This morning)   *(a small German library)*

2. *Cette maison est en face d'un château célèbre.*
   (Those flowers are under a big tree.)
   (That hospital is near a pretty park.)

3. *Il écoute un long opéra français.*
   (He's watching the same stupid western.)
   (He's looking at another cartoon.)

4. *Là, nous vendons les disques.*
   (she hears the wind)
   (you (sing.) *wait for the waitress)*

5. *Je travaille lentement, et le professeur attend mes devoirs.*
   (He plays badly, and they lose the game.)
   (The drinks aren't expensive, and we order a lemonade and a beer.)

Now that you have done the *Révision,* you are ready to write a composition. Put the English captions describing each cartoon panel into French to form a paragraph.

This afternoon, the Ballards are having lunch at a small Dutch café in London.

This café is next to a large hotel.

The Ballards choose the only unoccupied table near a window.

There they wait for the waiter.

The waiter arrives quickly and they order Cokes.

AUTO-TEST

A. Replace the italicized determiners with the correct form of the demonstrative determiner and use the appropriate form of the verb in parentheses. Follow the model.

1. Ils ne *(perdre)* pas *l'*argent.
   Ils ne perdent pas cet argent.

2. Je *(vendre) la* grande maison rouge.
3. *Le* garçon et *la* serveuse *(servir)* le déjeuner.
4. *Le* professeur ne *(répondre)* pas à *un* élève.
5. Elles *(commander) le* bon citron pressé.
6. Tu *(attendre) une* amie à *l'*hôtel?
7. Nous ne *(répondre)* pas à *la* porte après 7 h. 30.
8. Vous *(entendre) les* langues étrangères souvent en ville?

B. From the column on the right, choose the most logical response to each statement on the left.

1. Ces dames sont étrangères.
2. C'est un enfant aimable.
3. Cinquante-six pages.
4. Elle parle grec et danois.
5. Les hommes sont fatigués.
6. Soixante francs, madame.

a. Ces billets coûtent trop cher.
b. C'est une très longue histoire!
c. Deux langues étrangères?
d. Il faut travailler lentement.
e. Oui, et très sage aussi.
f. Oui, norvégiennes peut-être.

C. Rewrite the sentences using the cues in parentheses. Be careful to put the adjectives in the correct position. Follow the model.

1. Ce roman est difficile. (la pièce)
   C'est une pièce difficile.

2. Ce monsieur est gros. (la dame)
3. Cet homme est fatigué. (la fille)
4. Ce café est froid. (la boisson)
5. Cet enfant est étranger. (la langue)
6. Cet hôtel est petit. (la bibliothèque)
7. Cet autre garçon est aimable. (la serveuse)
8. Ce jeune homme est calé. (la femme)

Proverbe

Qui va à la chasse perd sa place.

Onzième Leçon

A la librairie

Dimanche prochain, c'est la Fête des Pères.[1] Hier matin, Claude a cherché un cadeau pour offrir à son père. Il a regardé des livres dans une grande librairie.

LE VENDEUR   Qu'est-ce qu'il aime, votre père?

5   CLAUDE   Les livres!

LE VENDEUR   Euh . . . bien sûr. Mais qu'est-ce qu'il fait, par exemple?

CLAUDE   Il est professeur. Il enseigne la biologie.

LE VENDEUR   Eh bien, j'ai ce très joli livre d'histoire naturelle. Les photos sont vraiment belles.

10   CLAUDE   Humm . . . Mais ça coûte très cher, n'est-ce pas?

LE VENDEUR   Soixante-huit francs, monsieur.

CLAUDE   Oui, c'est cher. Et ce petit livre?

LE VENDEUR   Trois francs cinquante.[2] Mais c'est un livre de poche!

CLAUDE   Oui, mais c'est le geste qui compte, n'est-ce pas?

---

[1]Father's Day is in June, but not always on the same day in France as in the U.S. and Canada.
[2]Three francs, fifty centimes, is equivalent to about 80 cents. (There are 100 centimes to a franc.) The rate of monetary exchange changes constantly according to world economic conditions.

At the bookstore

Next Sunday is Father's Day. Yesterday morning Claude looked for a gift to give his father. He looked at some books in a large bookstore.

	SALESPERSON	What does your father like?
	CLAUDE	Books!
5	SALESPERSON	Um, yes, of course. But what does he do, for example?
	CLAUDE	He's a teacher. He teaches biology.
	SALESPERSON	Well, I have this very nice book on natural history. The photos are really lovely.
	CLAUDE	Hmm . . . But it's very expensive, isn't it?
10	SALESPERSON	Sixty-eight francs.
	CLAUDE	Yes, that's expensive! What about this little book?
	SALESPERSON	Three francs fifty. But that's a paperback!
	CLAUDE	Yes, but it's the thought that counts, right?[1]

Questionnaire

1. Pourquoi est-ce que Claude cherche un cadeau pour son père?   2. Quand est-ce que Claude a cherché le cadeau? Où est-ce qu'il a cherché le cadeau? 3. Qu'est-ce que le père de Claude fait? Qu'est-ce qu'il enseigne?   4. Qu'est-ce que le vendeur montre à Claude d'abord? Comment sont les photos? 5. Est-ce que Claude aime ce livre? Combien coûte ce livre?   6. Qu'est-ce que Claude choisit pour offrir à son père? Est-ce que c'est cher? Combien? 7. Est-ce que le vendeur est aimable? Est-ce que Claude est généreux?

PRONONCIATION

Listen carefully and compare how the letter *o* is pronounced in the following words: *poste, école; maillot, stylo.* The sound in *poste* and *école* is an [ɔ] sound. In French, this sound is always followed by a pronounced consonant. The sound in *maillot* and *stylo* is an [o] sound. The lips are much more rounded for the [o] sound than for the [ɔ] sound.

Exercices

A. Listen carefully, then say the following words aloud.

la porte	la poste	l'école	Nicole
le stylo	le maillot	le drapeau	le cadeau

B. Practice the [ɔ] sound. Round your lips before pronouncing the vowel, then release the final consonant sound clearly.

Elle va à Lisbonne.	Le prof de Simone va à Bonn.
Il va à Moscou.	Olivier demande un livre de poche.
Nous allons à Stockholm.	Nicole va offrir un roman à Roger.

[1]In French, the expression is, "It's the gesture that counts."

C. Now practice the [o] sound. Round your lips more than you did for the [ɔ] sound.

C'est le vél<u>o</u> de Gauthier.   <u>Au</u> revoir, Brun<u>o</u>.
C'est sa rad<u>io</u> <u>au</u>ssi.   <u>Au</u> revoir, Cl<u>au</u>de.
C'est le styl<u>o</u> d'<u>Au</u>de.   <u>Au</u> revoir, P<u>au</u>line.

MOTS NOUVEAUX I

Elle aime faire la grasse matinée. *She likes to sleep late.*
Elle dort toujours jusqu'à 10 h. *She always sleeps until 10:00.*
Elle va passer la journée chez elle. *She's going to spend the day at home.*
Je passe la matinée à la maison. *I spend the (whole) morning at home.*
   la soirée   *the (whole) evening*
   la journée   *the (whole) day*

Il va offrir un cadeau à maman?[1] *Is he going to give Mom a gift?*
Oui, c'est la Fête des Mères. *Yes, it's Mother's Day.*
Et pour la Fête des Pères? *And for Father's Day?*
Il offre un livre de poche à papa.[2] *He's giving Dad a paperback.*

Il travaille à la librairie. *He works at the bookstore.*
C'est un vendeur. Et elle? *He's a salesperson. What about her?*
C'est une vendeuse. *She's a salesperson.*
Quelquefois il faut compter les *Sometimes they have to count the*
   livres.   *books.*

Il faut trouver un cadeau. *I have to find a gift.*
Qu'est-ce que tu vas chercher, *What are you going to look for,*
   par exemple?   *for example?*

Le livre est cher. *The book's expensive.*
La photo est très chère.[3] *The photograph is very expensive.*
C'est le geste qui compte! *It's the thought that counts!*

---

[1]Like *ouvrir*, *offrir* follows the pattern of *-er* verbs in the present tense: *j'offre*. *tu offres*. etc. Note, too, that like *donner*, *téléphoner*. *répondre*. etc., *offrir* requires the use of *à*: *Nous offrons des cadeaux à papa.*

[2]The plural of *le livre de poche* is *les livres de poche*.

[3]When it is used with *coûter*, the word *cher* is an adverb. When it is used with *être*. it is an adjective, so it must agree with the noun:

   Les photos coûtent cher.

but: Les photos sont chères.

Exercice de vocabulaire

From the column on the right, choose the most logical response to each statement or question on the left. The answers to 1–6 will be found in a–f; the answers to 7–12 will be found in g–l.

1. Ça coûte 62 F 50, madame.
2. Elle travaille en ville?
3. Il vend des livres?
4. Pourquoi est-ce que tu cherches un cadeau pour maman?
5. Qu'est-ce que tu offres à Dominique?
6. Tu vas à la bibliothèque?

a. Cette affiche est beaucoup trop chère.
b. Dimanche, c'est la Fête des Mères.
c. Oui, c'est une vendeuse au grand magasin.
d. Oui, il travaille dans une librairie.
e. Oui, il faut aller chercher un livre de biologie.
f. Un livre de poche peut-être.

7. Elle est au bureau de 9 h. jusqu'à 6 h. 45.
8. Elle dort toujours?
9. Il faut trouver un bon restaurant.
10. Maintenant, mes enfants, comptons jusqu'à vingt.
11. Qui est cette jolie jeune femme, papa?
12. Tu vas au théâtre ce soir?

g. C'est une photo de grand-maman.
h. C'est une très longue journée.
i. Non, je passe la soirée chez moi.
j. Oui, elle fait la grasse matinée aujourd'hui.
k. Oui, j'ai faim aussi.
l. Un, deux, trois, quatre, . . .

MOTS NOUVEAUX II

Elle est professeur.[1]	*She's a teacher.*
Elle va **enseigner** l'anglais.	*She's going **to teach** English.*
Il est **étudiant**.	*He's **a student**.*
Elle est **étudiante**.	*She's **a student**.*
Ils vont **faire** de l'anglais.	*They're going **to take** English.*
Il **enseigne** la **biologie**.	*He teaches **biology**.*
la **chimie**	* **chemistry***
la **physique**	* **physics***
les **mathématiques** *(f. pl.)*	* **mathematics***
l'**algèbre** *(f.)*	* **algebra***
la **géométrie**	* **geometry***
Je fais de la **géographie**.	*I take **geography**.*
de l'**histoire** *(f.)*	* **history***
des **sciences sociales** *(f. pl.)*	* **social studies***
du **français**	* **French***
de l'**espagnol**	* **Spanish***
J'ai un **cours** de français ce matin.	*I have **a** French **class** this morning.*
Elle va **assister à** ce cours?	*Is she going **to attend** that class?*
Oui, il faut **passer un examen**.	*Yes, we have **to take a test**.*
Elle va **réussir à** l'examen.[2]	*She'll **pass** the exam.*
Elle ne va pas **rater** l'examen.	*She won't **fail** the exam.*
Ils vont à l'**université** *(f.)*.	*They go to **the university**.*
Il est **nul** en espagnol mais **fort** en maths.[3]	*He's **no good** in Spanish but **good** in math.*
Elle est **nulle** en français mais **forte** en chimie.	*She's **no good in** French but **good in** chemistry.*
Il va **poser une question**.	*He's going **to ask a question**.*
La **réponse** est **correcte**.	*The answer's **right**.*
La réponse n'est pas correcte.	*The answer's **wrong**.*
Le **mot** est correct.	*The **word** is correct.*
La **phrase** est correcte.	*The **sentence** is correct.*
Le **chapitre** est **difficile**.	*The **chapter** is difficult.*
Le **mois prochain** il va au **lycée**.	*Next month he's going to school.*
L'**année prochaine**	*Next year*
Lundi prochain	*Next Monday*
Je suis **sur la route**.	*I'm **on the road**.*
Je suis **en route** pour Paris.	*I'm **on the way** to Paris.*

---

[1]After a personal subject pronoun *(je, tu, il, elle,* etc.) + *être,* the French do not use the definite
determiner with professions. Compare: *C'est un professeur,* but *Il est professeur; C'est une étudiante,* but *Elle est étudiante.*

[2]*Réussir à* is an *-ir/-iss-* verb.

[3]*Les mathématiques* is often shortened to *les maths.*

Exercices de vocabulaire

A. Use the appropriate form of the verb in parentheses which best completes each sentence. Follow the model.

1. Elle *(rater/réussir à)* ces examens parce qu'elle est nulle en géométrie.
   Elle rate ces examens parce qu'elle est nulle en géométrie.

2. Samedi prochain, nous *(poser/passer)* un examen au lycée.

3. Quand les étudiants sont forts, les professeurs aiment bien *(étudier/ enseigner)*.

4. Parce qu'ils sont sages, Jean-Paul et Didier *(attendre toujours/assister toujours à)* leurs cours.

5. Vous êtes très calés. Alors vous *(réussir/répondre)* toujours aux examens.

6. Il ne faut pas *(porter/poser)* vos questions quand le professeur parle aux étudiants.

7. Nous sommes étudiants. L'année prochaine nous allons *(enseigner les/faire des)* maths à l'université.

8. Tu *(ouvrir/offrir)* un joli cadeau à ta sœur.

B. Answer the question *Qu'est-ce qu'il fait?* or *Qu'est-ce qu'elle fait?* according to the pictures. Follow the models.

1. *Il enseigne l'anglais.*

2. *Elle fait de l'espagnol.*

3.

4.

5.

6.

7.

8.

9.

10.

11.   12.

EXPLICATIONS I

Les verbes pouvoir et vouloir

Two very common French verbs, *pouvoir*, "to be able, can," and *vouloir*, "to
want," follow the same pattern in the present tense:

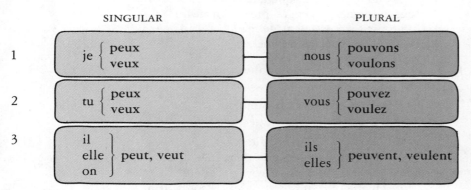

	SINGULAR		PLURAL
1	je { peux / veux	nous	{ pouvons / voulons
2	tu { peux / veux	vous	{ pouvez / voulez
3	il / elle / on } peut, veut	ils / elles	} peuvent, veulent

1. Look at the following:

    Je **veux offrir** un cadeau à papa.   *I **want to give** a present to Dad.*
    Je **ne peux pas trouver** ce livre   *I **can't find** that paperback.*
       de poche.

    A verb that comes immediately after *vouloir* and *pouvoir* is always in the
    infinitive.

2. More polite first person forms of the verb *vouloir* are very often used.
    They are called "conditional" and are the equivalent of "I'd like" and
    "we'd like":

    Je **voudrais** une glace.   *I'd like a dish of ice cream.*
    Nous **voudrions** commander une glace.   *We'd like to order ice cream.*

3. Another very common use of the verb *vouloir* is in the expression *vouloir
    dire*, "to mean":

    Qu'est-ce que tu **veux dire**?   *What do **you mean**?*
    Qu'est-ce que ces phrases **veulent**   *What do those sentences **mean**?*
       dire?

Exercices

A. Redo the sentences by adding the appropriate form of the verb *pouvoir*. Follow the model.

1. Il répond à la question.
   Il peut répondre à la question.

2. Vous passez l'examen maintenant.
3. Je trouve ces livres à la librairie.
4. Elles finissent le chapitre cet après-midi.
5. Tu restes à l'intérieur aujourd'hui.
6. Nous entendons le disque à la radio.
7. Vous enseignez la géographie ou l'histoire?
8. Elle réussit aux examens de maths et d'allemand.
9. Ils assistent au match de hockey.

B. Redo the sentences by adding the appropriate form of the verb *vouloir*. Follow the model.

1. Est-ce que tu enseignes la biologie?
   Est-ce que tu veux enseigner la biologie?

2. Est-ce qu'ils vont à l'université?
3. Est-ce que vous faites la grasse matinée demain?
4. Est-ce que nous faisons un voyage cet été?
5. Est-ce qu'elle offre un petit cadeau à son voisin?
6. Est-ce que tu fais du russe ou de l'italien?
7. Est-ce que vous passez la journée ici?
8. Est-ce qu'elles vont chercher des livres de poche aujourd'hui?
9. Est-ce qu'il finit la leçon ce matin?

C. Answer the questions in the negative. Follow the models.

1. Nous voudrions aller à l'université. Et toi? *(cond.)*
   Non, je ne voudrais pas aller à l'université.
2. Ils peuvent aller au cinéma samedi. Et vous?
   Non, nous ne pouvons pas aller au cinéma samedi.

3. Je veux enseigner les sciences sociales. Et lui?
4. Tu veux choisir les cadeaux de Noël. Et tes parents?
5. Mon frère peut rentrer plus tard. Et moi?
6. Je voudrais parler à cet auteur célèbre. Et vous? *(cond.)*
7. Nos amies peuvent faire la grasse matinée pendant l'été. Et nous?
8. Nous voulons poser les questions à l'agent. Et eux?
9. Tu peux étudier à la bibliothèque ce soir. Et elles?
10. Nous voudrions passer l'examen demain. Et toi? *(cond.)*

Le passé composé des verbes réguliers en -er

VOCABULAIRE			
déjà	*already*	l'année dernière	*last year*
hier	*yesterday*	le mois dernier	*last month*
hier matin	*yesterday morning*	la semaine dernière	*last week*
hier soir	*last evening, last night*	samedi dernier	*last Saturday*

1. The passé composé is used to talk about an action that has been completed. To form the passé composé of most verbs, you use the present tense of *avoir* and the "past participle" of the verb that is being put into the past tense. The past participle of regular -er verbs is formed by replacing the -er of the infinitive with é: *regarder → regardé:*

$$\left.\begin{array}{l} \text{j'ai} \\ \text{tu as} \\ \text{il a} \\ \text{elle a} \\ \text{on a} \end{array}\right\} \text{regardé} \qquad \left.\begin{array}{l} \text{nous avons} \\ \text{vous avez} \\ \text{ils ont} \\ \text{elles ont} \end{array}\right\} \text{regardé}$$

2. The passé composé has two English equivalents:

J'ai étudié la leçon.   { *I studied the lesson.* / *I've studied the lesson.* }

Il a commandé un café.   { *He ordered coffee.* / *He's ordered coffee.* }

3. Now look at the following:

Nous n'avons pas préparé le goûter.   { *We didn't prepare the snack.* / *We haven't prepared the snack.* }

Tu n'as pas raté l'examen.   { *You didn't fail the exam.* / *You haven't failed the exam.* }

In negative sentences with the passé composé, *ne (n')* comes before the form of *avoir* and *pas* after it.

4. Note how adverbs of time are used with the passé composé:

J'ai regardé la télé hier.	*I watched TV yesterday.*
Jeudi dernier j'ai joué dehors.	*Last Thursday I played outside.*
Il a déjà écouté ce disque.	*He's already listened to that record.*

Most adverbs of time come at the beginning or end of the sentence. Some, such as *déjà, vite, souvent,* and *toujours,* come after the form of *avoir* but before the past participle.

Exercices

A. Answer the questions according to the statements. Follow the model.

    1. Hier soir, Lucien et son frère ont joué aux échecs.
       (a) Qui a joué aux échecs?
         Lucien et son frère ont joué aux échecs.
       (b) Quand est-ce qu'ils ont joué aux échecs?
         Ils ont joué aux échecs hier soir.

    2. Hier matin, ils ont passé un de leurs examens.
       (a) Qu'est-ce qu'ils ont passé?
       (b) Quand est-ce qu'ils ont passé cet examen?

    3. Lundi, Viviane et Madeleine ont étudié la leçon de chimie.
       (a) Qui a étudié la leçon de chimie?
       (b) Quand est-ce qu'elles ont étudié cette leçon?

    4. Tu as posé une question difficile, mais cet étudiant a donné la réponse correcte.
       (a) Est-ce que j'ai posé une question facile?
       (b) Est-ce qu'on a donné la réponse correcte?

    5. La semaine dernière, Alain a révisé deux chapitres de son livre d'algèbre.
       (a) Alain a révisé combien de chapitres?
       (b) Quand est-ce qu'il a révisé ces chapitres?

    6. Nous avons déjà trouvé des cadeaux pour nos grands-parents—des livres de poche.
       (a) Vous allez chercher des cadeaux pour vos grands-parents?
       (b) Qu'est-ce que vous allez offrir à vos grands-parents?

B. Answer the questions according to the model.

    1. Ils ont parlé à Suzanne. Et toi?
      Oui, j'ai parlé à Suzanne.

    2. J'ai regardé la phrase. Et elles?
    3. Nous avons apporté six fleurs jaunes. Et lui?
    4. J'ai passé l'examen ce matin. Et vous?
    5. Vous avez souvent passé la soirée en ville. Et eux?
    6. Elles ont posé leurs questions. Et toi?
    7. J'ai joué au hockey hier soir. Et vous?
    8. Paul a raté l'examen de physique. Et moi?

C. Redo the above exercise in the negative.
Follow the model.

    1. Ils ont parlé à Suzanne. Et toi?
      Non, je n'ai pas parlé à Suzanne.

ÉCOLE MONT NOTRE-DAME
Sherbrooke

DEGRÉ   FOYER

Ⅵ L   L

Patricia Fisch
NOM

1363 Amherst
ADRESSE

9/5/60   567 1226
DATE DE NAISSANCE   TÉLÉPHONE

Marie Granger, c.n.d.

1974-1975
700-4   PHOTO ART

Vérifiez vos progrès

Using the cues in parentheses, rewrite the sentences in the passé composé. Be sure to put the adverbs in the correct position. Follow the model.

1. Ces bonnes étudiantes révisent leurs leçons. (hier)
   Hier ces bonnes étudiantes ont révisé leurs leçons.

2. Ils passent l'après-midi à la bibliothèque. (mercredi)
3. J'assiste au concert. (hier soir)
4. Nous montrons les photos à Andrée. (le mois dernier)
5. On trouve ces livres à la librairie au coin de la rue. (vite)
6. Tu comptes jusqu'à soixante? (déjà)
7. Maman n'enseigne pas la chimie à l'université. (l'année dernière)
8. Vous ne jouez pas dehors? (ce matin)

CONVERSATION ET LECTURE

Parlons de vous

1. Est-ce que vous offrez des cadeaux à vos parents pour la Fête des Mères et la Fête des Pères? Quoi ("what"), par exemple? Qu'est-ce qu'ils aiment, vos parents?   2. Quel jour est la Fête des Mères cette année? et la Fête des Pères?   3. Est-ce que vous aimez offrir des cadeaux ou est-ce que vous aimez mieux recevoir ("to receive") des cadeaux? Quoi, par exemple? 4. Est-ce que vous passez souvent la soirée chez vous? Qu'est-ce que vous faites? Hier soir, par exemple, est-ce que vous avez étudié?   5. Est-ce que vous aimez faire la grasse matinée? Quels jours est-ce que vous pouvez faire la grasse matinée?   6. Combien de matières ("subjects") est-ce que vous faites cette année? Quelles matières?   7. En quelles matières est-ce que vous êtes fort? nul? Est-ce que vous êtes fort en langues étrangères?   8. Est-ce que vous réussissez toujours à vos examens? Est-ce que vous ratez quelquefois les examens?   9. Est-ce que vous voulez aller à l'université? Quelle université? une université française peut-être?

Au poste de police°

Hier, vers minuit, un agent a arrêté° un homme dans la rue près de la porte de la Banque Nationale de Paris.[1] Il a trouvé beaucoup d'argent° sur cet homme. Ce matin le gérant° de la banque a téléphoné au poste de police pour signaler° un vol° de quinze mille° francs. C'est la même somme° qui est maintenant sur la table devant l'inspecteur Maussade et le suspect!

le poste de police: *police station*
arrêter: *to arrest*

beaucoup de: *a lot of*
le gérant: *manager*
signaler: *to report*
le vol: *theft*
mille: *thousand*
la somme: *amount*

---

[1]Often called *la BNP,* this is one of France's largest banks, which has branches throughout the country and abroad.

	L'INSPECTEUR	C'est ton argent, ça?[1]	
10	L'HOMME	Oui, monsieur l'inspecteur.	
	L'INSPECTEUR	Ouais . . .° Qui es-tu?	ouais: *unhuh*
	L'HOMME	Euh, je m'appelle Jean Dupont.[2]	
	L'INSPECTEUR	Où est-ce que tu habites, "Dupont"?	
	L'HOMME	J'habite 18 rue de la Gare, monsieur.	
15	L'INSPECTEUR	Et tes papiers, où sont-ils?	
	L'HOMME	Je . . . J'ai perdu° mes papiers.	perdu: *past partici-*
	L'INSPECTEUR	Tu travailles, toi?	*ple of* perdre
	L'HOMME	Je suis étudiant. Je fais de l'alle-	
		mand à l'université. Je voudrais	
20		être traducteur.°	le traducteur: *trans-*
	L'INSPECTEUR	Etudiant? Tu n'es pas un peu° vieux	*lator*
		pour ça? Où est ta carte d'étudiant,°	un peu: *a bit*
		alors?	la carte d'étudiant:
	L'HOMME	J'ai perdu ma carte d'étudiant aussi,	*student I.D.*
25		monsieur. Avec mes papiers.	
	L'INSPECTEUR	Ecoute, cette histoire n'est pas	
		vraie.° Tu n'es pas "Jean Dupont" —	vrai, -e: *true*
		tu es Paul Rigaud, le célèbre gang-	
		ster. Nous avons tes empreintes	
30		digitales.°	les empreintes digi-
	L'HOMME	Mais . . . mais je ne veux pas aller	tales: *fingerprints*
		en prison!	
	L'INSPECTEUR	C'est toujours la même histoire! A	
		la fin, les grands gangsters pleurent°	pleurer: *to cry*
35		comme les petits enfants!	

A propos . . .

1. A quelle heure est-ce qu'on a arrêté le suspect? Qu'est-ce qu'on a trouvé sur lui? 2. Pourquoi est-ce que le gérant de la banque a téléphoné au poste de police ce matin? 3. L'inspecteur Maussade pose beaucoup de questions. Est-ce qu'il aime les réponses? 4. Par exemple, qu'est-ce que l'homme répond quand l'inspecteur demande son nom ("name") et son adresse? Est-ce que ces réponses sont vraies? Quel est son vrai nom? 5. Qu'est-ce qu'il répond quand on demande s'il travaille? C'est vrai? 6. D'après ("according to") le suspect, où sont ses papiers, sa carte d'étudiant, etc.? 7. Si Paul Rigaud n'est pas vraiment étudiant, qu'est-ce qu'il est? Est-ce qu'il est courageux ("brave")? 8. Et vous, est-ce que vous avez une carte d'étudiant? Qu'est-ce qu'il y a sur cette carte? Votre nom, par exemple? 9. Est-ce que vous aimez les films ou les romans policiers? Quels auteurs de romans policiers est-ce que vous aimez?

[1]The inspector uses *tu* and *ton* to show his contempt for the suspect.
[2]Jean Dupont is a name so common in France that it is suspicious.

 50 FRANCS

 1 FRANC

 2 CENTIMES

 1/2 FRANC

 1 CENTIME

 10 FRANCS

 20 CENTIMES

 10 CENTIMES

 5 CENTIMES

 5 FRANCS

MONNAIE FRANÇAISE
FRENCH COINS
FRANZÖSISCHE MÜNZEN

ATTENTION : en France, les bureaux de poste n'acceptent que la monnaie et les billets de banque français.

IMPORTANT : French Post Offices only accept French coins and bank-notes.

ACHTUNG : in Frankreich nehmen die Postämter nur französisches Kleingeld und französische Banknoten an.

15

EXPLICATIONS II

Le passé composé des verbes en -ir / -iss-, -ir et -re

1. You have already learned how to form the passé composé of regular *-er* verbs. Now look at the following:

Il a fini le roman.
{ *He **finished** the novel.*
{ *He's **finished** the novel.*

Elle a servi le dîner.
{ *She **served** dinner.*
{ *She's **served** dinner.*

The past participle of *-ir / -iss-* and *-ir* verbs is formed by replacing the *ir* of the infinitive with *i: finir → fini, servir → servi.*

2. Now look at the following:

Nous avons perdu le match.
{ *We **lost** the game.*
{ *We've **lost** the game.*

Vous avez répondu à la question.
{ *You **answered** the question.*
{ *You've **answered** the question.*

The past participle of regular *-re* verbs is formed by replacing the *re* of the infinitive with *u: perdre → perdu.*

Exercices

A. Change the sentences to the passé composé. Follow the models.

1. Je choisis un film sénégalais.
   J'ai choisi un film sénégalais.
2. Nous ne choisissons pas cette route.
   Nous n'avons pas choisi cette route.

3. Tu maigris, Georges!
4. Claude ne dort pas pendant la matinée.
5. Elle grossit, n'est-ce pas?
6. Luc et Olivier ne finissent pas leurs devoirs.
7. Vous choisissez un roman très difficile.
8. Tu finis cette phrase?
9. Il ne finit pas cette longue pièce espagnole.
10. Ils servent un dîner français.
11. Paul réussit toujours à ses examens de maths.

B. Change the sentences to the passé composé. Follow the models.

1. Luc répond vite au professeur.
   Luc a vite répondu au professeur.
2. Cette étudiante et sa voisine ne répondent pas aux questions.
   Cette étudiante et sa voisine n'ont pas répondu aux questions.

3. En route, Jean perd son livre d'histoire.
4. Nous attendons l'autobus au coin de la rue.
5. Mes parents ne vendent pas leur bateau à voiles.

6. J'entends un camion dans la rue.
7. Pauline ne répond pas à sa grand-mère.
8. Tu ne vends pas un de ces vélos?
9. J'attends mon père près de l'hôpital.
10. Ces dames n'entendent pas tes réponses.

C. Redo the paragraph, changing the italicized verbs or phrases to the passé composé.

Mercredi Thomas et Laurent *passent* la matinée à la maison. Ils *dorment* jusqu'à midi. A 12 h. 45 ils *déjeunent*. L'après-midi ils *jouent* au basketball et à 4 h. ils *préparent* un goûter. Ils *finissent* le goûter à 4 h. 35. Après, ils *attendent* un copain pour regarder le journal télévisé. Après le dîner, ils
5 *choisissent* un film à la télé. A 9 h. 30 leur mère *demande:* "Vous *ne travaillez pas* ce soir, mes enfants?" Ils *ne répondent pas.* Est-ce qu'ils *n'entendent pas* la question? Si, et ils *ferment vite* la télé. Ils *trouvent* leurs livres et leurs cahiers, et ils *révisent* leurs leçons jusqu'à minuit.

Vérifiez vos progrès

Write answers to each question saying that the person has already done the thing being asked about. Follow the model.

1. Tu ne vas pas finir ce poème?
   J'ai déjà fini ce poème.

2. Elle va répondre aux étudiants?
3. Vous maigrissez?
4. La serveuse ne va pas servir les gens à côté?
5. Les feuilles ne vont pas jaunir cet automne?
6. Il perd sa route?
7. Ils vendent leurs billets?
8. Tu ne vas pas choisir une de ces photos?

RÉVISION ET THÈME

Consult the model sentences, then put the English cues into French and use them to form new sentences.

1. *Il n'a pas parlé aux étudiants la semaine dernière.*
   (You (sing.) *didn't phone the bookstore last night.)*
   (We didn't play soccer last month.)

2. *Elle a perdu les photos à l'université.*
   (We waited for the salespeople (f.) *at the sidewalk café.)*
   (They (f.) *spent the evening in the gym.)*

3. *Demain matin, il faut aller au cours de géométrie.*
   (This evening, we have to find those paperbacks.)
   (This afternoon, I have to review the history lesson.)

4. Mais *je n'ai pas dormi et je ne veux pas regarder les journaux.*
   (they (m.) *haven't finished and they can't look for the gifts)*
   (we didn't lose weight and we don't want to order ice cream bars)

5. *Il est nul en biologie et il ne va pas vouloir faire de la physique.*
   (She's good in math but isn't going to be able to take algebra.)
   (They (f.) *are no good in history and won't want to take geography.)*

Now that you have done the *Révision,* you are ready to write a composition. Put the English captions describing each cartoon panel into French to form a paragraph.

Simone didn't attend classes yesterday.

She spent the day at home.

This morning she has to take a chemistry exam.

But she hasn't studied and she can't answer the questions.

She's no good in chemistry, and she's not going to be able to pass the exam.

AUTO-TEST

A. In complete sentences, write the courses that you are taking and tell who teaches each course. Since it is your class schedule, the answers are not in the back of the book. Ask your teacher to go over your answers with you. Follow the model.

   1. *Je fais du français. Madame Dupont enseigne le français.*

B. Answer the questions using the pronouns given. Follow the models.

   1. Elles peuvent étudier des langues étrangères. Et nous?
     Vous pouvez étudier des langues étrangères aussi.
   2. Je veux aller au théâtre avec Georges. Et elle?
     Elle veut aller au théâtre avec Georges aussi.

   3. Vous voulez offrir un cadeau à Guillaume. Et lui?
   4. Nous pouvons réussir à l'examen. Et toi?
   5. Je voudrais passer la matinée à la maison. Et vous? *(cond.)*
   6. Il veut aller à l'université. Et eux?
   7. Nous pouvons assister au cours de chimie. Et elles?
   8. Ils veulent poser une autre question. Et nous?
   9. Je voudrais faire des sciences sociales. Et vous? *(cond.)*
  10. Elles peuvent sortir dimanche. Et moi?

C. Using the correct form of the words given, write complete sentences in the passé composé. Follow the model.

   1. Samedi/dernier/je/ne pas passer/la soirée/à/le cinéma
     Samedi dernier je n'ai pas passé la soirée au cinéma.

   2. Hier/nous/attendre/l'autobus/jusqu'à/7 h./de/le soir
   3. Le professeur/ne pas répondre/à/les questions/de/les étudiants
   4. Nous/réussir/à/l'examen de biologie
   5. Tu/perdre/l'argent/à/le supermarché
   6. Sa sœur/choisir/deux/livre de poche/dans/la librairie
   7. Tu/rater/l'examen/parce que/tu/ne pas réviser/tes leçons

Collège d'Enseignement Secondaire
Nationalisé - Mixte
76220 - GOURNAY-EN-BRAY
—
NOM : GRES
Prénom : Florence
Classe : 3ᵉ IB
Qualité : DP
Nom et adresse des parents : Mʳ Gres
St Aubin 76220 Gournay en Bray
Tél.

LE PRINCIPAL

Proverbe

Vouloir, c'est pouvoir.

Douzième Leçon

Le gros chien méchant

Sophie Beaulieu, qui a treize ans, et son frère cadet Eugène, qui a neuf ans,[1]
vont assez souvent chez leur grand-père. Un après-midi, ils frappent à la
porte de son nouvel appartement, mais il n'y a pas de réponse.

EUGÈNE	Je ne comprends pas. Pourquoi est-ce qu'il n'est pas chez lui?
SOPHIE	Allons demander à la concierge.[2]

Toc! toc! toc! De l'intérieur, on entend: "Ouah, ouah, ouah! Grrr . . ."

EUGÈNE	Oh, là là! C'est un gros chien méchant, ça. Je pars, moi!
LA CONCIERGE	Qui est là?
SOPHIE	C'est Sophie et Eugène Beaulieu.
LA CONCIERGE	Ah, bonjour les enfants! Votre grand-père n'est pas là?
SOPHIE	Non, madame. Est-ce qu'il va rentrer bientôt?
LA CONCIERGE	Malheureusement, je ne sais pas, mademoiselle Sophie. Mais entrez. Voulez-vous prendre quelque chose?
EUGÈNE	Euh . . . mais le chien?
LA CONCIERGE	Oh, je n'ai pas de chien! Ça, c'est un disque! Quand je suis seule, je n'aime pas répondre à la porte. C'est pour faire peur aux inconnus . . .
SOPHIE	Ça a bien réussi,[3] n'est-ce pas, Eugène?

[1]The letter *f* of *neuf* is pronounced as a [v] sound before the words *heures* and *ans*.

[2]*Le* or *la concierge* is a custodian, who usually occupies the apartment on the ground floor of the building. The concierge in this dialogue is not typical, because usually they are not at all timid. It is in fact their job to keep an eye on things—to stop strangers, take in mail, answer the building phone, and generally keep a close watch on the building.

[3]Used in this way, the verb *réussir (à)* means "to succeed." For example: *J'ai réussi à trouver un cadeau,* "I succeeded in finding a gift."

The big mean dog

Sophie Beaulieu, who is thirteen years old, and her younger brother Eugène, who is nine, go to their grandfather's quite often. One afternoon, they knock on the door of his new apartment, but there is no answer.

	EUGÈNE	I don't understand. Why isn't he home?
5	SOPHIE	Let's go ask the concierge.

Knock! Knock! Knock! From inside is heard: "Woof, woof, woof! Grrr . . ."

	EUGÈNE	Uh-oh! That's a big mean dog! I'm getting out of here!
	LA CONCIERGE	Who's there?
	SOPHIE	It's Sophie and Eugène Beaulieu.
10	LA CONCIERGE	Oh, hello, children. Isn't your grandfather home?
	SOPHIE	No. Will he be back soon?
	LA CONCIERGE	Unfortunately, I don't know, Sophie. But come in. Would you like something to eat?
	EUGÈNE	Uh . . . but what about the dog?
15	LA CONCIERGE	Why, I haven't got a dog! That's a record! When I'm alone I don't like to answer the door. That's just to frighten strangers . . .
	SOPHIE	It sure succeeded, didn't it, Eugène?

Questionnaire

1. Quel âge a Sophie? et son frère cadet?   2. Où est-ce qu'ils vont cet après-midi?   3. Quand ils frappent à la porte de leur grand-père est-ce qu'il y a une réponse?   4. Quand ils frappent à la porte de la concierge, qu'est-ce qu'ils entendent?   5. Quand la concierge répond à sa porte, où est le chien?
6. Est-ce que la concierge est aimable? Est-ce qu'elle a peur des inconnus?
7. D'abord, Eugène ne veut pas prendre quelque chose chez la concierge. Pourquoi?   8. Est-ce que le disque réussit à faire peur aux inconnus? Est-ce qu'il fait peur à Sophie, par exemple? à Eugène?

PRONONCIATION

Two French vowel sounds that are very much alike are the [œ] sound, as in *leur* and *neuf,* and the [ø] sound, as in *eux* and *deux.*

Exercices

A. These words all contain the [œ] sound followed by a final pronounced consonant. Listen, then repeat.

s<u>eu</u>l   fl<u>eu</u>ve   fl<u>eu</u>r   coul<u>eu</u>r   profess<u>eu</u>r

B. Now listen, then repeat these sentences containing the [œ] sound.

C'est le s<u>eu</u>l vend<u>eu</u>r.   L'aut<u>eu</u>r déjeune à n<u>eu</u>f h<u>eu</u>res.
L<u>eu</u>r s<u>œu</u>r a n<u>eu</u>f fl<u>eu</u>rs.   Le profess<u>eu</u>r est à l'intér<u>ieu</u>r.

C. For the [ø] sound, the lips are more rounded than for the [œ] sound. Listen, then repeat these sentences containing the [ø] sound.

Eux, ils sont bleus.   Ses deux neveux sont généreux.
Ces messieurs sont vieux.   Eux, ils ont deux neveux paresseux.

D. Now contrast the [œ] and [ø] sounds. Listen, then repeat.

[œ]/[ø]   heure/eux   pleure/pleut   peur/peu   sœur/ceux

MOTS NOUVEAUX I

L'affiche est au-dessus de la carte.	*The poster is **above** the map.*
La carte est au-dessous de l'affiche.	*The map is **below** the poster.*
Le vélo est au milieu de la route.	*The bike's **in the middle of** the road.*
La voiture est au bord de la route.	*The car's **by the roadside**.*
La route est au bord de la mer.	*The road is **by the sea**.*

Quel âge avez-vous? ⎫
Quel âge as-tu? ⎭
How old are you?

J'ai seize ans.
I'm sixteen.
Tu es enfant unique?[1]
*Are you an **only** child?*
Mais non! J'ai un frère **aîné** et une sœur **aînée**.
*No! I have an **older** brother and an **older** sister.*
J'ai aussi un frère **cadet** et une sœur **cadette**.
*I have a **younger** brother and a **younger** sister, too.*

C'est un garçon très **méchant**.
*That's a very **naughty** boy.*
Sa sœur est assez **méchante** aussi.
*His sister's **pretty naughty**, too.*

Il est **marié**. Voilà sa **femme**.
*He's **married**. There's **his wife**.*
    fiancé   sa **fiancée**
* engaged   his fiancée*
Elle est **mariée**. Voilà son **mari**.
*Elle est **mariée**. Voilà son mari.*
* married   her husband*
    fiancée   son **fiancé**
* engaged   her fiancé*

Tu vas **frapper** à la porte?
*Are you going **to knock on** the door?*
Tout à coup j'ai peur.
***Suddenly** I'm afraid.*
Est-ce que le chien est **méchant**?
*Is the dog **mean**?*
Je ne sais pas.
I don't know.

Le concierge habite **seul**.
*The concierge lives **alone**.*
Il est assez **vieux**.
*He's **pretty old**.*
La concierge habite **seule**.
*The concierge lives **alone**.*
Elle est assez **aimable**.
*She's **rather nice**.*
Elle rentre **bientôt**.
*She returns **soon**.*
    tout de suite
*   right away*
    enfin
*   at last*
Puis elle sort.[2]
***Then** she goes out.*

---

[1]Note that the indefinite determiner is not used in such expressions as *enfant unique, fils unique, fille unique.*

[2]Though *bientôt, tout de suite, enfin,* and *tout à coup* can be used either at the beginning or end of a phrase, *puis* can be used only at the beginning.

Exercices de vocabulaire

A. Answer the questions according to the picture.

1. Qu'est-ce qu'il y a au milieu de cette image?
2. Qu'est-ce qui est au-dessus des nuages?
3. Qu'est-ce qu'il y a au-dessous des nuages?
4. Est-ce que le jardin est à droite de la maison?
5. Qu'est-ce qu'il y a au bord du lac?
6. Est-ce que le vélo est devant la maison?
7. Qu'est-ce qu'il y a derrière la maison?

B. Choose the word or phrase that best completes the sentence or fits the situation.

1. Est-ce qu'il est marié? Oui, voilà *(sa femme / son mari)*.
2. J'ai dix-neuf ans et ma sœur cadette a *(douze ans / vingt ans)*.
3. Pourquoi est-ce qu'ils ne répondent pas à la porte? *(C'est une bonne réponse. / Je ne sais pas.)*
4. Vite! Il faut partir *(assez lentement / tout de suite)*.
5. Je n'ai pas de frères. Je suis fils *(méchant / unique)*.
6. Qui est là? *(Je frappe à la porte. / C'est moi. Mathieu.)*
7. Quel temps fait-il? *(Je ne sais pas. / Midi.)*
8. Elle rentre bientôt? *(Oui, l'année prochaine. / Oui, vers 9 h.)*
9. J'attends la concierge. Elle arrive *(enfin / puis)*.
10. Jeanne travaille chez elle parce qu'elle aime travailler *(bientôt / seule)*.
11. Quel âge avez-vous, mademoiselle? *(Sa fille aînée. / J'ai 22 ans.)*

l'oiseau (m.)

meuh

l'agriculteur (m.)

hii-hii

la vache

le cheval

gron-gron

miaou

ouah-ouah

glou-glou-glou

le cochon

le chien

le dindon

cocorico

le chat

bêêè-bêêè

couin-couin

le coq

cot-cot-cot-codèt

la poule

le canard

le mouton

Est-ce que vous avez un chat?	*Do you have a cat?*
Non, j'ai deux oiseaux—et un chien pour **faire peur** aux inconnus.	*No. I have two birds—and a dog to **frighten** strangers.*
Ce monsieur a une ferme.	*This man has **a farm**.*
Il est agriculteur.	*He's **a farmer**.*
Du matin jusqu'au soir il faut penser à la ferme.	*From morning 'til night he has to **think about** the farm.*

Le Zoo

le tigre

le singe

le léopard

la girafe

l'ours (m.)

le lion

l'hippopotame (m.)

le rhinocéros

la souris

l'éléphant (m.)

Qui est l'inconnu *(m.)* là-bas?	*Who's **the stranger** over there?*
Il pense à **quelque chose.**	*He's thinking about **something.***
Qui est l'inconnue *(f.)?*	*Who's **the stranger?***
Elle regarde cet animal.	*She's looking at that **animal.***
Elle aime les animaux, mais pas le zoo.	*She likes **animals,** but not **the zoo.***
Elle aime les vaches et les chevaux, pas les ours et les girafes.	*She likes cows and horses, not bears and giraffes.*

Identify the animals in the picture. Follow the model. Then answer the questions at the bottom of the page.

1. *C'est un oiseau.*

12. Est-ce que les animaux font peur à l'agriculteur?
13. Où habitent ces animaux?
14. On peut trouver trois grands chats au zoo. Quels chats?
15. Quel animal est-ce qu'il y a au milieu de l'image du zoo (page 190)?
16. Quel animal est-ce qu'il y a au-dessous de l'ours? à gauche du léopard? à droite de la souris? au-dessus de l'hippopotame?

EXPLICATIONS I

Les verbes comme prendre

VOCABULAIRE			
prendre	*to take; to have*[1]	apprendre par cœur[2]	*to memorize*
apprendre (à)	*to learn (how)*	comprendre	*to understand*

Prendre, and all verbs ending in *-prendre*, follow this pattern:

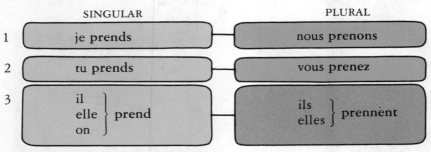

IMPERATIVE: **prends! prenons! prenez!**

1. The singular pattern is like that of regular *-re* verbs, and all three forms are pronounced alike.

2. In the 1 and 2 pl. forms, the *d* is dropped and the pronunciation of the stem vowel *e* changes from [ɑ̃], as in *dans*, to [ə] as in *le*.

3. In the 3 pl. form, too, the *d* is dropped, but in spelling another *n* is added. The pronunciation of the stem vowel becomes [ɛ] as in *mère*, and the [n] sound is strongly released.

Exercices

A. Answer the questions using the present tense. Follow the model.

1. Quand est-ce que tu vas apprendre ce poème allemand?
   J'apprends ce poème allemand maintenant.

2. Est-ce que vous allez comprendre cette leçon?
3. Quand est-ce qu'ils vont apprendre le poème par cœur?
4. Est-ce que vous allez apprendre à jouer au tennis?
5. Quand est-ce qu'Alain va prendre quelque chose?
6. Quand est-ce que tu vas comprendre le français?
7. Est-ce que vous allez prendre le petit déjeuner?
8. Est-ce qu'elles vont apprendre l'histoire?
9. Est-ce que tu vas comprendre les questions?

[1]The expression *prendre quelque chose* means "to have something to eat or drink." Similarly, *il prend un café* means "He's having coffee."
[2]Note how the expression is used: *Elle apprend les mots par cœur*, "She's memorizing the words."

B. Complete the paragraph, using the correct form of the italicized verbs. Be careful! There are regular *-re* verbs as well as *prendre*-type verbs.

A la gare deux garçons *(prendre)* une boisson pendant qu'ils *(attendre)* le train. Tout à coup, ils *(entendre)* deux jeunes filles qui parlent une langue étrangère.

JEAN-PATRICK	Tu *(comprendre)* cette langue?
5 CHRISTOPHE	Oui. Elles parlent allemand.

Bientôt, une des jeunes filles demande en français: "Pardon, messieurs. Où est-ce qu'on *(vendre)* les billets?" Christophe, qui *(apprendre)* l'allemand au lycée, *(répondre)* lentement en allemand. Mais les jeunes filles ne *(comprendre)* pas.

10 UNE JEUNE FILLE	Vous ne *(comprendre)* pas le français, monsieur?
CHRISTOPHE	Si, mademoiselle. Mais je *(comprendre)* aussi votre langue. Nous *(apprendre)* l'allemand au lycée.
LA JEUNE FILLE	Ma sœur et moi, nous ne *(comprendre)* pas du tout l'allemand. Nous sommes belges.
15 CHRISTOPHE	Ah, vous parlez flamand, n'est-ce pas?
LA JEUNE FILLE	Oui, monsieur. Nous *(attendre)* le train pour Bruxelles. Nous *(prendre)* le train qui part à 9 h. 25.

Les adjectifs <u>bon</u>, <u>premier</u>, <u>dernier</u>; <u>beau</u>, <u>nouveau</u>, <u>vieux</u>

1. When *bon, premier,* and *dernier* are used before a masculine noun beginning with a vowel sound they are pronounced like their corresponding feminine form. Their final consonant is pronounced and the vowel sound changes. In these examples, all except the first one in each set is pronounced the same:

un **bon** prof	le **premier** lycée	le **dernier** chapitre
une **bonne** classe	la **première** maison	la **dernière** leçon
un **bon** étudiant	le **premier** hôtel	le **dernier** examen
une **bonne** étudiante	la **première** église	la **dernière** histoire

2. There are special forms for *beau, nouveau,* and *vieux* when they occur before a masculine noun beginning with a vowel sound: *beau → bel, nouveau → nouvel,* and *vieux → vieil.* These special forms are pronounced the same as the corresponding feminine forms:

un **beau** jardin	un **nouveau** copain	un **vieux** roman
une **belle** fleur	une **nouvelle** copine	une **vieille** librairie
un **bel** inconnu	un **nouvel** ami	un **vieil** auteur
une **belle** inconnue	une **nouvelle** amie	une **vieille** histoire

3. The meaning of some adjectives may change depending on whether they are used before or after the noun. For example, when *dernier* is used before the noun, it means "very last" or "final." After the noun, it implies "most recent." Compare the two uses of *dernier* in this sentence: *Samedi dernier j'ai passé le dernier examen.*

Exercices

A. Put the appropriate form of the adjective before the italicized masculine nouns. Follow the model.

    1. Ce *monsieur* habite un *appartement.* (vieux)
       Ce vieux monsieur habite un vieil appartement.

    2. Il y a un *arbre* près du *fleuve.* (beau)
    3. Le zoo attend son *léopard* et son *hippopotame.* (premier)
    4. *L'étudiant* et le *professeur* sont en route pour l'université. (nouveau)
    5. Le *chapitre* et l'*examen* sont très difficiles. (dernier)
    6. L'*hôtel* est à gauche du *théâtre.* (vieux)
    7. Je vais prendre un *café* et un *esquimau.* (bon)
    8. Le *train* et l'*autobus* partent avant minuit. (dernier)
    9. L'*agriculteur* pense à son *cheval.* (vieux)
   10. Ce *monsieur* regarde un *oiseau* dans le ciel. (beau)

B. Redo the sentences using the adjectives in parentheses. Pay attention to the position of the adjectives. Follow the model.

    1. Nous avons parlé à l'auteur. (italien/vieil)
       Nous avons parlé au vieil auteur italien.

    2. Je prends toujours l'autobus. (premier/vert)
    3. Ils ont dîné avec leur ami. (belge/nouvel)
    4. Est-ce que tu as regardé cet enfant? (bel/blond)
    5. Vous enseignez à cette université? (canadienne/nouvelle)
    6. J'ai perdu mon affiche. (belle/mexicaine)
    7. Elle a regardé l'eau. (belle/bleue)
    8. Enfin ils ont vendu leur ours. (noir/vieil)
    9. Apprenez cette phrase tout de suite! (première/russe)
   10. Je pense à notre mouton. (blanc/nouveau)

Vérifiez vos progrès

Complete the sentences using the present tense form of the verb and the appropriate form of the adjective in parentheses. Be careful! Some are regular -*re* verbs and others are *prendre*-type verbs.

    1. Le *(nouveau)* étudiant ne va pas apprendre le chinois.
       Le nouvel étudiant n'apprend pas le chinois.

    2. Ils ne vont pas comprendre cette *(dernier)* question.
    3. Le *(vieux)* agriculteur ne va pas vendre ses cochons.
    4. Nous n'allons pas prendre le *(premier)* avion.
    5. Une *(bon)* étudiante ne va pas répondre toujours aux mêmes questions.
    6. Vous n'allez pas prendre le *(dernier)* autobus?
    7. Ils ne vont pas apprendre ce *(beau)* poème par cœur.
    8. Nous n'allons pas comprendre cette *(vieux)* histoire.
    9. Cet enfant ne va pas prendre ce *(beau)* oiseau.
   10. Tu ne vas pas prendre cette *(nouveau)* route pour aller au bureau?

CONVERSATION ET LECTURE

Parlons de vous

1. Quel âge avez-vous? Est-ce que vous avez des frères? des sœurs? aînés ou cadets? Quel âge ont-ils? Est-ce qu'ils sont mariés ou fiancés? Est-ce qu'ils vont au lycée? à l'université? 2. Qu'est-ce qu'il y a qui fait peur aux enfants? aux adultes? Est-ce que vous avez peur de quelque chose? des animaux? 3. Est-ce que vous avez un chien? un chat? Combien? 4. Est-ce que vous habitez une ferme? Est-ce que vous avez visité une ferme? 5. Est-ce que vous aimez aller au zoo? Quels animaux est-ce que vous aimez regarder? Pourquoi? 6. Quand vous allez au café qu'est-ce que vous prenez? 7. Vous apprenez le français cette année. Qu'est-ce que vous apprenez à faire dans votre classe de français? Vous êtes fort en français?

La ferme des animaux

Odile et sa sœur cadette Pascale passent la soirée à la maison. Pascale écrit° une lettre à leur frère aîné, Mathieu, qui a vingt et un ans et qui est étudiant à Clermont-Ferrand.¹ Pendant que Pascale écrit la
5 lettre, Odile lit° un roman.

— Qu'est-ce que tu lis, Odile? demande Pascale.
— *Animal Farm*.² répond Odile.
— C'est en anglais?
— Oui, mais ce livre n'est pas très difficile.
10 — Qu'est-ce que ça veut dire — *Animal Farm?*
— La "ferme des animaux." C'est l'histoire d'une ferme où les animaux ne veulent plus° travailler pour le maître.° Alors ils se révoltent.°
— Les animaux se révoltent?
15 — Oui. C'est un vieux cochon qui organise la révolte. Dans cette histoire les cochons sont très intelligents. Ce sont les seuls animaux qui savent° lire et écrire. Après la révolte, ils deviennent° les maîtres et les autres animaux travaillent pour eux.
20 — C'est vraiment bizarre. Qui est l'auteur de ce roman?
— George Orwell, l'écrivain° anglais.
— Ah, oui. L'année dernière nous avons étudié un de ses romans, *1984*³ — mais en français, pas en anglais!
25 — Je voudrais bien le° lire, moi aussi.
— Ça vaut la peine° — c'est vraiment un très bon livre.

écrire: *to write*

lire: *to read*

ne . . . plus: *no longer*
le maître: *master*
se révolter: *to revolt*

savoir: *to know how*
devenir: *to become*

l'écrivain (*m.*): *writer*

le: (*here*) *it*
ça vaut la peine: *it's worth it*

---

¹Clermont-Ferrand is a major industrial city in central France. It is the center of the very large French tire industry. There is also a university located there.
²In French, the title of the novel is *La République des animaux*.
³This is said as *mil neuf cent quatre-vingt-quatre*.

À propos...

1. Où sont les sœurs? Qui est la sœur aînée? 2. Que font les sœurs?
3. Qui est Mathieu? Où est-il? Qu'est-ce qu'il fait? 4. Quel roman est-ce
qu'Odile lit? Est-ce que le livre est en français? C'est un roman difficile?
5. Dans l'histoire, qu'est-ce que les animaux ne veulent plus faire? Qu'est-ce
qu'ils font enfin? 6. Qui organise la révolte? Qu'est-ce que les cochons
peuvent faire que les autres animaux ne peuvent pas faire? 7. Est-ce qu'il y
a des maîtres après la révolte? Qui sont les nouveaux maîtres? 8. Qui est
l'auteur d'*Animal Farm*? 9. Quand est-ce que Pascale a étudié un livre de
cet auteur? Quel livre? Est-ce que Pascale a aimé ce livre? Est-ce qu'Odile
veut le lire aussi? 10. Et vous, est-ce que vous avez étudié *Animal Farm*?
et *1984*? Est-ce que avez vu ("seen") le dessin animé *Animal Farm*? Si "oui,"
est-ce que vous avez aimé ce film? 11. Est-ce que vous aimez la science-
fiction? Quels auteurs de science-fiction est-ce que vous aimez? 12. Un
célèbre auteur français, Jules Verne, a écrit ("wrote") des livres de science-
fiction. Est-ce que vous avez lu ("read") ses livres? *Le Tour du monde en
quatre-vingts jours*, peut-être? ou *Vingt Mille Lieues sous les mers*?

EXPLICATIONS II

Comment poser des questions

1. You know that in French the most common ways of asking a question are to use the same word order as for a statement, but (a) to raise the pitch of your voice on the last syllable or (b) to put *est-ce que* (or *est-ce qu'*) at the beginning. There is also a third way:

   Il font des fautes.   Font-ils des fautes?
   Il prend un citron pressé.   Prend-il un citron pressé?
   Elle aime les chats.   Aime-t-elle les chats?

   This is called "inversion." It is used much less frequently in spoken French, except in certain common questions such as *quel âge a-t-il?, quel temps fait-il?,* and *quelle heure est-il?* However, it is the most common form in written French.[1]

   In inversion, the final *t* in the 3 sing. and 3 pl. forms is always pronounced: *fait-elle, font-ils.* If the 3 sing. form ends in the letter *d,* it is pronounced as a [t] sound: *prend-il.* If the 3 sing. form does not end in the letter *t* or *d,* the letter *t* is inserted: *aime-t-elle, regarde-t-il.*

2. The question words *où, quand, comment,* and *pourquoi* are also used with inversion:

   Où allons-nous ce soir?   Comment allez-vous, madame?
   Quand sort ton ami?   Pourquoi prennent-elles le train?

3. Negative questions are formed in the same way as negative statements. *Ne* (or *n'*) is placed before the verb; *pas* is placed after:

   Il travaille en ville?   Il ne travaille pas en ville?
   Est-ce que tu réponds?   Est-ce que tu ne réponds pas?
   Allez-vous au cinéma?   N'allez-vous pas au cinéma?

4. Questions in the passé composé follow the same pattern:

   Il a attendu sa femme?   Il n'a pas attendu sa femme?
   Est-ce que tu as répondu?   Est-ce que tu n'as pas répondu?
   A-t-il posé la question?   N'a-t-il pas posé la question?

5. Questions in which "who" is the subject:

   Nous sommes au bord de la mer.   Qui est au bord de la mer?
   Ils n'ont pas fini l'histoire.   Qui n'a pas fini l'histoire?

   In a "who" question, *qui* is followed by the 3 sing. form of the verb.

6. When a person ("who," "whom") is the object of a question, use *qui est-ce que* (or *qui est-ce qu'*):

   Alain attend l'agriculteur.   Qui est-ce qu'il attend?
   Nous écoutons le concierge.   Qui est-ce que vous écoutez?

---

[1]Do not use inversion with the 1 sing. form, *je.*

7. When a thing ("what") is the object of a question, use *qu'est-ce que* (or *qu'est-ce qu'*):

Ils apprennent le japonais.   Qu'est-ce qu'ils apprennent?
Je fais des achats.   Qu'est-ce que tu fais?

Before inversion, *qu'est-ce que* becomes *que:*

Qu'est-ce qu'elle fait?   Que fait-elle?
Qu'est-ce que les garçons prennent?   Que prennent les garçons?

8. For questions that have "which" or "what" plus a noun, use the adjective *quel.* Like all adjectives, it agrees with the noun:

Quel mot est-ce que tu cherches?   Quelle robe porte-t-elle?
Quels messieurs vont à Paris?   Quelles leçons est-ce qu'il révise?

Exercices

A. Change to questions using *est-ce que.* Follow the models.

1. Tu peux sortir plus tard?
   Est-ce que tu peux sortir plus tard?
2. Tu ne veux pas assister au match de hockey?
   Est-ce que tu ne veux pas assister au match de hockey?

3. Vous attendez Viviane?
4. Ils font de la physique?
5. Nous ne prenons pas notre goûter à 4 h.?
6. Tu vas au supermarché?
7. Il enseigne les mathématiques?
8. Elle ne parle pas wolof?

B. Redo the above exercise using inversion. Follow the models.

1. Tu peux sortir plus tard?
   Peux-tu sortir plus tard?
2. Tu ne veux pas assister au match de hockey?
   Ne veux-tu pas assister au match de hockey?

C. Form questions using inversion and the appropriate word: *quand, comment,* or *où.* Follow the models.

1. Elles arrivent *demain.*   *Quand arrivent-elles?*
2. Il va *à son cours de biologie.*   *Où va-t-il?*
3. Ils travaillent *bien.*   *Comment travaillent-ils?*
4. Il a dormi *l'après-midi.*
5. Ils ont passé la matinée *à la terrasse d'un café.*
6. Ils ont vendu leur maison *la semaine dernière.*
7. Elle a parlé *trop vite.*
8. Il a attendu *au coin de la rue.*
9. Ils ont joué aux échecs *vendredi dernier.*
10. Vous avez répondu *très lentement.*

D. Form questions in the passé composé using *est-ce que*. Follow the models.

1. Nous avons choisi les réponses correctes.
   Est-ce que nous avons choisi les réponses correctes?
2. Tu n'as pas porté ta nouvelle robe.
   Est-ce que tu n'as pas porté ta nouvelle robe?

3. Ils ont enseigné les sciences sociales au lycée.
4. Vous n'avez pas assisté au concert hier soir.
5. Ils n'ont pas cherché l'argent.
6. Tu as téléphoné à Germaine le mois dernier.
7. Elle a aimé son cours d'anglais.
8. Vous n'avez pas fini vos boissons.

E. Redo the above exercise using inversion. Follow the models.

1. Nous avons choisi les réponses correctes.
   Avons-nous choisi les réponses correctes?
2. Tu n'as pas porté ta nouvelle robe.
   N'as-tu pas porté ta nouvelle robe?

F. Form questions using *qu'est-ce que* or *qui est-ce que*. Follow the models.

1. Ils attendent *leurs copains*.
   Qui est-ce qu'ils attendent?
2. Nous avons aimé *ces dessins animés*.
   Qu'est-ce que nous avons aimé?

3. Elles regardent *ce beau nuage blanc*.
4. Vous entendez *les gens à côté*.
5. Tu as trouvé *les billets*.
6. Ils ont écouté *l'auteur célèbre*.
7. Ils ont regardé *les belles jeunes filles grecques*.
8. Vous n'aimez pas *votre nouvelle voisine*.
9. Tu n'as pas fini *tes devoirs*.

G. Form questions using *est-ce que* and the correct form of the adjective *quel*. Follow the model.

1. Ils regardent *cette belle dame à côté*.
   Quelle dame est-ce qu'ils regardent?

2. Je veux porter *mes vieilles chaussures noires*.
3. Ils n'aiment pas *ces étudiants paresseux*.
4. Ils vont prendre *la dernière table libre*.
5. Tu as étudié *le dernier chapitre du roman*.
6. Elle choisit *des livres de poche*.
7. Il donne *cette grande affiche* à Vincent.
8. Elles ont déjà entendu *cet autre disque*.
9. Ils comprennent *deux langues étrangères*.
10. Tu apprends *ce long poème portugais* par cœur.

Vérifiez vos progrès

Rewrite the questions in the negative. Follow the model.

1. Pourquoi est-ce qu'il va au zoo?
   Pourquoi est-ce qu'il ne va pas au zoo?

2. A-t-il assisté à votre cours de sciences sociales?
3. Où veulent-ils aller pendant leurs vacances?
4. Qui travaille vite?
5. Avez-vous entendu le nouveau disque?
6. Pourquoi est-ce que nous vendons la vieille voiture?
7. Est-ce que tu as réussi à trouver un bon cadeau?
8. Quel chapitre est-ce que tu comprends?
9. Qui est-ce que vous aimez?
10. Où peux-tu aller?

RÉVISION ET THÈME

Consult the model sentences, then put the English cues into French and use them to form new sentences based on the models.

1. Anne et *son frère aîné* sont *au bord de la mer, avec leurs parents.*
   (her younger brothers) (on the corner, next to the bookstore)
   (her young husband)   (by the roadside, near the farm)

2. Nous demandons: *"Quels cochons vendez-vous bientôt?"*
   ("Which poem are you (pl.) finally learning?")
   ("Which languages do they (f.) already understand?")

3. Tu réponds: "Il y a *un vieux chien anglais."*
   (an old Dutch cow)
   (an old Senegalese hippopotamus)

4. Vous demandez: *"Où trouve-t-on ces léopards noirs?"*
   ("Why is he looking for that nice farmer?")
   ("When is she bringing those white mice?")

5. Va regarder *ce nouveau coq rouge* là-bas!
   (that new white hen)
   (that new gray elephant)

Now that you have done the *Révision,* you are ready to write a composition. Put the English captions describing each cartoon panel into French to form a paragraph.

Mathieu and his younger sister are in the middle of the zoo, in front of the monkeys.

She asks: "Which animals do you want to look at now?"

Mathieu answers: "There's a new Russian bear."

She asks: "Why do you like those mean animals?"

"Let's go look at that beautiful white bird over there."

AUTO-TEST

A. Write what animal the person hears. Follow the model.

1. J'entends "ouah-ouah." *C'est un chien.*

2. J'entends "glou-glou-glou."
3. J'entends "cot-cot-cot-codèt."
4. J'entends "meuh."
5. J'entends "bèèè-bèèè."
6. J'entends "miaou."

7. J'entends "couin-couin."
8. J'entends "hii-hii."
9. J'entends "cocorico."
10. J'entends "gron-gron."

B. Identify the animals, using the determiners given and the appropriate form of each adjective. Make sure the adjectives are in the correct position. Follow the model.

1. une/blanc/grand
C'est une grande vache blanche.

2. notre/beau/russe

3. un/petit/jaune et noir

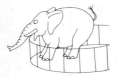
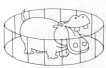

4. notre/maigre/premier

5. un/paresseux/vieux

6. leur/noir/nouveau

7. un/méchant/petit

8. une/gris/vieux

9. un/beau/bleu

C. Write answers to the questions using the cues in parentheses. Follow the model.

1. Qui apprend à travailler seul? (moi)
J'apprends à travailler seul.

2. Qui comprend le flamand? (ces jeunes gens)
3. Qui apprend l'espagnol? (nous)
4. Qui prend une bière? (toi)
5. Qui comprend les animaux? (l'agriculteur)
6. Qui prend quelque chose? (vous)
7. Qui apprend à jouer aux cartes? (ce petit enfant)
8. Qui comprend cet oiseau? (la concierge et son mari)

D. Write questions based on the statements, asking "who" or "what" —
whichever is appropriate. Remember that you will be replacing the
italicized words with the interrogative word. Follow the models.

1. Je n'ai pas trouvé *le petit zoo au milieu de la ville.*
   Qu'est-ce que tu n'as pas trouvé?
2. Il attend *cette jeune dame aimable.*
   Qui est-ce qu'il attend?

3. Ils prennent *l'avion qui part à 11 h. 27.*
4. Nous pouvons regarder *ces nouveaux dessins animés canadiens.*
5. Vous n'avez pas étudié *l'autre chapitre.*
6. Elle a cherché *ce nouvel agent.*
7. Ils vendent *une vieille villa au bord de la mer.*
8. Elle aime *les vendeuses qui travaillent dans le grand magasin près
   de la bibliothèque.*

E. Redo the above exercise, asking "which" questions and using
inversion. Follow the models.

1. Je n'ai pas trouvé *le petit zoo au milieu de la ville.*
   Quel zoo n'as-tu pas trouvé?
2. Il attend *cette jeune dame aimable.*
   Quelle dame attend-il?

Du 25 Mai au 15 Juin

**Pour
la première fois
dans
les Tuileries**

Le Cirque Bouglione

 Poème

MEA CULPA°

C'est ma faute
C'est ma faute
C'est ma très grande faute d'orthographe°
Voilà comment j'écris°
Giraffe.

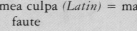 mea culpa *(Latin)* = ma
faute

l'orthographe *(f.):*
spelling
écrire: *to write*

Jacques Prévert, *Histoires*
© Editions Gallimard, 1963

 *Proverbe*

On apprend à tout âge.

LE RELAIS DES GOURMETS

HOTEL - RESTAURANT ****NN

SALONS PARTICULIERS

15, Rue de Geôle · 14000 CAEN

S.A. "LES GOURMETS"
au Capital de 192 000 Frs

J. LEGRAS
Président - Directeur Général

M. GRIFFITH

27/24

Téléphone : 86-06-01
(lignes groupées)

C.C.P. ROUEN 652.68 X
R. Commerce CAEN 58 B 46
Telex 17 333

14.10.75	Chambre		
15.10.75	P.Déj		
	Chambre	40. —	
16.10.75	p.dej.	9	
	Chambre	80	
17.10.75	p.dej	8	
	Chambre	80	
	p.dej.	8.	
		80.	
		8	
	SS	312	
		46.80	
	Tél.	358.80	
		17.40	
		37.620	

7.70

tel : 9.00

0.70

CARON-OZANNE

DATE ....

NOM .... CHAMBRE ....

INSTRUCTIONS SPÉCIALES .... MARQUE DE BUANDERIE ....

Le linge reçu avant 9:00 a.m. sera retourné le même jour, excepté les samedis, dimanches et jours de

COMPTE DU CLIENT	COMPTE DE L'HÔTEL	HOMMES		MONTANT	COMPTE DU CLIENT	COMPTE DE L'HÔTEL			MO
		Chemises ord.	.60				Jupes ou pant. sport	1.50	
		" du soir	1.00				Jupons longs	.80	
		" (soie, laine)	.85				" à la taille	.65	
		" sport	.75				Mouchoirs	.15	
		Faux cols	.15				Pyjamas	.75	
							" (soie)	1.00	
		Complets lav. (2 pces)	2.50				Robes	2.00/3.00	
		Gilet du soir	.85				Robes de nuit (coton)	.90	
		Mouchoirs	.15				" " " (soie)	1.50	
		Pant. sport Bermuda	1.00				Tailleurs lav. (2 pces)	3.00	
		Pant. ou pant. sport	1.75						
		Pyjamas	.65				Bas .30 la paire		
		" de soie	.80				Chandails	1.25	
		Robes de ch. 1.50 et plus					Culottes	.50	
		Salopettes (coton)	.60				Gaines	.70	
		" (soie ou laine)	.85				Soutien-gorge	.50	
		Caleçons courts (coton)	.40						
		" longs (coton)	.40				**ENFANTS**		
		Cal. longs (soie, laine)	.45				Blouses	.65	
		Camisoles (coton)	.45						
		" (soie ou laine)	.50				Chemises de nuit	.50	
		Chaussettes .30 la paire					Costumes de garçon	1.00	
							Gilets de dessous	.30	
							Jupes	.75	
		DAMES					Pyjamas	.50	
		Chemisiers, blouses	.80				Robes 1.00 et plus		
		Chem., blouses (soie)	1.00						
							Chaussettes	.15	
		Crinolines .80 et plus					Culottes	.30	
		Déshabillés 1.35 et plus					Salopettes	.60	
							TOTAL		

L'hôtel n'est pas responsable de la décoloration des vêtements ou de la perte causée par le feu. L'hôtel n'est pas responsable des
ments laissés en sa possession plus de trois mois. Les articles requérant plus de soins seront facturés en conséquence. A moins q
liste des articles n'accompagne le paquet, notre compte doit être accepté comme tel.

CL 19-2-69-5000

(English on reverse s

Treizième Leçon

A Boston

Hamidou va travailler pour Air Mali.[1] Il fait un stage de six mois à Boston pour apprendre l'anglais. Un jour, après ses cours, il rencontre Thierry, un autre jeune Noir.

HAMIDOU   Tu fais des progrès en anglais!
5   THIERRY   Oui, je crois que ça va assez bien.
HAMIDOU   Tu aimes le livre?
THIERRY   Oui, mais je le trouve difficile.
HAMIDOU   Tu vas rester à Boston?
THIERRY   Non, je suis de la Guadeloupe.[2] Je suis dans le tourisme, moi.
10   Mon père a un hôtel près de Pointe-à-Pitre.[3]
HAMIDOU   Ah, je vois. Moi, je suis malien. Je veux être pilote et pour les professions comme pilote, steward et hôtesse de l'air, il faut pouvoir parler anglais.

---

[1] Air Mali is the national airline of the Republic of Mali, a former French colony in West Africa.

[2] Guadeloupe, in the Caribbean Sea, is actually two small islands, Grande-Terre and Basse-Terre, separated by a thin arm of the sea called *la rivière Salée*. Along with the nearby island of Martinique, Guyane Française in South America, and the island of Réunion in the Indian Ocean, Guadeloupe is a *département* of France. In a sense, they are to France what the Hawaiian Islands are to the United States—distant regions that are legally as much a part of the country as if they were on the mainland.

[3] Pointe-à-Pitre, with a population of about 30,000, is the principal city of Guadeloupe.

In Boston

Hamidou is going to work for Air Mali. He is training for six months in Boston in order to learn English. One day, after his classes, he runs into Thierry, another young black.

	HAMIDOU	You're making progress in English!
5	THIERRY	Yeah, I think it's going pretty well.
	HAMIDOU	Do you like the book?
	THIERRY	Yes, but I find it difficult.
	HAMIDOU	Are you going to stay in Boston?
	THIERRY	No, I'm from Guadeloupe. I'm in the tourist business. My father
10		has a hotel near Pointe-à-Pitre.
	HAMIDOU	Oh, I see. I'm from Mali. I want to be a pilot, and for professions
		like pilot, steward, and stewardess you have to be able to speak
		English.

Questionnaire

1. Que fait Hamidou à Boston?   2. Qui est-ce qu'il rencontre?   3. Est-ce que Thierry fait des progrès en anglais?   4. Est-ce qu'il n'aime pas le livre?
5. Qu'est-ce que Thierry fait comme profession? Que fait son père?
6. Qu'est-ce que Hamidou veut faire comme profession? Pourquoi est-ce qu'il apprend l'anglais?

PRONONCIATION

The [j] sound is very much like the first sound in the English word "yes," but it is pronounced with greater tension.

Exercices

A. Listen carefully, then say these words aloud. Be careful to pronounce a distinct [j] sound at the end of each word.

   fille   feuille   vieille   famille   soleil   sommeil

B. In these words, the [j] sound comes between two vowel sounds. Note that the [j] sound is always part of the second syllable.

   maillot   cahier   papier   juillet   crayon   travailler

C. Now say these one-syllable words aloud. Be careful not to insert an [i] sound before the [j] sound.

   bien   pied   ciel   pièce   nièce   mieux   vieux

D. Now say these sentences containing the [j] sound.

   Hier j'ai travaillé à Lyon.   La fille italienne est inquiète.
   Le chien du concierge a sommeil.   Il y a une vieille pièce canadienne.
   Sa fiancée travaille à Marseille.   Le premier monsieur est au milieu.

MOTS NOUVEAUX I

le pilote   l'hôtesse de l'air (f.)   le steward   le médecin   l'infirmière (f.)   l'infirmier (m.)

le dentiste   la dentiste   le pharmacien   la pharmacie   la pharmacienne

le juge

l'avocate (f.)   l'avocat (m.)   le vendeur   le magasin   la vendeuse   la boutique

Que fait votre frère? Est-ce qu'il a **un emploi**?	*What does your brother do? Does he have **a job**?*
Oui, il est **ingénieur** (m.).[1]	*Yes, he's **an engineer**.*
Est-ce qu'il aime **le travail**?	*Does he like **the work**?*
Il est vraiment **passionné par** son travail.	*He's really **enthusiastic about** his work.*
Quelle est **la profession** de ton père?	*What's your father's **profession**?*
Il est **médecin**.	*He's a doctor.*
Que fait ta mère?	*What does your mother do?*
Elle est **médecin** aussi.[2]	*She's a doctor, too.*

---

[1]Remember that when a noun or subject pronoun and the verb *être* are immediately followed by certain types of nouns, such as professions, the French do not use the indefinite determiner (*un, une, des*).

[2]Though *l'ingénieur, le pilote, le médecin,* and *le juge* are masculine nouns, they are also used in speaking of women. Thus *Voilà le juge* would be used even if the judge were a woman.

Exercice de vocabulaire

Answer the questions according to the pictures. Follow the model.

1. Quel est son emploi?
   Elle est vendeuse.

2. Que fait son mari?

3. Que fait sa fille?

4. Quelle est sa profession?

5. Que fait ton oncle?

6. Que fait ce monsieur?

7. Que fait ta sœur aînée?

8. Que fait-elle?

9. Qu'est-ce qu'il fait?

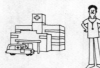

10. Quelle est sa profession?

11. Que fait ton amie?

12. Que fait leur neveu?

MOTS NOUVEAUX II

l'acteur (m.)   l'actrice (f.)

On va jouer une pièce.	*We're going **to put on a play**.*
Moi, je vais jouer un rôle.	*I'm going **to play a part**.*
Qui va jouer le rôle principal?	*Who's going to play **the lead?***
les rôles principaux?	***the leads?***

la secrétaire   l'homme d'affaires (m.)   la femme d'affaires   l'employé (de bureau)   l'employée (de bureau)

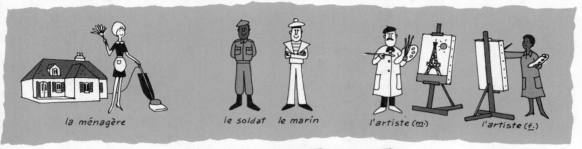

la ménagère   le soldat   le marin   l'artiste (m.)   l'artiste (f.)

le facteur   la lettre   l'ouvrier (m.)   l'ouvrière (f.)

Que font leurs sœurs **comme profession?**	*What do their sisters do **for a living?***
Comme vous, elles sont femmes d'affaires.	***Like** you, they are businesswomen.*
Tu vas peut-être **rencontrer** Eric.	*Maybe you'll **run into** Eric.*
Il a toujours le même emploi?	*Does he still have the same job?*
Oui, il est **employé de bureau.**	*Yes, he's a **clerk.***
Dans un **bureau de tourisme?**	*In a **tourist office?***
Oui, il aime le travail.	*Yes, he likes the work.*
Mon amie **malienne** veut être ingénieur comme son père.	*My **Malian** friend wants to be an engineer like her father.*
Elle va **faire un stage** dans une usine.	*She's going **to be in a training program** in a factory.*
Mon ami **malien** fait un stage à Paris.	*My **Malian** friend is training in Paris.*
Il est passionné par le travail et il **fait des progrès** *(m. pl.).*	*He's enthusiastic about the work and he's **making progress.***

Exercices de vocabulaire

A. Answer the questions according to the pictures. Follow the models.

1. Qui travaille dans un café?
   Une serveuse travaille dans un café.

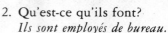

2. Qu'est-ce qu'ils font?
   Ils sont employés de bureau.

3. Qui travaille dans une usine?

4. Qu'est-ce qu'ils font?

5. Qui apporte les lettres?

6. Qu'est-ce qu'elles font?

7. Qui travaille à la maison, va au marché, prépare le dîner, fait la vaisselle, etc.?

8. Qu'est-ce qu'ils font?

B. According to the statements, tell what the people want to be. Follow the model.

1. Son frère fait un stage dans un grand hôpital à Lyon.
   Il veut être médecin. or: *Il veut être infirmier.*
2. Nous sommes passionnés par le théâtre.
3. Mes cousines veulent vendre des habits dans un magasin ou une boutique comme ma tante.
4. Christian et Daniel aiment la mer.
5. Tu aimes beaucoup les avions, Olivier.
6. Je veux travailler à la poste comme mon frère.
7. Ma cousine aime son travail. Elle fait un stage à Air France.
8. Thierry et son frère aîné aiment travailler dans un bureau.
9. Ma sœur cadette fait un stage dans une usine.
10. Ses nièces font des progrès. Aujourd'hui elles sont inconnues peut-être. Mais un jour elles vont jouer des rôles principaux.
11. Elles aiment bien travailler dans la pharmacie de leur oncle.

EXPLICATIONS I

Les verbes <u>voir</u> et <u>croire</u>

The two verbs *voir,* "to see," and *croire,* "to believe, to think" follow the same pattern in the present tense:

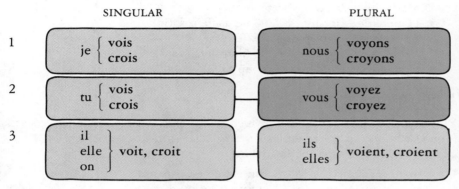

	SINGULAR		PLURAL
1	je { vois / crois		nous { voyons / croyons
2	tu { vois / crois		vous { voyez / croyez
3	il / elle / on } voit, croit		ils / elles } voient, croient

IMPERATIVE: vois! voyons! voyez!
    crois! croyons! croyez!

1. The 1 and 2 pl. stem of these two verbs ends in *-oy-*. For all other forms the stem ends in *-oi-*. The endings are regular.

2. Look at the following:

Je **vois que** tu as maigri. { *I see **that** you've lost weight.* / *I see you've lost weight.*

Ils **croient qu**'il a fini? { *Do they **think that** he's finished?* / *Do they **think** he's finished?*

In English we often omit the word "that," but *que* can never be omitted.

Exercices

A. Replace the verb *regarder* with the appropriate form of the verb *voir.* Follow the model.

1. Je regarde les animaux.
   Je vois les animaux.

2. Tu regardes ce gros mouton?
3. Ils regardent le beau cheval noir.
4. Nous regardons le petit chat gris.
5. Il regarde les oiseaux bruns.
6. Vous regardez le facteur là-bas?
7. Nous regardons la pharmacie en face.
8. Je regarde le vendeur maintenant.
9. Elles regardent les canards sur le lac.

B. Redo the sentences using the cues in parentheses and the appropriate form of the verb *croire*. Follow the model.

1. Cette actrice joue le rôle principal. (je)
   Je crois que cette actrice joue le rôle principal.

2. La ferme est loin d'ici. (elle)
3. La réponse est correcte. (tu)
4. Marianne veut être avocate. (nous)
5. Le père de Mireille est homme d'affaires. (je)
6. Cette leçon est trop difficile. (elles)
7. Votre mère a téléphoné à la boutique. (vous)
8. Ces garçons étudient beaucoup. (ils)

A qui, à quoi

You have seen that questions in which "who" and "what" are the objects are formed with *qui est-ce que* and *qu'est-ce que: Qui est-ce que je vois? Qu'est-ce qu'il croit?* Now look at the following:

Il pense au médecin.   A qui est-ce qu'il pense?
Il pense aux animaux.   A quoi est-ce qu'il pense?

When verbs that are followed by *à* are used in "who" questions, the *à* is simply placed before the *qui est-ce que*. But in "what" questions, *qu'est-ce que* becomes *à quoi est-ce que*. These questions can also be formed using inversion: *A qui pense-t-elle? A quoi pense-t-elle?*

Exercice

Form questions based on the statements. In each case replace the italicized words with the appropriate construction, *à qui* or *à quoi*. Follow the models.

1. J'ai donné l'argent *à la vendeuse.*
   A qui est-ce que tu as donné l'argent?
2. Nous jouons *au volleyball.*
   A quoi est-ce que vous jouez?

3. Ils ont parlé *aux avocats.*
4. Le facteur a donné les lettres *à la concierge.*
5. Je pense *à la ferme de mon oncle.*
6. Le professeur a posé des questions faciles *aux élèves.*
7. Nous avons répondu *à ces questions.*
8. Ils ont vendu le vieil avion *au pilote.*
9. Les tigres font peur *aux enfants.*
10. Ils pensent *à l'examen d'histoire.*
11. Elles jouent *au basketball.*
12. Elles téléphonent *à leurs secrétaires.*
13. Je pense *au printemps — aux fleurs, aux feuilles vertes, aux matinées dans le parc, etc.*

Les adjectifs pluriels placés avant le nom

1. Look at the following:

Voici les **jeunes** médecins.   Voici les **jeunes** ménagères.
Voici les **jeunes** ouvriers.   Voici les **jeunes** ouvrières.

J'aime les **grands** rôles.   J'aime les **grandes** pièces.
J'aime les **grands** acteurs.   J'aime les **grandes** actrices.

Où sont les **bons** dentistes?   Où sont les **bonnes** dentistes?
Où sont les **bons** infirmiers?   Où sont les **bonnes** infirmières?

Voilà les **nouveaux** pharmaciens.   Voilà les **nouvelles** pharmaciennes.
Voilà les **nouveaux** avocats.   Voilà les **nouvelles** avocates.

Before a noun beginning with a vowel sound, the *s* or *x* of a plural adjective is a liaison consonant, pronounced [z].

2. When a plural adjective comes before a noun, the indefinite determiner *des* becomes *de:*

J'ai **des moutons blancs**.   *but:* J'ai **de beaux moutons**.
Je joue **des rôles principaux**.   Je joue **de bons rôles**.

Exercices

A. Answer the questions according to the model.

1. Cette actrice a un beau mari. Et les autres actrices?
   Elles ont de beaux maris aussi.
2. Ce soldat veut avoir un gros chien. Et les autres soldats?
   Ils veulent avoir de gros chiens aussi.
3. Cet enfant a une bonne radio. Et les autres enfants?
4. Cet agriculteur vend une grosse vache. Et les autres agriculteurs?
5. Ce médecin travaille dans un grand hôpital. Et les autres médecins?
6. Ce lycée a une vieille bibliothèque. Et les autres lycées?
7. Ce professeur attend un nouvel étudiant. Et les autres professeurs?
8. Cette vieille dame a un bel oiseau. Et les autres vieilles dames?
9. Ce monsieur voit un vieux film anglais. Et les autres messieurs?

B. Redo the sentences entirely in the plural, inserting the adjective in parentheses before the second noun. Follow the model.

1. Cet autre agriculteur a des canards blancs. (gros)
   Ces autres agriculteurs ont de gros canards blancs.
2. Dans cette petite boutique on vend des habits chers. (beaux)
3. La jeune femme d'affaires cherche des employés de bureau. (nouveaux)
4. Le bon élève a révisé des leçons difficiles. (longues)
5. Notre nouvel ami aime faire des voyages. (longs)
6. Cette petite fille fait des fautes. (grosses)
7. Ce bel acteur croit que ce sont des bureaux de tourisme. (bons)
8. Ce vieil hôpital a des infirmières. (bonnes)

Vérifiez vos progrès

Write complete sentences using the correct form of the words given. Follow the model.

1. Je / voir / des / actrices (beau)
   Je vois de belles actrices.

2. Nous / croire que / ces pharmaciennes (nouveau) / être / passionné par / le travail

3. Tu / croire que / les avocates (jeune) / faire un stage

4. Je / voir / des oiseaux (grand) / dans le ciel

5. Ils / croire que / ce sont / des infirmières (mauvais)

6. Nous / croire que / ils / vouloir / être / des marins (bon)

7. Est-ce que / on / voir / des hôtesses de l'air (jeune)

8. Il / croire que / ce sont / des hommes d'affaires (vieux)

9. Vous / croire que / elles / pouvoir / être / des artistes (bon)

10. Elles / voir / des hippopotames (gros)

CONVERSATION ET LECTURE

Parlons de vous

1. Qu'est-ce que vous croyez que vous allez choisir comme profession? Pourquoi? Est-ce qu'il faut aller à l'université? Est-ce qu'il faut faire un stage? Où fait-on le stage?   2. Qu'est-ce que vous étudiez maintenant qui ("which") va être important pour cette profession?   3. Est-ce que vous avez un emploi? Si "oui," où est-ce que vous travaillez? Quand? l'après-midi? la soirée? le weekend? en été? Vous êtes passionné par le travail?   4. Que fait votre père? Où est-ce qu'il travaille? Est-ce qu'il aime son emploi? Et votre mère, que fait-elle? Où est-ce qu'elle travaille?   5. Si vous avez des frères ou des sœurs aînés, que font-ils? S'ils n'ont pas d'emploi, que veulent-ils faire comme profession?

Les amis sénégalais

Les parents de Christian et de Mireille Villon ont loué° une villa à Deauville en Normandie,[1] où ils passent le mois d'août. Christian et Mireille ont des amis à Deauville et ils sortent souvent avec eux pen-

louer: *to rent*

5 dant leurs vacances. Cet après-midi, par exemple, ils vont jouer aux boules[2] avec Olivier Diop.

Olivier est sénégalais. Lui et sa sœur cadette, Lamine, passent leurs vacances chez un oncle. Leur

---

[1]*La Normandie* (Normandy) is a region in northwestern France, bordered on one side by the English Channel *(La Manche).* Deauville is a fashionable resort town noted for its racecourse and gambling casino.

[2]*Les boules* is a popular game in France, much like lawn bowling. Players roll a heavy ball toward a smaller ball *(le cochonnet).* The player or team to come closest to the smaller ball wins.

oncle, qui travaille à Paris pour l'UNESCO,¹ est in-
10 génieur agronome.° Cet été, lui aussi, il a loué une
villa à Deauville.

Olivier, qui a dix-huit ans, est un copain de lycée de
Christian. Ils vont au lycée Saint-Louis² à Paris où
Olivier prépare le concours d'entrée° à l'Ecole
15 Polytechnique.³ Beaucoup de° jeunes gens africains
passent trois ou quatre années dans les écoles françaises, surtout° pour faire des études supérieures.°
Après, ils rentrent d'habitude° chez eux pour travailler.

20 Lamine, la sœur d'Olivier, passe les mois d'été avec
son frère et son oncle. Mais elle attend toujours des

agronome: *agricul-
tural*

le concours d'entrée:
  entrance exam
beaucoup de: *a lot of*
surtout: *especially*
les études supérieu-
  res *(f.pl.): advanced
  studies*
d'habitude: *usually*

la Normandie

Deauville

---

¹UNESCO, the United Nations Educational, Scientific, and Cultural Organization, has its head-
quarters in Paris.
²Saint-Louis (Louis IX) was king of France from 1226 to 1270. He is remembered as a very fair
and honest king, who insisted upon equal justice for all people, rich and poor. It is said that he
used to sit under a large oak tree in the Bois de Vincennes, now a large park in Paris, and
people would come to him personally to plead their cause.
³In order to attend a *Grande Ecole,* French students must take a very difficult entrance exam, the
concours. After completing the regular course at the *lycée,* a student may spend an additional
year or more just preparing for the *concours* at the school of his or her choice. There are about
fifty *Grandes Ecoles,* each having its own specialty: chemistry and physics, fine arts, teacher-
training, diplomacy and political science, and so forth. There is even a special school to train
future high-level government employees. The Ecole Polytechnique, one of the *Grandes Ecoles,*
trains civil and military engineers.

lettres de ses parents, et elle leur° écrit° souvent.
Elle a vraiment le mal du pays.° Plus tard, Olivier va
rentrer à Paris, mais Lamine, qui a seulement° seize
25 ans, va rentrer à Dakar. Elle, elle ne veut pas rester
en France. Après ses études de lycée, elle veut aller à
l'université de Dakar. Son père a une grande pharmacie là-bas et Lamine veut devenir° pharmacienne
comme lui.

leur: *(here) to them*
écrire: *to write*
avoir le mal du pays:
   to be homesick
seulement: *only*

devenir: *to become*

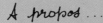

1. Où est-ce que les Villon passent le mois d'août? Vous croyez que Christian et Mireille aiment passer leurs vacances là-bas? Pourquoi? Qu'est-ce
qu'ils font cet après-midi, par exemple?   2. Avec qui est-ce que les Diop
passent leurs vacances? Que fait ce monsieur comme profession? Où tra-
vaille-t-il?   3. Quel âge a Olivier? A quel lycée est-ce qu'il va? Que fait-il
là?   4. Est-ce qu'il y a d'autres jeunes gens africains dans les lycées français?
Après leurs études, est-ce qu'ils restent d'habitude en France?   5. Quel âge
a la sœur cadette d'Olivier? Pourquoi est-elle un peu ("a little") triste? A
qui est-ce qu'elle écrit quand elle est triste? Est-ce qu'elle va rester en
France?   6. Que fait le père de Lamine et d'Olivier comme profession? Est-
ce que vous croyez que Lamine aime le travail de son père?   7. Et vous, où
est-ce que vous passez vos vacances? Vous avez des amis là?   8. Est-ce que
vous avez des amis qui sont étrangers? Quelle langue est-ce qu'ils parlent?
Est-ce qu'ils font leurs études en Amérique? Qu'est-ce qu'ils font—ou veulent faire—comme profession?

EXPLICATIONS II

Les pronoms compléments d'objet direct: <u>le</u>, <u>la</u>, <u>l'</u>, <u>les</u>

1. Look at the following:

Je vois le dentiste.   Je le vois.   *I see **him**.*
Je vois le chat.   *I see **it**.*

Je vois la vendeuse.   Je la vois.   *I see **her**.*
Je vois la vache.   *I see **it**.*

Je vois les infirmières.   Je les vois.   *I see **them**.*
Je vois les chiens.

The French equivalents of the direct object pronouns "him," "her," and
"it" are *le* and *la,* depending upon the gender of the noun they are replacing. The equivalent of "them" is *les.* Note that these pronouns are placed
between the subject and the verb.

2. Before a vowel sound, there is elision and liaison:

Elles l'écoutent.   *They're listening to **him** (her, it).*
Elles les écoutent.   *They're listening to **them**.*

3. *Le. la. l'*. and *les* replace the entire object of the verb:

Tu vois cet avion dans le ciel?   Tu le vois?
Tu vends ta vieille voiture bleue?   Tu la vends?

4. The direct object pronoun comes between *ne* and the verb:

Elles le regardent.   Elles ne le regardent pas.
Vous l'apportez.   Vous ne l'apportez pas.
Nous les attendons.   Nous ne les attendons pas.

5. A pronoun that is the object of a verb in the infinitive comes immediately before the infinitive:

Ils veulent faire ce travail.   Ils veulent le faire.
Tu peux apprendre cette phrase?   Tu peux l'apprendre?
Tu ne vas pas rater ces examens.   Tu ne vas pas les rater.

6. Verbs that do not require a preposition in French take a direct object: *attendre. chercher. demander. écouter. regarder:*

Je les attends.   *I'm waiting for them.*
Je le demande.   *I'm asking for it.*
Je la regarde.   *I'm looking at it (her).*

Exercices

A. Replace the object of the verb with the direct object pronoun *le*. Follow the model.

1. Nous vendons *notre vieux cheval gris* aujourd'hui.
   Nous le vendons aujourd'hui.

2. On regarde *le juge.*
3. Tu comprends *le russe* peut-être.
4. Elle joue *le rôle principal* ce soir.
5. Nous prenons *ton stylo jaune.*
6. Tout à coup ils voient *le pilote.*
7. Vous demandez *mon argent.*
8. Ils choisissent *ce gros chat.*
9. Je prépare *le dîner* tout de suite.

B. Redo the above exercise in the negative. Follow the model.

1. Nous ne vendons pas *notre vieux cheval gris* aujourd'hui.
   Nous ne le vendons pas aujourd'hui.

C. Answer the questions using the direct object pronoun *la*. Follow the model.

1. Tu choisis *cette actrice* pour le rôle?
   Oui, je la choisis pour le rôle.

2. Tu fermes *la porte?*
3. Tu crois *cette histoire?*

4. Tu portes *ta nouvelle robe?*
5. Tu regardes *la secrétaire?*
6. Tu comprends *la leçon de chinois?*
7. Tu vends *ta vache* au marché?
8. Tu vois *l'ouvrière là-bas?*
9. Tu finis *la pièce?*

D. Answer in the negative, using the direct object pronoun *l'*. Follow the model.

1. Tu habites *la maison en face de l'hôpital?*
   Non, je ne l'habite pas.

2. Ils attendent *le facteur?*
3. Elle enseigne *l'espagnol?*
4. Tu étudies *la biologie?*
5. Il aime *son emploi?*
6. Vous écoutez *ce bel oiseau?*
7. Elle apprend *le rôle* par cœur?
8. Ils apportent *leur argent* à la banque?

E. Answer using the direct object pronoun *les*. Follow the model.

1. Nous voyons *l'avocat et le juge?*
   Bien sûr, vous les voyez.

2. Ils regardent *les montagnes?*
3. Tu vois *ces beaux nuages blancs?*
4. Vous voyez *cette infirmière et son mari?*
5. Elle attend *les nouvelles employées?*
6. Ils aiment *les matchs de basketball?*
7. Il apporte *les billets* demain?
8. Ces belles dames attendent *les deux vendeuses occupées?*

F. Answer using the appropriate direct object pronoun. Follow the model.

1. Tu vas montrer *ta nouvelle blouse* à Julie?
   Oui, je vais la montrer à Julie.

2. Elle veut voir *le médecin?*
3. Tu peux faire *ces devoirs?*
4. Il faut apprendre *le rôle?*
5. Ces femmes d'affaires veulent prendre *cette petite table?*
6. Cette ménagère aime préparer *le dîner?*
7. Ils peuvent choisir *le film* ce soir?
8. Vous allez écouter *vos nouveaux disques?*

Les nombres et les dates

VOCABULAIRE

cent *hundred*   fois *times (in multiplication)*   mille *thousand*

Numbers above 69 are formed differently from the lower numbers.

1. For 70 to 79, add the numbers 10 to 19 to the word *soixante: soixante-dix* (70), *soixante et onze* (71), *soixante-douze* (72), etc.

2. The French equivalent of 80 is *quatre-vingts*. For 81 to 99, add the numbers 1 to 19: *quatre-vingts, quatre-vingt-un* (81), *quatre-vingt-deux* (82) . . . *quatre-vingt-dix* (90), *quatre-vingt-onze* (91), *quatre-vingt-douze* (92), etc. The final *s*, which appears only in the word for 80, is a liaison consonant before a vowel sound: *quatre-vingts animaux.* Note, too, that the word *et* does not appear in 81 or 91.

3. The number 100 is *cent*.[1] It is never preceded by *un*. To form the numbers 101 to 199, simply add 1 to 99 after the word *cent: cent un, cent deux . . . cent quatre-vingt-dix-neuf.*

4. Numbers above 199 follow the same pattern: *deux cents, deux cent un . . . neuf cent quatre-vingt-dix-neuf.* Note that there is an *s* on *cent* only in the round numbers: 200, 300, etc. *Mille* does not add an *s: deux mille.*

5. What would the following mean?

   quatorze cent quatre-vingt douze   dix-sept cent soixante-seize

   They are famous dates. Another way of saying dates after the year 1000 is to use the word *mille:*[2]

   mil quatre cent quatre-vingt-douze   mil sept cent soixante-seize

Exercices

A. Read the problems aloud. Then give the solution. Follow the model.

   1. 60 + 24 = ?   *Combien font 60 et 24? 60 et 24 font 84.*
   2. 78 − 3 = ?   *Combien font 78 moins 3? 78 moins 3 font 75.*
   3. 2 × 46 = ?   *Combien font 2 fois 46? 2 fois 46 font 92.*

   4. 60 + 11 = ?   6. 9 × 9 = ?   8. 72 + 27 = ?   10. 60 + 21 = ?
   5. 3 × 25 = ?   7. 89 − 3 = ?   9. 86 − 4 = ?   11. 7 × 14 = ?

---

[1] The *t* is silent, except in the expressions *cent ans* and *cent hommes*.
[2] When it is written out in dates, *mille* is spelled *mil*.

B. Read the math problems aloud, then give the solution.

1. Cette semaine il faut réviser 50 pages d'anglais et 45 pages d'histoire. Combien de pages est-ce qu'il faut réviser?
2. Cet agriculteur a 132 vaches, 27 moutons, 280 poules, 90 canards, 18 chevaux, 10 chats et 4 chiens. Combien d'animaux est-ce qu'il a?
3. Si Jean vend 51 journaux et Pierre vend 43 journaux, combien de journaux est-ce que les deux garçons vendent?
4. S'il y a 80 garçons et 21 petites filles dans le stade, combien d'enfants est-ce qu'il y a dans le stade?
5. Le facteur a 99 lettres. Il donne 3 lettres au concierge. Maintenant combien de lettres est-ce qu'il a?
6. Le mois dernier, cette vendeuse a vendu 30 maillots noirs, 22 maillots jaunes, 25 maillots rouges et 41 maillots blancs. Elle a vendu combien de maillots?

Vérifiez vos progrès

Tell how much the items cost, then answer the questions in the negative using the appropriate direct object pronoun. Follow the models.

1. Tu aimes cette robe?
   Elle coûte cent quarante francs.
   Je ne l'aime pas.

2. Vous allez prendre ces billets?
   Ils coûtent quatre-vingt-un francs.
   Nous n'allons pas les prendre.

3. Tu veux cet oiseau?

4. Ils veulent cette télé?

5. Tu vas demander ce vélo?

6. Vous allez prendre ces chaussures?

7. On veut voir la photo?

8. Vous aimez ces voitures?

RÉVISION ET THÈME

Consult the model sentences, then put the English cues into French and use them to form new sentences.

1. *Monsieur Bertaud est pharmacien dans une nouvelle pharmacie.*
   (Anne and Monique are doctors in a small hospital.)
   (Adèle is a clerk in a large tourist office.)

2. *Je crois que le jean est laid, et je ne le porte pas.*
   (They think the shoes are expensive, and they don't take them.)
   (We think the books are hard, and we don't like them.)

3. *Un jour vous apprenez qu'on cherche de jeunes vendeurs.*
         (they learn)   *(handsome actors)*
         (you (sing.) *learn)*   *(good poets)*

4. *Il y a déjà cent cinquante élèves qui veulent apprendre l'anglais.*
         (75 engineers who want to take the test)
         (80 lawyers who want to see the judge)

5. *Tu vois que tu ne vas pas faire de progrès.*
   (We see)
   (They see)

Now that you have done the *Révision,* you are ready to write a composition. Put the English captions describing each cartoon panel into French to form a paragraph.

Marion is a saleswoman in a small boutique.

She thinks the work is easy, but she doesn't like it.

One day she learns that they're looking for unknown young actresses.

But there are already 91 girls who want to play the lead.

She sees that she isn't going to succeed.

AUTO-TEST

A. Tell who the people or what the buildings are, and describe them using the correct form of the adjective given. Follow the model.

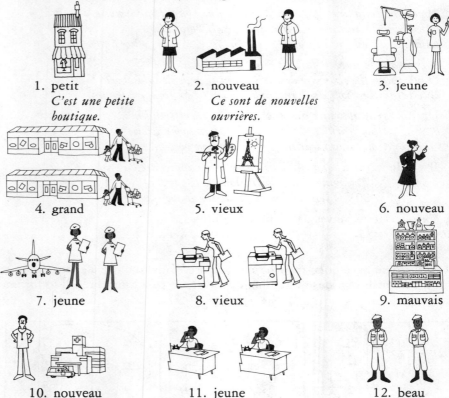

1. petit
   C'est une petite boutique.

2. nouveau
   Ce sont de nouvelles ouvrières.

3. jeune

4. grand

5. vieux

6. nouveau

7. jeune

8. vieux

9. mauvais

10. nouveau

11. jeune

12. beau

B. Write the answers to the questions using the appropriate direct object pronoun. Follow the models.

1. Nous allons jouer *les rôles principaux?* (Oui . . .)
   Oui, vous allez les jouer.
2. Cette ménagère aime *son travail?* (Non . . .)
   Non, elle ne l'aime pas.

3. Cette infirmière malienne habite *ce grand appartement?* (Oui . . .)
4. Ce jeune employé va faire *son stage* à Clermont-Ferrand? (Non . . .)
5. Tu rencontres *le facteur* devant la maison? (Non . . .)
6. Vous voyez *ces jeunes marins portugais?* (Oui . . .)
7. Ils vont vendre *ces deux mille livres de poche?* (Oui . . .)
8. Tu vois *ce gros homme d'affaires?* (Oui . . .)
9. On sert *le petit déjeuner* dans ce café? (Non . . .)
10. Ils croient *cette vieille histoire?* (Non . . .)
11. L'agriculteur va chercher *ses animaux?* (Oui . . .)
12. Vous offrez *ces beaux cadeaux* à grand-maman? (Non . . .)

Poème

PAGE D'ÉCRITURE°

Deux et deux quatre
quatre et quatre huit
huit et huit font seize . . .
Répétez!° dit le maître°
5 Deux et deux quatre
quatre et quatre huit
huit et huit font seize.
Mais voilà l'oiseau-lyre°
qui passe° dans le ciel
10 l'enfant le voit
l'enfant l'entend
l'enfant l'appelle:°
Sauve-moi°
joue avec moi
15 oiseau!
Alors l'oiseau descend°
et joue avec l'enfant. . . .

l'écriture (f.): writing

répéter: to repeat
le maître: (here) teacher

l'oiseau-lyre (m.): lyre-bird
passer: (here) to go by

appeler: to call
sauver: to save

descendre: to come down

Jacques Prévert, *Paroles*
© Editions Gallimard, 1949

Proverbe

Voir, c'est croire.

Quatorzième Leçon

Une surprise-party

Samedi prochain c'est l'anniversaire de Jeanne-Marie, et son amie Denise
organise une surprise-party.[1] D'abord elle a invité Christophe et Madeleine,
et maintenant elle téléphone à René pour l'inviter. Elle veut aussi lui emprunter un électrophone et quelques disques.

5   RENÉ   Tu invites ta nouvelle voisine? Madeleine me dit qu'elle est sympa.

DENISE   Oui, je la trouve très intéressante. Et son frère aussi. Il joue bien
             de la guitare, lui. Je vais leur téléphoner ce soir. Il y a aussi Jac-
             queline.

RENÉ   Qui donc?[2]

10   DENISE   L'étudiante américaine. Sa famille passe l'année en France pour le
             travail de son père. Sa société a un bureau à Paris. J'ai joué au
             tennis avec elle dimanche dernier.

RENÉ   Je crois qu'il va y avoir beaucoup de monde à cette petite fête!

---

[1] *Une surprise-party* is any informal party—not a surprise party as we think of it.
[2] *Donc* has no real English equivalent here. It makes the question sound a little less abrupt.

Lesson
14

225

A party

Next Saturday is Jeanne-Marie's birthday, and her friend Denise is organizing a small party. First she invited Christophe and Madeleine, and now she is calling René to invite him. She also wants to borrow a record player and some records from him.

5 RENÉ   Are you inviting your new neighbor? Madeleine tells me she's nice.

DENISE   Yes, I find her very interesting. And her brother, too. He really plays the guitar well. I'm going to call them tonight. There's also Jacqueline.

10 RENÉ   Who??

DENISE   The American student. Her family's spending the year in France for her father's business. His company has an office in Paris. I played tennis with her last Sunday.

RENÉ   I think there are going to be a lot of people at this little party!

Questionnaire

1. Quel jour est l'anniversaire de Jeanne-Marie?   2. Que fait Denise?
3. Qui est-ce qu'elle a invité d'abord? Et maintenant?   4. Qu'est-ce qu'elle veut emprunter à René?   5. Qu'est-ce que René demande à Denise?
6. Qui pense que la voisine de Denise est sympa? Et Denise, qu'est-ce qu'elle pense de sa voisine?[1] Qu'est-ce qu'elle pense du frère de sa voisine?
7. Qui est l'autre jeune fille que Denise va inviter?   8. Pourquoi est-ce que Jacqueline passe l'année en France?   9. Ça va être vraiment une petite fête?

PRONONCIATION

The [ə] sound in one-syllable words is pronounced when it comes after a word ending in a consonant sound but is often not pronounced when it comes after a word ending in a vowel sound. Listen to the words *le, de,* and *ne* in the following sentences.

Il le fait.	*but:* Je lé fais.
La salle de classe.	Pas dé westerns.
Ils ne sont pas français.	Nous né sommes pas français.

In the left-hand column, *le, de,* and *ne* come after words ending in the pronounced consonant *l,* so the letter *e* is pronounced [ə]. In the right-hand column, they come after words ending in a vowel sound, so the letter *e* is not pronounced.

Exercices

A. Practice pronouncing and dropping the [ə] sound in the word *le.*

Il le fait.	Ils le croient.	Il le voit?
Vous lé faites.	Nous lé croyons.	Qui lé voit?

[1]*Penser à* means "to think about"; *penser de* means "to think of" or "to have an opinion about."

B. Practice pronouncing and dropping the [ə] sound in the word *ne*.

Il ne va pas.   Il ne parle pas.   Il ne grossit pas.
Tu n∉ vas pas.   Je n∉ parle pas.   Tu n∉ grossis pas.

C. Listen to these sentences, then say them aloud.

Je n∉ vois pas l∉ stade.   Vous n∉ jouez pas d∉ matchs.
Vous n∉ faites pas d∉ fautes.   Nous n∉ prenons pas d∉ café.
On n∉ sort pas d∉ l'école.   Je n∉ comprends pas l∉ français.

MOTS NOUVEAUX I

le timbre   l'enveloppe (*f.*)   le paquet   la carte postale

le parapluie   l'imperméable (*m.*)   le manteau   la veste   le complet

le sac   le gant   le foulard   la cravate   la ceinture   le mouchoir   le portefeuille

l'électrophone (*m.*)   le réveil   la montre   la bague   le bracelet   le collier

Il va avoir besoin d'un imperméable.   *He'll **need** a raincoat.*
             du parapluie.   *the umbrella.*
             des gants.   *the gloves.*
De quoi est-ce qu'il a besoin?[1]   ***What** does he **need**?*
Il a surtout besoin de gants.   *He **especially needs** gloves.*

---

[1]When verbs that are followed by *de* are used in "what" questions, *qu'est-ce que* becomes *de quoi est-ce que*. Thus they follow the same pattern as verbs that are followed by *à*. For example: *De quoi est-ce que tu parles? De quoi parles-tu?*

Exercices de vocabulaire

A. Answer the question according to the pictures. Follow the model.

De quoi est-ce que tu as besoin?

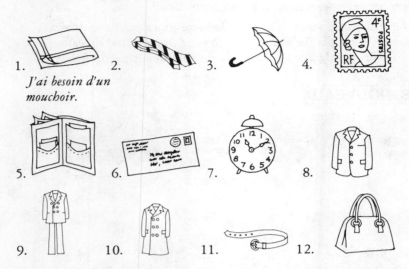

1. *J'ai besoin d'un mouchoir.*

2.

3.

4.

5.

6.

7.

8.

9.

10.

11.

12.

B. Answer the questions according to the pictures. Follow the model.

1. Qu'est-ce que vous offrez à Marie?
   Nous offrons un bracelet à Marie.

2. Qu'est-ce que tu donnes à Jean?

3. Qu'est-ce que tu vas chercher en ville?

4. Qu'est-ce qu'il a trouvé?

5. Qu'est-ce que vous regardez?

6. Qu'est-ce que je peux offrir à Eve?

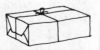

7. Qu'est-ce que tu vois?

8. Qu'est-ce qu'elle veut?

9. Qu'est-ce qu'ils ont trouvé?

MOTS NOUVEAUX II

Jeudi c'est ton **anniversaire** (m.).	*Thursday is your **birthday**.*
François va **organiser** une surprise-party.[1]	*François is going **to organize** a party.*
Qui est-ce qu'il va **inviter**?	*Whom is he going **to invite**?*
Il va inviter beaucoup de **monde**.	*He's going to invite **a lot of people**.*
Ça va être une assez grande **fête**.	*It will be **a pretty large party**.*
Il faut **emprunter** des disques à Anne.	*He has **to borrow** some records **from** Anne.*
Et Guy va **prêter** son électrophone à François.	*And Guy is going **to lend** François his record player.*
Il ne faut pas **oublier** les cadeaux.	*We mustn't **forget** the presents.*
Je ne veux pas les **laisser** ici.	*I don't want **to leave** them here.*
Jean a de la **chance**.	*Jean is **lucky**.*
Son voisin est **sympa**.	*His neighbor is **nice**.*
intéressant	*interesting*
Sa voisine est **sympa** aussi.[2]	*His neighbor is **nice**, too.*
intéressante	*interesting*
Marie n'a pas de **chance**.	*Marie is **unlucky**.*
Son voisin est **ennuyeux**. ⎫	*Her neighbor is **boring**.*
Sa voisine est **ennuyeuse**. ⎭	
Quelques amis vont l'**accompagner**.	*A **few** friends are going **to go with** her.*
Quelques amies aussi.	*A **few** girl friends, too.*
Plusieurs filles vont faire une **visite** à Marie.	***Several** girls are going **to visit** Marie.*
Plusieurs garçons aussi.	***Several** boys, too.*
Chaque fille et **chaque** garçon va dire:	***Each** girl and **each** boy is going to say:*
"**Félicitations!**"	*"**Congratulations!**"*
"**Bon anniversaire!**"	*"**Happy Birthday!**"*
"**Bon courage!**"	*"**Good luck!**"*
Il faut **remercier** ses amis.	*She has **to thank** her friends.*
C'est M. Petit.	*That's Mr. Petit.*
Qui donc?	*Who??*
Il travaille pour une société **danoise**.	*He works for a **Danish** company.*
Il aime **jouer de la guitare**.	*He likes **to play the guitar**.*
jouer du piano	*to play the piano*
chanter et **danser**	*to sing and dance*
la danse	*dancing*
la chanson	*the song*
la musique	*(the) music*

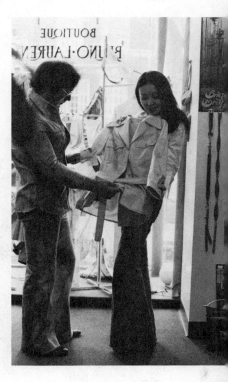

---

[1]The plural form is *les surprises-parties.*

[2]*Sympa* is short for *sympathique.* Even in the plural its form does not change: *Ses voisines sont sympa.*

Exercice de vocabulaire

From the column on the right, choose the most logical response to each statement or question on the left. The answers to 1–6 will be found in a–f; the answers to 7–12 will be found in g–l.

1. Aujourd'hui j'ai quinze ans.
2. Il va y avoir beaucoup de monde?
3. Nous avons réussi à nos examens.
4. Pourquoi est-ce que tu remercies ce monsieur?
5. Tu as laissé ton portefeuille? Où donc?
6. Tu peux prêter cinq francs à Jean?

a. Bon anniversaire!
b. Félicitations!
c. Il a prêté cet électrophone à mon petit frère.
d. Je ne sais pas, mais je ne peux pas le trouver.
e. Non. Malheureusement, j'ai oublié mon argent.
f. On a invité plusieurs amis, je crois.

---

7. Est-ce qu'elle joue du piano?
8. Est-ce qu'elle va être seule?
9. Je n'aime pas du tout ce livre d'histoire.
10. Pierre n'a pas de chance!
11. Qu'est-ce qu'on va faire à la surprise-party?
12. Sa société est très grande, n'est-ce pas?

g. Tu le trouves ennuyeux?
h. Il a raté son examen?
i. Non, quelques copains l'accompagnent.
j. Oh oui, et son travail est très intéressant.
k. Oui, et elle chante très bien aussi.
l. Si on a de bons disques, on peut danser, par exemple.

EXPLICATIONS I

Les verbes <u>écrire</u>, <u>lire</u>, <u>dire</u>

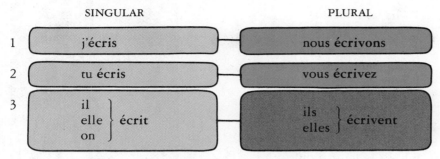

	SINGULAR	PLURAL
1	j'écris	nous écrivons
2	tu écris	vous écrivez
3	il elle } écrit on	ils elles } écrivent

IMPERATIVE: écris! écrivons! écrivez!

The verb *écrire* means "to write." The plural stem is *écriv-*. In the singular, the *v* is dropped from the stem, and the endings *-s, -s, -t* are added.

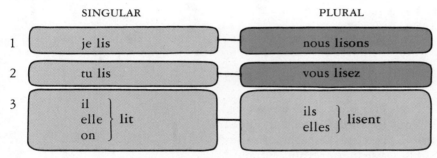

	SINGULAR	PLURAL
1	je lis	nous lisons
2	tu lis	vous lisez
3	il elle } lit on	ils elles } lisent

IMPERATIVE: lis! lisons! lisez!

The verb *lire* means "to read." The plural stem is *lis-*. In the singular, the *s* is dropped from the stem, and the endings *-s, -s, -t* are added.

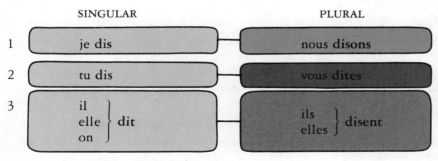

	SINGULAR	PLURAL
1	je dis	nous disons
2	tu dis	vous dites
3	il elle } dit on	ils elles } disent

IMPERATIVE: dis! disons! dites!

The verb *dire* means "to say, to tell." The plural stem is *dis-*. In the singular, the *s* is dropped from the stem, and the endings *-s, -s, -t* are added. Note that the 2 pl. form is irregular. It has the ending *-tes,* which also occurs in *vous êtes* and *vous faites.*

Exercices

A. Answer the questions in the negative.
Follow the model.

1. Tu lis le roman?
   Non, je ne lis pas le roman.

2. Tu écris la carte postale?
3. Il dit "bon courage"?
4. J'écris ces lettres aujourd'hui?
5. Tu dis "bonjour" chaque matin?
6. Je lis ces livres de poche?
7. Il écrit l'histoire?
8. Je dis "bon anniversaire"?
9. Elle lit le journal du soir?

B. Redo the above exercise in the affirmative,
using the appropriate direct object
pronoun *(le, la, l', les)*. Follow the model.

1. Tu lis le roman?
   Oui, je le lis.

C. Answer the questions using the appropriate pronoun. Follow the model.

1. Ils lisent bien le français. Et nous?
   Vous lisez bien le français aussi.

2. Nous écrivons ces phrases en anglais. Et toi?
3. Vous lisez trop lentement. Et eux?
4. Je lis la leçon d'espagnol. Et vous?
5. Elles disent "au revoir." Et nous?
6. Il dit "bon courage" à l'étudiante. Et elles?
7. Tu écris des poèmes. Et nous?
8. Elle lit des romans anglais. Et elles?
9. J'écris les réponses correctes. Et eux?

D. Complete the paragraph, using the correct form of the italicized verbs.

Cette semaine dans ma classe de français nous *(lire)* quelques poèmes de Prévert. Ils sont intéressants, mais je les trouve difficiles. Chaque jour en classe on *(lire)* pendant cinq ou dix minutes. Les autres élèves *(lire)* bien le français, mais pas moi. La semaine prochaine je crois que nous allons

5   *(écrire)* un thème sur ces poèmes.

Nous *(écrire)* toujours des thèmes! Les professeurs *(dire)* que c'est un bon exercice. Et ils croient que c'est facile. Mes amis et moi, nous *(dire)* que c'est un exercice très difficile!

Est-ce que vous *(lire)* des poèmes français dans votre classe? Est-ce que

10   vous *(écrire)* un thème chaque semaine? Quoi donc? Vous *(dire)* qu'on n'*(écrire)* pas de thèmes dans votre lycée? Je voudrais bien aller à un lycée où les élèves n'*(écrire)* pas de thèmes.

Les pronoms compléments d'objet indirect: <u>lui</u>, <u>leur</u>

1. Look at the following:

Je téléphone à Jean.   Je lui téléphone.
Je donne le paquet au facteur.   Je lui donne le paquet.

Je réponds à Jean et à Louis.   Je leur réponds.
Je prête mon parapluie aux facteurs.   Je leur prête mon parapluie.

The construction *à* + person is often replaced by an *indirect* object pronoun. The French equivalent of the English indirect object pronouns "him" and "her" is *lui*. The equivalent of "them" is *leur*.

2. Like direct object pronouns, indirect object pronouns replace the entire object of the verb, not just a noun:

Nous empruntons un crayon à la   Nous lui empruntons un crayon.
     nouvelle secrétaire belge.
Elle parle aux jeunes agents qui   Elle leur parle.
     travaillent là-bas.

3. Indirect object pronouns have the same position in a sentence as direct object pronouns:

DIRECT	INDIRECT
Elles ne l'invitent pas.	Elles ne lui parlent pas.
Je vais les inviter.	Je vais leur parler.

Exercices

A. Redo the sentences, replacing the italicized words with the appropriate indirect object pronoun: *lui* or *leur*. Follow the models.

   1. Le professeur répond *à un élève.*
      Le professeur lui répond.
   2. Tu écris des lettres *à tes grands-parents.*
      Tu leur écris des lettres.

   3. Nous écrivons *à Colette.*
   4. Joseph téléphone *au médecin à Paris.*
   5. Cet homme lit *à sa fille et à ses deux fils.*
   6. L'auteur parle *aux étudiants du cours d'anglais.*
   7. Nicole apporte le journal *à papa.*
   8. La pharmacienne pose des questions *à la nouvelle infirmière.*
   9. Ils disent "bonjour" *au concierge.*
   10. Ces histoires font peur *à nos petits frères.*

B. Redo the above exercise in the negative. Follow the models.

   1. Le professeur répond *à un élève.*
      Le professeur ne lui répond pas.
   2. Tu écris des lettres *à tes grands-parents.*
      Tu ne leur écris pas de lettres.

C. Answer the questions using the appropriate indirect object pronoun: *lui* or *leur*. Follow the model.

1. Il aime faire des visites *à ses cousins?*
   Oui, il aime leur faire des visites.

2. Elle peut emprunter ce foulard *à ta sœur?*
3. Il veut téléphoner *à Denis?*
4. Elle va offrir ces cadeaux *à ses parents?*
5. Ils veulent écrire *à l'acteur célèbre?*
6. Il peut prêter son réveil *à Charles et à son frère?*
7. Il faut donner ces enveloppes *aux secrétaires?*
8. Il faut répondre *au juge?*
9. Elles veulent montrer leurs bagues *aux autres élèves?*

D. Redo the above exercise in the negative. Follow the model.

1. Il aime faire des visites *à ses cousins?*
   Non, il n'aime pas leur faire de visites.

E. Answer the questions according to the statements. Follow the model.

1. Ils vendent leur bateau à voiles aux Dupont.
   (a) Qu'est-ce qu'ils vendent *aux Dupont?*
       Ils leur vendent leur bateau à voiles.
   (b) A qui est-ce qu'ils vendent *leur bateau à voiles?*
       Ils le vendent aux Dupont.

2. Il prête son livre d'algèbre à Paul.
   (a) Qu'est-ce qu'il prête *à Paul?*
   (b) A qui est-ce qu'il prête *son livre d'algèbre?*
3. Claude apporte quelques cartes postales à ses grands-parents.
   (a) Qu'est-ce qu'il apporte *à ses grands-parents?*
   (b) A qui est-ce qu'il apporte *les cartes postales?*
4. Suzanne emprunte l'imperméable à Mireille.
   (a) Qu'est-ce qu'elle emprunte *à Mireille?*
   (b) A qui est-ce qu'elle emprunte *l'imperméable?*
5. Les professeurs lisent plusieurs poèmes russes aux étudiants.
   (a) Qu'est-ce qu'ils lisent *aux étudiants?*
   (b) A qui est-ce qu'ils lisent *les poèmes?*
6. Paul offre un cadeau à son avocat.
   (a) Qu'est-ce qu'il offre *à son avocat?*
   (b) A qui est-ce qu'il offre *le cadeau?*
7. Ils donnent la guitare à leurs amis.
   (a) Qu'est-ce qu'ils donnent *à leurs amis?*
   (b) A qui est-ce qu'ils donnent *la guitare?*
8. Patrick emprunte la voiture à ses parents.
   (a) Qu'est-ce qu'il emprunte *à ses parents?*
   (b) A qui est-ce qu'il emprunte *la voiture?*

Vérifiez vos progrès

Answer the questions using the cue in parentheses and the appropriate indirect object pronoun. Follow the model.

1. Qu'est-ce que tu prêtes à Anne? (un collier et un bracelet)
   Je lui prête un collier et un bracelet.

2. Qu'est-ce que vous écrivez à vos amis? (une longue lettre)
3. Qu'est-ce que nous empruntons à leurs cousins? (la voiture)
4. Qu'est-ce qu'ils offrent à leur père? (une cravate bleue)
5. Qu'est-ce que tu montres à ton amie? (une belle image)
6. Qu'est-ce qu'il donne à ses sœurs? (des paquets)
7. Qu'est-ce que nous disons à nos amis? (quelques mots)
8. Qu'est-ce que tu offres à Lisette? (une jolie montre)
9. Qu'est-ce qu'elle emprunte à sa mère? (plusieurs timbres)

CONVERSATION ET LECTURE

Parlons de vous

1. Quand est-ce que vous invitez vos amis chez vous? Vous les invitez à des surprises-parties? 2. Est-ce que vous aimez organiser des fêtes? Est-ce que vous aimez aller à des fêtes et à des surprises-parties? Qu'est-ce que vous faites là? 3. Est-ce que vous aimez la musique? Vous aimez danser? chanter? Vous apprenez quelques chansons françaises dans votre classe de français? Quelles chansons? 4. Est-ce que vous jouez du piano? de la guitare? d'un autre instrument? de la flûte, du violon, de la clarinette, du violoncelle ("cello") ou du hautbois ("oboe") peut-être? 5. Est-ce que vous lisez beaucoup? Quand vous avez le choix, qu'est-ce que vous aimez lire? des romans? des romans policiers? des pièces? des poèmes? 6. Est-ce vous aimez écrire les thèmes français? Est-ce que vous écrivez des lettres en français à un correspondant ou à une correspondante ("pen pal") en France ou au Québec, par exemple? 7. Est-ce que vous collectionnez ("collect") les timbres? Si oui, est-ce que vous avez des timbres français? 8. Quelle est la date de votre anniversaire? Qu'est-ce que vous aimez recevoir ("to get") comme cadeau? Qu'est-ce que vous offrez à vos amis? à vos parents? 9. De quoi est-ce que vous avez besoin quand il pleut? Qu'est-ce que vous portez quand il fait très froid?

Pourquoi les langues étrangères?

Souvent les élèves demandent à leurs professeurs pourquoi l'étude° des langues étrangères est importante. Pour répondre à cette question, un professeur de français, qui enseigne à San Francisco, a organisé
5   une petite conférence pour ses élèves. Il a invité des gens qui habitent San Francisco, mais qui ont besoin de parler une langue étrangère au cours de° leur tra-

l'étude *(f.): study*

au cours de: *in the course of*

vail: une caissière° de banque, un interprète,° un
avocat, une journaliste, une dactylo° et un homme et
10   une femme d'affaires. Voici, par exemple, le discours°
d'une jeune femme, Mlle Patricia Robinson, qui a
parlé aux élèves.

"Au mois de juin 1972 j'ai fini mes études à l'université. Quatre mois plus tard, j'ai trouvé un em-
15   ploi dans une grande société de transport.° Je travaille toujours pour cette même société. Et je crois
que la petite histoire que je vais raconter° va peut-
être vous° montrer l'importance de l'étude des langues étrangères—même° ici à San Francisco. Alors
20   voilà mon histoire:

"Un matin, le patron° entre dans mon bureau et me
demande: 'Pat, vous avez étudié le français au lycée,
n'est-ce pas?' 'Pendant trois ans seulement,'° je lui
réponds. 'Alors, est-ce que vous pouvez traduire°
25   cette feuille d'expédition?'° me demande-t-il. Je regarde la feuille pendant un moment et puis je lui dis:

le caissier, la cais-
sière: *cashier*
l'interprète *(m.&f.):*
interpreter
la dactylo: *typist*
le discours: *speech*

la société de transport:
moving company
raconter: *to tell*
vous: *(here) (to) you*
même: *(here) even*

le patron, la patron-
ne: *boss*
seulement: *only*
traduire: *to translate*
la feuille d'expédi-
tion: *packing list*

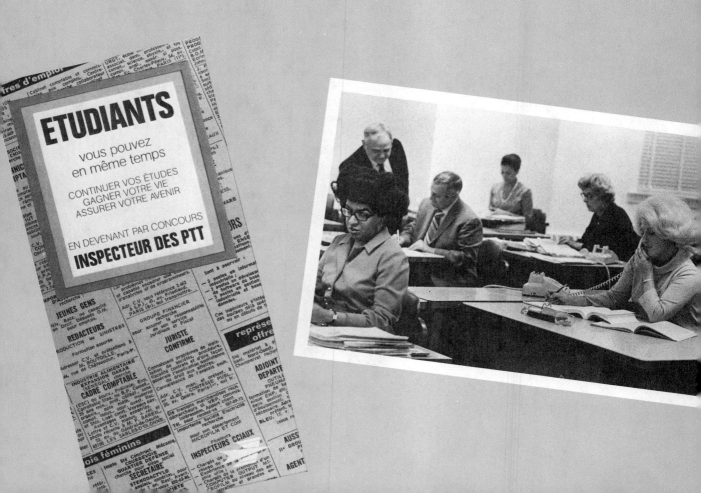

'Je crois que je peux la traduire, mais je vais avoir besoin d'un dictionnaire.'

"Un mois après, c'est presque la même histoire. Le
30 patron me dit: 'Pat, il y a un monsieur au° télé-   au: *(here) on the*
phone. C'est un attaché du Consulat Général de
France.¹ Parlez avec lui, s'il vous plaît.' Je vais au
téléphone et je vois tout de suite que ce jeune di-
plomate est vraiment très bouleversé.° Il est surtout   bouleversé, -e: *upset*
35 difficile de comprendre une langue étrangère au té-
léphone et ce monsieur me parle beaucoup trop
vite. Mais enfin je comprends qu'il croit qu'on a
perdu ses meubles.° Tout à coup je vois que l'a-   les meubles *(m.pl.):*
dresse sur la feuille d'expédition n'est pas correcte.   *furniture*
40 Bientôt on règle° le problème et les meubles arri-   régler: *to solve*
vent chez le diplomate.

"Maintenant je travaille dans le secteur° international   le secteur: *division*
de la société. Je parle souvent français et chaque an-
née je fais des voyages en° France et en Belgique°   en: *(here) to*
45 pour mon travail.   la Belgique: *Belgium*

"Alors, vous me demandez si l'étude des langues
étrangères est importante. Pour moi, la réponse est
certainement° oui."   certainement: *defi-*
    nitely

À propos …

1. Quelle question est-ce que les élèves posent souvent à leurs professeurs?
2. Pourquoi est-ce que le prof à San Francisco a organisé une conférence?
Qui est-ce qu'il a invité à la conférence? Que font ces gens comme travail?
3. Quand est-ce que Mlle Robinson a fini ses études? 4. Quand son patron
lui montre la feuille d'expédition est-ce qu'elle peut la traduire? De quoi
est-ce qu'elle a besoin? 5. Est-ce que Mlle Robinson dit qu'il est difficile
de parler français au téléphone? Pourquoi est-ce que l'attaché n'a pas ses
meubles? Est-ce qu'on peut régler le problème? 6. Est-ce que Mlle Robinson travaille toujours pour la même société? Où est-ce qu'elle va pour son
travail? Vous croyez qu'elle trouve son emploi ennuyeux? 7. Et vous, est-
ce que vous pouvez penser à des emplois ou à des situations où la connaissance ("knowledge") d'une langue étrangère peut être importante? 8. Est-
ce que vous avez—ou est-ce que vos parents ont—des amis qui parlent une
langue étrangère dans leur travail? Quelle langue? Qu'est-ce qu'ils font
comme profession? Font-ils des voyages pour leur société?

---

¹Many countries have consulates in major foreign cities. For example, if a large number of its
citizens are living in a particular foreign city for business or political reasons, it may open a
consulate to offer any help or services the people may need. Consulates also issue travelers'
visas to citizens of the host country and, in general, help in the exchange of cultural and commercial information between nations. Attachés are diplomats with specialized responsibilities;
for example, business or cultural exchanges.

EXPLICATIONS II

Les pronoms compléments d'objet direct et indirect: <u>me</u>, <u>te</u>, <u>nous</u>, <u>vous</u>

1. Look at the following:

DIRECT   Il $\begin{Bmatrix} \text{le} \\ \text{la} \\ \text{les} \end{Bmatrix}$ remercie.   Il $\begin{Bmatrix} \text{me} \\ \text{te} \\ \text{nous} \\ \text{vous} \end{Bmatrix}$ remercie.

INDIRECT   Il $\begin{Bmatrix} \text{lui} \\ \text{leur} \end{Bmatrix}$ donne le paquet.   Il $\begin{Bmatrix} \text{me} \\ \text{te} \\ \text{nous} \\ \text{vous} \end{Bmatrix}$ donne le paquet.

Me, te, nous, and *vous* can be used as either direct or indirect objects.

2. As with *le, la,* and *les,* there is elision and liaison before a verb beginning with a vowel sound:

Il $\begin{Bmatrix} \text{l'} \\ \text{les} \end{Bmatrix}$ accompagne.   Il $\begin{Bmatrix} \text{m'} \\ \text{t'} \\ \text{nous} \\ \text{vous} \end{Bmatrix}$ accompagne.

3. *Me, te, nous,* and *vous* have the same position in the sentence as other object pronouns:

Ils ne vous croient pas.   Elle ne nous écrit pas de lettres.
Je veux te remercier.   Il va m'emprunter des cravates.

Exercices

A. Answer the questions using the pronoun *te.* Follow the model.

1. Il me demande des enveloppes?   *Oui, il te demande des enveloppes.*

2. Ils me parlent?   6. Elle me dit quelque chose?
3. Ils me font une visite en août?   7. Maman me cherche?
4. Elle me comprend?   8. On me trouve sympa?
5. Le professeur de chimie me   9. Elles me voient?
     regarde?   10. Tu me prêtes cette cravate?

B. Answer the questions in the negative using the pronoun *me.* Follow the model.

1. Gérard te prête l'argent?   *Non, il ne me prête pas l'argent.*

2. Jeanne te demande l'heure?   6. Elle te téléphone à 11 h.?
3. Charles te donne la veste?   7. Louise te remercie?
4. Ils te comprennent?   8. Les souris te font peur?
5. Elle te donne ce mouchoir?   9. Il te prête son manteau?

C. Answer the questions using the appropriate pronoun: *me (m')* or *te (t')*.
Follow the model.

1. Il t'offre un portefeuille pour ton anniversaire?
   Oui, il m'offre un portefeuille pour mon anniversaire.

2. Vous m'écoutez?
3. Il t'emprunte ton réveil?
4. Tu m'invites à la fête?
5. Elles peuvent m'entendre?
6. Ils t'attendent devant le marché?
7. Il peut t'accompagner demain?
8. Etienne va t'apporter la veste?
9. Tu vas m'écrire quelques lettres?

D. Answer the questions using the appropriate pronoun: *nous* or *vous*. Follow the model.

1. Est-ce qu'on peut vous trouver chez vous ce soir?
   Oui, on peut nous trouver chez nous ce soir.

2. Elles vous vendent leur vieille guitare?
3. Est-ce que votre sœur cadette vous cherche?
4. Est-ce qu'ils veulent nous voir tout de suite?
5. Le professeur d'allemand vous lit plusieurs poèmes?
6. Ils vous posent des questions ennuyeuses?
7. Suzanne va nous téléphoner cet après-midi?
8. Est-ce que cet homme nous regarde?
9. Tu veux nous chanter des chansons italiennes?

E. Answer the questions in the negative using the appropriate pronoun:
nous or *vous*. Follow the model.

1. Jean veut nous accompagner en ville?
   Non, il ne veut pas vous accompagner en ville.

2. Etienne vous apporte son électrophone?
3. Ils nous écrivent des lettres?
4. Est-ce que ces serveuses nous écoutent?
5. Paul vous attend près de la bibliothèque?
6. Est-ce qu'on peut nous entendre?
7. Est-ce qu'ils peuvent vous emprunter votre parapluie?
8. Est-ce qu'ils nous offrent ces beaux sacs?

Vérifiez vos progrès

Write each sentence using the appropriate pronoun.

1. Nous ne . . . voyons pas. (leur, lui, le)
2. C'est un garçon aimable. Il veut . . . remercier. (te, eux, toi)
3. Tu vas . . . emprunter des gants et un parapluie? (nous, les, l')
4. Malheureusement il ne peut pas . . . prêter cet argent. (la, les, vous)
5. Je . . . offre un cadeau pour son anniversaire. (l', t', lui)
6. Pourquoi est-ce qu'il . . . laisse chez lui? (lui, la, leur)
7. Qu'est-ce que vous . . . dites? (les, leur, elles)
8. Il a oublié ses gants. Il . . . cherche maintenant. (lui, les, leur)

RÉVISION ET THÈME

Consult the model sentences, then put the English cues into French and use them to form new sentences.

1. *J'ai emprunté une envelope à Chantal.*
   (They borrowed ties from Dad.)
   (We lent stamps to several friends.)

2. Nous voulons *vous offrir un foulard.*
   (to give her a wallet)
   (to visit them)

3. *Tu dis: Elle croit que j'écris des poèmes intéressants.*
   (We say: We think they write French songs.)
   (You (pl.) say: They think we write boring stories.)

4. Elle peut *te montrer un complet.*
   (give me a jacket)
   (bring us an alarm clock)

5. *Elle dit:* Mais *j'ai toujours besoin d'un manteau.*
   (They say)   (she really needs a raincoat)
   (I say)   (they still need belts)

6. Alors, *tu m'écris une lettre et une carte postale.*
   (I'm giving them a necklace and a ring)
   (we're giving you (pl.) the record player and the tape recorder)

Now that you have done the *Révision,* you are ready to write a composition. Put the English captions describing each cartoon panel into French to form a paragraph.

Yesterday, Solange lent Maryse an umbrella.

Now Maryse wants to bring her a gift.

Maryse's brother says: "I think she likes detective novels. You can give her a book."

Maryse answers: "But she especially needs an umbrella."

"So you give her a book and her umbrella."

AUTO-TEST

A. First write answers to the questions using the indirect object pronoun (*lui, leur*) and the definite determiner. Afterwards, write another sentence using the direct object pronoun (*le, la, l', les*) to replace the noun you used in the first sentence. Follow the model.

1. Qu'est-ce que nous pouvons offrir à ton frère?
   Vous pouvez lui offrir l'imperméable.
   Vous pouvez l'offrir à mon frère.

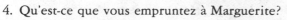

2. Qu'est-ce qu'il prête à Denise?

3. Qu'est-ce que tu montres à Grégoire?

4. Qu'est-ce que vous empruntez à Marguerite?

5. Qu'est-ce que vous écrivez à vos grands-parents?

6. Qu'est-ce qu'il faut emprunter à Roger et à Charles?

7. Qu'est-ce que tes parents vont offrir à grand-maman?

8. Qu'est-ce qu'ils veulent donner à leur fille cadette?

B. Write negative answers to the questions. Follow the model.

1. Est-ce que tu me donnes ce portefeuille?
   Non, je ne te donne pas ce portefeuille.

2. Est-ce que vous nous montrez votre nouveau manteau?
3. Est-ce qu'ils lui posent d'autres questions?
4. Est-ce que tu me vends ces timbres?
5. Est-ce qu'elle leur parle maintenant?
6. Est-ce qu'elles vont te lire sa lettre?
7. Est-ce qu'elles vous prêtent ce foulard aujourd'hui?
8. Est-ce que tu leur empruntes le parapluie?
9. Est-ce que tu veux nous faire une visite?
10. Est-ce qu'il m'offre ce beau collier?

Proverbe

Ne choisit pas qui emprunte.

BRASSERIE DE L'ALMA

5, Place de l'Alma & Avenue Georges V

Tél. : 359-57-11

GARÇON N° 2   TABLE N° . . . 1er

1 tomate	5
1 selle avec HV	28
1 brie	5
1 café	2
	10
	50
	750
	57,50

Bar-Restaurant

Menu à

Boisson et Service en Sus

servi de 11h30 à 21 hs.

La Carte

Ses Spécialités

SALADES
Salads
Salate
Ensaladas

Salade de saison . . . .
Salad
Salat der Jahreszeit
Ensalada de la estacion

Salade mixte . . . .
Salade, tomate
Mixed salad (salad, tomatoe)
Gemischter Salat (Salat, Tomate)
Ensalada mixta (ensalada, tomate)

Salade du Cloître 8
Salade, tomate, gruyère, noix
Cloister salad (salad, tomatoe, gruyere cheese, nuts)
Klostersalat
(Salat, Tomate, Schweizerkäse, Nüsse)
Ensalada del clautro
(ensalada, tomate, queso de gruyere, nuez)

La Parisienne 8.0
Salade, tomate, céleri, jambon
Parisian (salad, tomatoe, cellery, ham)
Die Pariserin (Salat, Tomate, Sellerie, Schinken)
La Parisiana (ensalada, tomate, apio, jamon)

Salade d'Arcole 8.0
Salade, tomate, œuf dur, poulet, riz
Arcole salad
(salad, tomatoe, hard boiled egg, chicken, rice)
Arcoler Salat
(Salat, Tomate, hartes Ei, Hühnchen, Reis)
Ensalada de Arcole
(ensalada, tomate, huevo duro, pollo, arroz)

L'Assiette des Tours, (crudités de saison) . . 80
Céleri, tomate, carottes, pommes de terre, riz
Tower salad
(cellery, tomatoes, carots, potatoes, rice)
« L'assiette des Tours » *(Sellerie, Tomate, Karotte, Kartoffel, Reis)*
El plato de las torres
(apio, tomate, zanahorias, patatas, arroz)

Salade Niçoise 800
Salade, tomate, poivron, thon, céleri, anchois, œuf dur, olives
Niçoise salad (salad, tomatoe, sweet peppers, tuny fish, anchovies, hard boiled egg, olives)
Nizza-salat (Salat, Tomate, Paprikaschote, Thunfisch, Sellerie, Anchovis, hartes Ei, Oliven)
Ensalada de Niza (ensalada, tomate, pimientes, atun, apio, anchoa, huevo duro, olivas)

Schrimps Salad bowl 8.0
Salade, crevettes, tomate, olives, sauce corail
Schrimps salad bowl
(salad schrimps, tomatoe, olives, pink sauce)
Schrimps salad bowl (Salat, Krabben, Tomate, Oliven, Korallensosse)
Schrimps salad bowl
(ensalada, camarones, tomates, olivas, salsa coral)

Quinzième Leçon

Au restaurant

Les Valjean déjeunent dans un petit restaurant du Vieux Nice[1] avec leurs deux filles.

LE GARÇON	Pour commencer, messieurs-dames?[2]
M. VALJEAN	De la soupe à l'oignon pour tout le monde, s'il vous plaît.
5	LE GARÇON	Oui, et ensuite?
	M. VALJEAN	Une salade niçoise[3] pour ces demoiselles, du jambon pour madame, et moi, je voudrais du coq au vin.
	LE GARÇON	Bien, monsieur.
	MME VALJEAN	Tu oublies ton régime, hein?
10	M. VALJEAN	Chut! j'ai faim.

---

[1] Nice is a city on the *Côte d'Azur. Le Vieux Nice* is the beautiful, very old section of the town.

[2] The expression *messieurs-dames*, like "ladies and gentlemen," is always plural. Note that the man is addressed first in French.

[3] A *salade niçoise* usually contains lettuce, tomatoes, olives, green peppers, radishes, tuna, and anchovies. Note that in English, too, we speak of a New York steak, a Virginia ham, a Maine lobster, and so on. In French, geographical adjectives are far more common, and there is a special adjective form for the name of almost every province, city, and town. Thus: Paris—parisien, parisienne; Nice—niçois, niçoise; Cannes—cannois, cannoise; Marseille—marseillais, marseillaise; Lyon—lyonnais, lyonnaise; Provence—provençal, provençale, etc. We would not normally translate such names as *salade niçoise* into English.

Nice

At the restaurant

The Valjeans are having lunch in a little restaurant in the old section of Nice with their two daughters.

WAITER	Ladies. Sir. What would you like to begin with?
M. VALJEAN	Onion soup for everyone, please.
WAITER	Yes, and then?
M. VALJEAN	A salade niçoise for these young women, ham for the lady, and I'd like coq au vin.
WAITER	Very good, sir.
MME VALJEAN	Forgetting your diet, eh?
M. VALJEAN	Shhh! I'm hungry.

5

10

Questionnaire

1. Où déjeunent les Valjean? 2. Qu'est-ce que M. Valjean commande pour commencer? 3. Qu'est-ce que les deux filles vont prendre? Et Mme Valjean, que prend-elle? Et M. Valjean? 4. Qu'est-ce que Mme Valjean demande à son mari? Comment est-ce qu'il lui répond? Est-ce que vous croyez qu'il aime son régime?

PRONONCIATION

The following words all end in the nasal vowel sound [ã].

Jean   quand   vent   blanc   temps   grand

Exercices

A. Listen to these words, then say them aloud. Be careful to pronounce the [ã] sound quickly and with tension.

flamand   enfant   pendant   lentement   entend

B. Now say these words containing the nasal vowel sound [ã] followed by a pronounced consonant.

bande   grande   France   banque   tante   prendre

C. Practice the [ã] sound in the following pairs of words. The first word ends in the [ã] sound; the second ends in a pronounced consonant.

temps / tante   gens / j'entre   vent / vendre   blanc / blanche

D. In the following pairs, the first word ends in the *nonnasal* vowel sound [a] followed by a pronounced *m* or *n*. The second word ends in the nasal vowel sound [ã].

[a] / [ã]   Anne / en   dame / dans   Cannes / quand   Jeanne / Jean

E. Now repeat these sentences containing the nasal vowel sound [ã]:

Ces gens sont vraiment grands.   L'agent entre dans la banque.
L'enfant prend son argent.   Grand-maman rentre dimanche.

Quinzième
Leçon

244

MOTS NOUVEAUX I

Pour commencer, messieurs-dames?	*Ladies. Gentlemen. What would you like to start with?*
Une salade niçoise pour tout le monde.	*A salade niçoise for everyone.*
Oui, et ensuite?	*Yes, and then?*
Une omelette et des haricots verts *(m.pl.)* pour moi.	*An omelette and green beans for me.*
Et un croque-monsieur pour mademoiselle.[1]	*And a croque-monsieur for the young woman.*
Il va commander des huîtres *(f.pl.).* des escargots *(m.pl.).*[2]	*He's going to order oysters. snails.*
Pas de hors-d'œuvre *(m.pl.)* pour moi.[3]	*No first course for me.*
Je suis au régime.	*I'm on a diet.*
Le dessert est excellent.	*The dessert is excellent.*
Les légumes sont excellents.	*The vegetables are excellent.*
La viande est excellente.	*The meat is excellent.*
Les pâtisseries sont excellentes.	*The pastries are excellent.*
La demoiselle demande l'addition *(f)*.	*The young woman asks for the check.*
Elle va laisser un pourboire?	*Is she going to leave a tip?*
Non, le service est compris.[4]	*No, the tip's included.*

Exercice de vocabulaire

Choose the word or phrase that best completes the sentence or fits the situation.

1. Si tout le monde a fini, demandons *(l'addition / le pourboire)* au garçon.
2. J'aime bien les desserts, surtout *(les parapluies / les pâtisseries)*.
3. On vend d'excellents *(légumes / régimes)* dans ce supermarché.
4. Si tu es au régime, prends *(une salade / une glace)*.
5. Le service n'est pas compris. Il faut laisser *(un café / un pourboire)*.
6. Qu'est-ce que vous voulez comme dessert, *(croque-monsieur / messieurs-dames)?*
7. Si tu veux des légumes, prends *(des escargots / des haricots verts)*.
8. D'abord je prends des huîtres et *(ensuite / pour commencer)* une omelette.

---

[1]*Un croque-monsieur,* a grilled ham and swiss cheese sandwich, is a popular snack or lunch. The plural form is the same: *les croque-monsieur.*

[2]Snails are very popular in France. They are cooked in butter, garlic, and herbs, and served on special plates that have indentations. A long-handled clamp is used to hold the shell while the meat is removed with a thin fork.

[3]The *h* in *haricots* and *hors-d'œuvre* is an "aspirate *h*," and when plural determiners appear before them, there is no liaison: *les huîtres,* but *les haricots verts, des hors-d'œuvre.*

[4]In France the tip is usually already added into the cost of the meal when you receive the check.

MOTS NOUVEAUX II

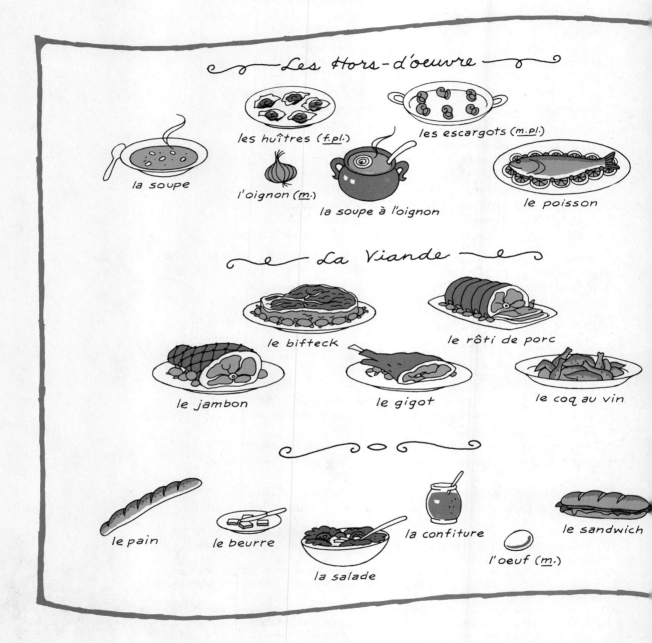

Les Hors-d'oeuvre

les huîtres (f.pl.)

les escargots (m.pl.)

la soupe

l'oignon (m.)

la soupe à l'oignon

le poisson

La Viande

le bifteck

le rôti de porc

le jambon

le gigot

le coq au vin

le pain

le beurre

la salade

la confiture

l'oeuf (m.)

le sandwich

The plural of *le sandwich* is *les sandwichs.*
Wine is served regularly in France. White wine is usually served with fish and fowl, red wine
with most other meats. Mineral, or spring, water is the main type of drinking water.

Les Légumes (m.pl.)

les haricots verts (m.pl.)   les petits pois (m.pl.)

le riz   la pomme de terre   les pommes frites (f.pl.)

Les Boissons (f.pl.)

l'eau minérale (f.)   le vin   le lait

le café   la crème   le sucre   le thé

Les Desserts (m.pl.)

pâtisseries (f.pl.)   la tarte aux pommes   la pomme   la crème caramel   la mousse au chocolat

les fruits (m.pl.)   le fromage

Cheese is often served either as dessert or as a separate course before dessert. *Mousse* is a whipped, very rich, pudding-like dessert. *Crème caramel* is baked, molded custard with a rich caramel sauce.

When in English we speak of "fruit" as a singular noun, the French use a plural.

Lesson
15

Exercices de vocabulaire

A. Answer the question according to the pictures. Follow the model.

Qu'est-ce qu'il aime?

1. *Il aime le poisson.*
2.
3.
4.
5.
6.
7.
8.
9.
10.
11.
12.

B. Answer the question according to the pictures. Follow the model.

Qu'est-ce que tu prends?

1. *Je prends du gigot.*
2.
3.
4.
5.
6.
7.
8.

C. Answer the question according to the pictures. Follow the model.

Qu'est-ce qu'ils ont commandé?

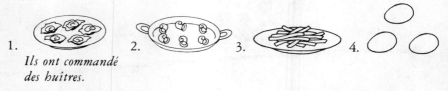

1. *Ils ont commandé des huîtres.*
2.
3.
4.

5.

6.
7.

8.

EXPLICATIONS I

Les verbes en -cer et -ger

<table>
<tr><td colspan="4" align="center">VOCABULAIRE</td></tr>
<tr><td>annoncer</td><td>to announce</td><td>manger</td><td>to eat</td></tr>
<tr><td>commencer</td><td>to begin. to start</td><td>nager</td><td>to swim</td></tr>
<tr><td>prononcer</td><td>to pronounce</td><td>plonger</td><td>to dive</td></tr>
</table>

	SINGULAR		PLURAL
1	je { commence / mange		nous { commençons / mangeons
2	tu { commences / manges		vous { commencez / mangez
3	il elle on } commence, mange		ils elles } commencent, mangent

IMPERATIVE: commence!   commençons!   commencez!
             mange!   mangeons!   mangez!

Verbs that end in *-cer* and *-ger* are regular but show a spelling peculiarity.
Since *c* is pronounced with a "hard" sound [k] before the letter *o* (c<u>o</u>mme,
haric<u>o</u>ts), to maintain the "soft" sound [s], the *c* becomes *ç* in the 1 pl. form.
Like *c*. *g* is also pronounced with a "hard" sound [g] before the letter *o*
(g<u>o</u>mme, gig<u>o</u>t). So an *e* is inserted in the 1 pl. form to maintain the "soft"
sound [ʒ].

Exercices

A. Complete the sentences using the correct form of the appropriate verb:
   annoncer. commencer. or *prononcer.*

   1. Mes parents _____ que nous allons faire une visite à mon oncle.
   2. Quand nous lisons, nous ne _____ pas chaque mot.
   3. La fête _____ tout de suite.
   4. Nous _____ bien le français, n'est-ce pas?
   5. Après le dîner, nous _____ nos devoirs de chimie.
   6. Le professeur de géométrie a _____ un examen.
   7. On _____ que l'avion arrive à 11 h. 30.

B. Answer the questions using the appropriate pronoun. Follow the model.

1. Nous mangeons des pâtisseries. Et elles?
   Oui, elles mangent des pâtisseries.

2. Je mange trop. Et vous?
3. Tu nages quand il ne pleut pas. Et eux?
4. Elle plonge très bien. Et moi?
5. En été, je nage chaque matin. Et vous?
6. Vous avez mangé des pommes frites. Et lui?
7. Elle nage à la piscine en ville. Et vous?
8. Vous nagez comme un poisson. Et elle?
9. Elles plongent dans l'eau. Et vous?

Le partitif

1. In French, when you speak of a thing or things *in general*, you use the definite determiner:

Les œufs sont blancs.	*Eggs are white.*
Les pommes de terre sont blanches.	*Potatoes are white.*
Le sucre est blanc.	*Sugar is white.*
La crème est blanche.	*Cream is white.*

2. To speak of "some," you use *des*, though in English we often omit the word "some":

J'ai commandé des œufs.	*I ordered (some) eggs.*
J'ai commandé des pommes de terre.	*I ordered (some) potatoes.*

3. But many words are rarely, if ever, used in the plural. In that case, the equivalent of "some" is *du, de la,* or *de l'*. This is called the "partitive." Again, "some" is often omitted in English:

Tu veux du sucre?	*Do you want (some) sugar?*
Tu veux de la crème?	*Do you want (some) cream?*
Tu veux de l'eau?	*Do you want (some) water?*

4. You have seen that after a negative the indefinite determiners (*un, une, des*) often become *de*, meaning "any":

Il annonce un examen.	Il n'annonce pas d'examen.
Il porte des gants.	Il ne porte pas de gants.

The same is true of the partitive forms *du, de la,* and *de l':*

Je veux du sucre.	Je ne veux pas de sucre.
Je veux de l'eau.	Je ne veux pas d'eau.

5. Remember that in such expressions as *avoir besoin de*, the *de* becomes *des* only when specific items are being referred to. When a partitive "some" is meant, it remains *de* (or *d'*):

J'ai besoin des œufs.	*I need the eggs.*
J'ai besoin d'œufs.	*I need (some) eggs.*

Exercices

A. Answer the questions according to the models.

1. Est-ce qu'ils ont commandé du gigot?   *Oui, ils aiment le gigot.*
2. Est-ce qu'elle a mangé des escargots?   *Oui, elle aime les escargots.*
3. Est-ce qu'il a préparé des petits pois?
4. Est-ce qu'il a commandé de la mousse au chocolat?
5. Est-ce qu'elles ont mangé du fromage?
6. Est-ce qu'elle a préparé des pommes de terre?
7. Est-ce qu'ils ont servi du vin?
8. Est-ce qu'elles ont commandé de la salade?
9. Est-ce qu'il a mangé du rôti de porc?
10. Est-ce qu'elle a commandé de l'eau minérale?

B. Answer the questions using the cues in parentheses. Follow the model.

1. Qu'est-ce qu'il a commandé? (les huîtres)
   Il a commandé des huîtres.
2. Qu'est-ce qu'elle a préparé? (les hors-d'œuvre)
3. Qu'est-ce que les petits enfants ont entendu? (les histoires)
4. Qu'est-ce qu'elle a commandé? (les haricots verts)
5. Qu'est-ce qu'ils ont écouté à la radio? (les chansons espagnoles)
6. Qu'est-ce qu'elle a vendu? (les habits)
7. Qu'est-ce que le facteur a laissé? (les paquets)
8. Qu'est-ce qu'ils ont choisi? (les esquimaux)

C. Answer the questions using the cues in parentheses. Follow the model.

1. Qu'est-ce que la serveuse leur apporte? (le jambon)
   Elle leur apporte du jambon.
2. Qu'est-ce que Mme Dupont lui offre? (le thé)
3. Qu'est-ce qu'elle leur prépare? (le poisson)
4. Qu'est-ce qu'ils lui demandent? (le café)
5. Qu'est-ce que le garçon leur apporte? (la crème et le sucre)
6. Qu'est-ce que papa leur sert? (le coq au vin)
7. Qu'est-ce que la ménagère lui demande? (le pain et le beurre)
8. Qu'est-ce que la serveuse leur donne? (le riz)

D. Answer the questions using the cues in parentheses. Follow the model.

1. Qu'est-ce qu'il a commandé? (la soupe à l'oignon)
   Il a commandé de la soupe à l'oignon.
2. Qu'est-ce qu'ils ont servi comme boisson? (l'eau minérale)
3. Qu'est-ce qu'il a perdu? (l'argent)
4. Qu'est-ce qu'on a commandé? (la crème caramel)
5. Qu'est-ce qu'elle a trouvé? (la confiture)
6. Qu'est-ce qu'ils ont choisi? (l'orangeade)
7. Qu'est-ce qu'il a vendu? (la glace)
8. Qu'est-ce qu'elle a préparé? (la mousse au chocolat)

E. Answer the questions in the negative. Follow the model.

1. Ils ont commandé des haricots verts, n'est-ce pas?
   Non, ils n'ont pas commandé de haricots verts.

2. Elles ont vendu des esquimaux, n'est-ce pas?
3. La serveuse a apporté de l'eau minérale, n'est-ce pas?
4. Elle prépare du coq au vin, n'est-ce pas?
5. Elles ont commandé des sandwichs, n'est-ce pas?
6. Elle a servi de la crème caramel, n'est-ce pas?
7. Elles commandent des croque-monsieur, n'est-ce pas?
8. Il a apporté du riz, n'est-ce pas?

F. Answer the questions according to the pictures. Follow the model.

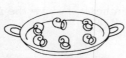

1. Qu'est-ce qu'on prend comme hors-d'œuvre?
   On prend des escargots.

2. Qu'est-ce qu'il veut pour commencer?

3. Qu'est-ce qu'elle choisit comme viande?

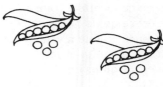

4. Qu'est-ce qu'elles commandent comme légume?

5. Qu'est-ce qu'il prépare pour le dîner?

6. Qu'est-ce qu'ils choisissent comme dessert?

7. Qu'est-ce qu'elles prennent comme boisson?

8. Qu'est-ce que la serveuse apporte?

9. Qu'est-ce qu'ils veulent comme goûter?

10. Qu'est-ce qu'on prend après le dîner?

11. Qu'est-ce qu'il cherche?   12. Qu'est-ce qu'ils demandent?

Vérifiez vos progrès

Write sentences in French to express each of the following things (for "want," use the conditional form — *voudrais* — rather than *veux*).

1. Write a sentence saying that you like bread but don't like potatoes.
2. Write a sentence saying that you want a grilled ham and swiss cheese sandwich.
3. Write a sentence saying that you need eggs and milk.
4. Write a sentence saying that you don't like leg of lamb.
5. Write a sentence saying that to begin you want onion soup.
6. Write a sentence saying that for dessert you want pastries and for a drink, mineral water.
7. Write a sentence saying that you don't want a first course.
8. Write a sentence saying that you want fish, rice, and peas.

CONVERSATION ET LECTURE

Parlons de vous

1. Quand vous dînez dans un restaurant, est-ce que vous commandez des hors-d'œuvre? Qu'est-ce que vous aimez commander comme dessert? comme boisson?   2. Est-ce que vous aimez les légumes? les fruits? le riz? les pommes de terre? les pommes frites?   3. Qui prépare votre petit déjeuner? Qu'est-ce que vous aimez prendre comme petit déjeuner?   4. Qu'est-ce que vous prenez comme goûter?   5. Décrivez ("describe") votre dîner d'hier soir.

Une soirée à Genève[1]

Françoise et Laurent Mesnard sont un jeune couple suisse.° Ils habitent Genève et parce qu'ils travaillent tous les deux° ils dînent souvent au restaurant. Laurent aime beaucoup la haute cuisine° et les bons vins. C'est aujourd'hui le 15 avril, l'anniversaire de Françoise, et ils sont dans un des excellents restaurants de Genève avec M. et Mme Aubert, les parents de Françoise. C'est une petite fête bien agréable. Ils ont déjà commandé les hors-d'œuvre: des escargots

suisse: *Swiss*
tous (toutes) les deux: *both*
la haute cuisine: *gourmet cooking*

[1]Geneva is a large, French-speaking city in western Switzerland. It is especially known as the home of many international organizations, such as the International Red Cross and the World Health Organization.

10		pour tout le monde et un bon vin blanc pour les accompagner.	
	LAURENT	Je prends le tournedos,° je crois.	le tournedos: *filet mignon*
	LE GARÇON	Très bien, monsieur. Vous le prenez comment? Saignant?°	saignant, -e: *rare*
15	LAURENT	Non, à point.° Françoise, tu prends aussi le tournedos?	à point: *medium*
	FRANÇOISE	Non, je crois que je vais prendre une escalope de veau.°	l'escalope de veau (f.): *veal cutlet*
	M. AUBERT	Et toi, Antoinette? Qu'est-ce que tu prends?	
	MME AUBERT	Le tournedos, comme Laurent.	
	LE GARÇON	Et pour monsieur?	
	M. AUBERT	Voyons, qu'est-ce que je vais prendre, moi?	
25	FRANÇOISE	Du poisson, peut-être? Il est toujours très bon ici.	
	M. AUBERT	Pas ce soir. Je crois que je voudrais du gigot avec des pommes frites, s'il vous plaît.	
30	LE GARÇON	Très bien. Et ensuite?	
	LAURENT	Une salade verte[1] pour tout le monde, n'est-ce pas?	
	FRANÇOISE	Oui, oui.	

Lac Leman
La Suisse
Genève

---

[1]*Une salade verte* is a lettuce salad. Throughout France, such salads are served after the main course.

35 Un quart d'heure plus tard, le garçon apporte les escargots et la bouteille° de vin blanc. Il ouvre la bouteille et il verse° le vin. Laurent porte un toast à° sa
femme:

la bouteille: *bottle*
verser: *to pour*
porter un toast à: *to toast*

LAURENT   Bon anniversaire, Françoise. Et bon
appétit° à tout le monde.

bon appétit: *enjoy your meal*

À propos ...

1. Françoise et Laurent sont français? Où est-ce qu'ils habitent?   2. Pourquoi est-ce qu'ils dînent souvent au restaurant? Et ce soir, pourquoi dînent-
ils au restaurant? Avec qui est-ce qu'ils dînent?   3. Qu'est-ce qu'on a déjà
commandé?   4. Qui prend le tournedos? Comment est-ce qu'il l'aime?
5. Que prend Françoise? Et sa mère? Et son père—est-ce qu'il prend du
poisson?   6. Qu'est-ce qu'on prend ensuite?   7. Que dit Laurent quand il
porte le toast à Françoise?   8. Et vous, quelle est la date de votre anniversaire? Comment est-ce que vous aimez passer votre anniversaire? Si c'est
dans un restaurant, qu'est-ce que vous aimez prendre?

EXPLICATIONS II
Les pronoms compléments d'objet y, en

1. In Lesson 14 you saw that *à* + person becomes *lui* or *leur:*

Je parle à Jean.   Je lui parle.
Je parle à Jean et à David.   Je leur parle.

Now look at the following:

Il rentre à Paris.   Il y rentre.   *He's returning there.*
Il répond à la question. Il y répond.   *He's answering it.*
Je réponds aux lettres.   J'y réponds.   *I'm answering them.*

The construction *à* + place or thing is replaced by *y*. Note that there is
elision in the 1 sing. form *(j'y)*. There is also liaison [z] in all plural
forms *(nous‿y, vous‿y, ils‿y, elles‿y)*, and liaison [n] after *on (on‿y)*.

2. *Y* is also used to replace expressions of location introduced by such
words as *en, dans, devant, derrière, sur,* etc.:

Je vais en ville.   J'y vais.
Ils entrent dans l'hôtel. Ils y entrent.

3. Look at the following:

Il prend du jambon.   Il en prend.   *He's having some.*
J'ai peur des chiens. J'en ai peur.   *I'm afraid of them.*
Vous sortez d'ici?   Vous en sortez?   *Are you leaving here?*

The construction *de* + thing is replaced by *en*. Again, there is elision in
the 1 sing. form *(j'en)* and liaison after *on* and the four plural subject pronouns. The *n* of *en* is also a liaison consonant before a vowel sound:
nous‿en‿avons.

4. Look at the position of *y* and *en* in negative sentences and in sentences where the verb is followed by another verb in the infinitive:

Il n'y rentre pas.	*He isn't returning there.*
Il n'en commande pas.	*He isn't ordering any.*
Il va y rentrer.	*He's going to return there.*
Il veut en commander.	*He wants to order some.*

Y and *en* have the same position as any other object pronoun. In negative sentences, the *e* of *ne* is elided before *y* and *en*.

Exercices

A. Answer the questions using the pronoun *y*. Follow the model.

1. Vous faites un stage *à l'hôpital?*   *Oui, nous y faisons un stage.*

2. Vous téléphonez *à la pharmacie?*
3. Tu assistes *aux matchs?*
4. Tu vas *à l'aéroport?*
5. Tu réponds *aux questions?*
6. Vous rentrez *à Genève?*
7. Vous dînez *au restaurant?*
8. Tu restes *à Paris?*

B. Answer the questions using the pronoun *y*. Follow the model.

1. L'avocate trouve son parapluie *sous le bureau?*
   Oui, elle y trouve son parapluie.

2. Les soldats arrivent *au bord de la mer* demain?
3. Elles déjeunent *au café à côté du théâtre* aujourd'hui?
4. La dentiste habite *en face du supermarché?*
5. Les juges entrent *dans la bibliothèque?*
6. Cette ouvrière laisse sa moto *au garage?*
7. Les femmes d'affaires rentrent *en ville?*
8. Les chaises sont *au milieu de la salle de classe?*

C. Answer the questions using the pronoun *en*. Follow the model.

1. Tu as besoin *de chaussettes?*   *Oui, j'en ai besoin.*

2. Tu veux *du pain?*
3. Tu demandes *de l'argent?*
4. Tu as peur *des animaux?*
5. Tu écoutes *des bandes?*
6. Vous écrivez *des lettres?*
7. Vous avez besoin *du stylo?*
8. Vous parlez *de ce chapitre?*
9. Vous prenez *de la crème?*

D. Answer the questions in the negative, using the appropriate pronoun: *y* or *en*. Follow the models.

1. Ils sont *au coin de la rue?*   *Non, ils n'y sont pas.*
2. Il a besoin *de l'électrophone?*   *Non, il n'en a pas besoin.*

3. Il pleut *sur la Côte d'Azur?*
4. Elle répond *aux lettres?*
5. Elles mangent *des pommes?*
6. Elle a *du vin?*
7. Elles vont *à la banque?*
8. Ils ont peur *de ces avions?*
9. Elle travaille *dans le jardin?*
10. Il prend *du jambon?*

E. Answer the questions using the appropriate pronoun: *y* or *en*. Follow the models.

1. Tu veux parler *de vos cours?*   *Oui, je veux en parler.*
2. Vous voulez dîner *en ville?*   *Oui, nous voulons y dîner.*

3. Tu peux apporter *de la salade?*
4. Vous pouvez assister *à la pièce?*
5. Tu veux prendre *des œufs?*
6. Vous allez rentrer *à Cannes?*
7. Tu veux commander *du rôti de porc?*
8. Vous voulez nager *dans ce fleuve?*

F. Answer the questions using the appropriate pronoun: *lui, leur,* or *y*. Follow the models.

1. Tu apportes de l'argent *à la banque?*   *Oui, j'y apporte de l'argent.*
2. Tu donnes de l'argent *à ton frère?*   *Oui, je lui donne de l'argent.*
3. Tu prêtes de l'argent *à tes parents?*   *Oui, je leur prête de l'argent.*

4. Tu téléphones *à l'hôpital?*   7. Tu réponds *aux lettres?*
5. Tu téléphones *au médecin?*   8. Tu apportes le paquet *à la poste?*
6. Tu réponds *aux élèves?*   9. Tu apportes le paquet *au facteur?*

Vérifiez vos progrès

Write answers to the questions using the cues in parentheses and the appropriate pronoun: *y* or *en*. Follow the models.

1. Qui ne plonge pas dans le lac? (Paul)   *Paul n'y plonge pas.*
2. Qui prend du jambon? (nous)   *Nous en prenons.*

3. Qui cherche des crayons bleus? (elles)
4. Qui a besoin d'un parapluie et d'un imperméable? (moi)
5. Qui va à la ferme cette semaine? (nous)
6. Qui attend Jean dans la boutique? (ils)
7. Qui ne mange pas de haricots verts? (vous)
8. Qui frappe à la porte? (nous)
9. Qui veut des pâtisseries? (on)
10. Qui ne danse pas à la surprise-party? (Martine)

RÉVISION ET THÈME

Consult the model sentences, then put the English cues into French and use them to form new sentences based on the models.

1. Les frères Legrand *sont au régime cette semaine.*
   (attended the play last night)
   (are going to play cards tomorrow afternoon)

2. *J'y rentre* parce que c'est *le dernier jour de mes vacances.*
   (We swim there)   *(our neighbors' new swimming pool)*
   (We begin there)   *(the first lesson of our book)*

3. *Ils prennent des escargots comme hors-d'œuvre.*
   (We have wine to drink.)
   (I have fruit and cheese for dessert.)

4. Je prends *du coq au vin. Il n'aime pas le coq au vin.* Alors, *il n'en prend pas.*
   (beans)   *(You (pl.) don't like beans.)*   *(you don't take any)*
   (bread and jam) *(They like bread and jam.)*   *(they want some)*

5. Ensuite je voudrais *une omelette et de l'eau minérale.*
   (a ham and cheese sandwich and milk)
   (a pastry and tea)

6. *Les pommes coûtent peu, mais il ne mange pas de fruits. Les fruits sont bons!*
   (Peas are cheap, but you (sing.) *don't eat vegetables. Potatoes are good.)*
   (Steak is expensive, so we don't eat meat. Fish is good.)

Now that you have done the *Révision*, you are ready to write a composition. Put the English captions describing each cartoon panel into French to form a paragraph.

The Laurent family is having dinner at a restaurant tonight. They're there because it's Mme Laurent's birthday.

The two children order oysters as an hors d'oeuvre. Their mother has onion soup. Monsieur Laurent doesn't like onions. So he doesn't have any.

Then everyone has leg of lamb, rice, peas, and a green salad.

The dinner is expensive, but M. Laurent doesn't leave a tip. The tip's included.

AUTO-TEST

A. Answer the questions using the cues in parentheses. Follow the model.

1. Quand est-ce que vous commencez? (bientôt)
   Nous commençons bientôt.

2. Qu'est-ce que vous mangez? (des sandwichs)
3. Qu'est-ce que vous prononcez? (ces phrases espagnoles)
4. Quand est-ce que vous nagez? (avant le déjeuner)
5. Qu'est-ce que vous commencez? (la nouvelle leçon)
6. Quand est-ce que vous dansez? (ce soir)
7. Où est-ce que vous plongez? (dans le lac)
8. Qui est-ce que vous remerciez? (les employés de bureau)

B. Answer the questions using the cues in parentheses. Follow the model.

1. Tu veux du jambon? (le gigot)   *Non, je veux du gigot.*

2. Vous mangez des pommes de terre? (le riz)
3. Il a besoin de la confiture? (le beurre)
4. Vous voulez des omelettes? (les croque-monsieur)
5. Est-ce qu'il y a des huîtres? (la soupe à l'oignon et les escargots)
6. Elles ont besoin de pain? (les œufs et le fromage)

C. Answer the questions in the negative, using the appropriate pronoun: *y* or *en.* Follow the models.

1. Tu fais des voyages?   *Non, je n'en fais pas.*
2. Nous allons au stade?   *Non, vous n'y allez pas.*

3. Elles choisissent des fruits?
4. On va à la terrasse d'un café?
5. Il sert des petits pois?
6. Ils vont à la librairie?
7. Elles vendent des journaux?
8. Il rentre à son bureau?
9. Elle arrive au zoo?
10. Tu veux des livres de poche?

Il ne faut pas mettre tous ses œufs dans le même panier.

Seizième Leçon

La bouillabaisse[1]

Colette habite Paris, mais cet été, elle passe quelques semaines chez son
oncle et sa tante à Marseille.[2] Ce matin Colette a rencontré son copain
Hugues. Elle lui a parlé de son dîner de la veille.

HUGUES	Qu'est-ce qui ne va pas, ma vieille? Tu n'as pas bonne mine au-jourd'hui.
COLETTE	Hier soir des amis ont voulu me préparer un repas typiquement provençal.[3]
HUGUES	Qu'est-ce que tu as mangé? Du poison?
COLETTE	Non, du poisson.[4] Ils ont fait une bouillabaisse.
HUGUES	Ah! Mais c'est bon, ça!
COLETTE	Pas la bouillabaisse de mes amis. Ils ont mis trop d'ail, pas assez d'huile, et ils ont oublié les tomates. Quel gâchis!

---

[1]*Bouillabaisse,* a thick fish soup, is one of the dishes for which the area around Marseilles is
famous. It was originally a simple fisherman's meal, made by cooking several kinds of fish
together with spices, olive oil, and garlic. It is now a popular dish, and restaurants serve a more
elaborate version of it.

[2]Marseille, on the Mediterranean, was established in the sixth century B.C. and is the oldest city
in France. With a population of roughly 900,000, it is second only to Paris in size and is one
of the principal ports of Europe. Note that it is spelled Marseilles in English.

[3]*Provençal,* the adjective form of the name Provence, is used to describe the area in southeast
France that includes the Mediterranean coast. The name derives from the Latin word *provincia,*
"the province." This area has many Roman ruins, including bridges, aqueducts, and coliseums
dating back to the time of Julius Caesar.

[4]The words *le poison* and *le poisson* differ by only one sound: [z] versus [s]. Try the tongue twist-
er: *Poisson sans boisson, c'est poison.*

Marseille

The bouillabaisse

Colette lives in Paris, but this summer she is spending a few weeks with her aunt and uncle in Marseilles. This morning Colette ran into her friend Hugues. She talked to him about her dinner the night before.

HUGUES   What's wrong, friend? You don't look so hot today.

5 COLETTE   Last night some friends wanted to prepare a typically Provençal meal for me.

HUGUES   What did you eat? Poison?

COLETTE   No, fish. They made a bouillabaisse.

HUGUES   Oh! But that's good!

10 COLETTE   Not my friends' bouillabaisse. They put in too much garlic, not enough oil, and they forgot the tomatoes. What a mess!

Questionnaire

1. Où habite Colette?   2. Où est-ce qu'elle passe quelques semaines? 3. Qui est-ce qu'elle a rencontré ce matin?   4. De quoi est-ce qu'ils ont parlé?   5. Est-ce que Colette a bonne mine?   6. Qu'est-ce que ses amis ont voulu lui préparer?   7. Qu'est-ce qu'il y a dans une bouillabaisse? Qu'en pense Hugues?   8. Est-ce que Colette a aimé le repas?   Pourquoi?

PRONONCIATION

The [ɥ] sound has no English equivalent. It is pronounced with the lips pursed and the tip of the tongue against the lower front teeth.

Exercices

A. Listen carefully to these words, then say them aloud.

huit	lui	nuit	puis	je suis
juillet	nuage	pluie	suédois	tout de suite

B. In the following pairs, the first word contains the [y] sound, the second contains the [ɥ] sound.

[y]/[ɥ]   lu/lui   su/suis   nu/nuage   pu/puis   plu/pluie

C. In the following pairs, the first word contains the [w] sound, the second contains the [ɥ] sound.

[w]/[ɥ]   oui/huit   Louis/lui   jouer/juillet

D. Listen to the sentences, then say them aloud.

Je suis suédois.   Tu es suédoise. Et lui?
Les nuages apportent la pluie.   Il n'y a pas de pluie en juillet.

MOTS NOUVEAUX I

la cuisine

la cuisinière

l'évier (m.)

le réfrigérateur

la salle à manger

la fourchette

le couteau

la cuillère

la nappe

la serviette

l'assiette (f.)

le verre

la tasse

la soucoupe

le sel

le poivre

Exercices de vocabulaire

A. Answer the questions according to the pictures. Follow the model.

1. Qu'est-ce que j'ai oublié?
   Tu as oublié le poivre.

2. Qu'est-ce que tu as emprunté à Agnès?

3. Qu'est-ce qu'il a perdu?

4. Qu'est-ce qu'elle a trouvé?

5. Qu'est-ce que tu as prêté à Guillaume?

6. Qu'est-ce que vous avez vendu?

7. Qu'est-ce qu'ils ont apporté?

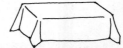

8. Qu'est-ce qu'elles ont choisi?

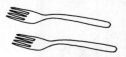

9. Qu'est-ce qu'ils ont réussi à trouver?

10. Qu'est-ce qu'elle a demandé?

B. Answer the questions according to the picture.

1. Qu'est-ce qu'il y a sur la soucoupe?
2. Qu'est-ce qu'il y a à droite du couteau?
3. Combien de fourchettes est-ce qu'il y a? Combien de couteaux?
4. Qu'est-ce qu'il y a à gauche des fourchettes?
5. Qu'est-ce qu'il y a à droite du sel?
6. Qu'est-ce qu'il y a à côté de la tasse?
7. Qu'est-ce qu'il y a sur l'assiette?

MOTS NOUVEAUX II

Moi, je n'aime pas
    faire le ménage
    faire la cuisine
    mettre le couvert
    débarrasser la table

I don't like
    to do housework
    to cook
    to set the table
    to clear the table

Pourquoi est-ce que Lydie va **cacher**
les fourchettes, les cuillères et
les couteaux?

*Why is Lydie going to hide
the forks, the spoons, and
the knives?*

Parce qu'elle ne veut pas mettre
le couvert.

*Because she doesn't want to set
the table.*

Bientôt elle va aussi **casser** la
vaisselle.

*Pretty soon she's going to break
the dishes, too.*

Mon père aime faire la cuisine.

My father likes to cook.

Hier soir, par exemple, il a préparé
une bouillabaisse.

*Last night, for example, he
made bouillabaisse.*

C'est typiquement provençal.

That's typically Provençal.

Et la **veille** il a préparé du
coq au vin.

*And the night before he made
coq au vin.*

La veille de Noël il prépare
toujours **le repas**.

*Christmas Eve he always pre-
pares the meal.*

Qu'est-ce que tu prends comme petit
déjeuner?

What do you have for breakfast?

Un **bol** de café au lait.[1]

A bowl of café au lait.

Où est l'**ail** *(m.)?*
    l'**huile** *(f.)*
    la **tomate**

Where's the garlic?
    the oil
    the tomato

Il faut **mettre**
    beaucoup d'ail
    beaucoup de tomates
    assez d'huile
    assez de sel

You have to put in
    a lot of garlic
    a lot of tomatoes
    enough oil
    enough salt

Quel **gâchis**! Il y a **trop**
d'oignons et **trop de** poivre.

*What a mess! There are too
many onions and too much pepper.*

Qu'est-ce qui ne va pas, mon vieux?
                ma vieille? }

What's wrong, pal?

Je n'ai pas **bonne mine**?

Don't I look good?

Non! Tu as mangé du **poison**?

No! Did you eat poison?

---

[1]*Café au lait*, which is prepared by mixing equal parts of coffee and warm milk, is often served
in bowls rather than cups. Note that the French breakfast is a small meal. Generally it consists
only of some type of bread and butter or jam and a bowl of *café au lait*.

Exercice de vocabulaire

Choose the word or phrase that best completes the sentence or fits the situation.

1. Après le dîner il faut *(aller dans la salle à manger / débarrasser la table)*.
2. On fait la vaisselle dans *(la cuisinière / l'évier)*.
3. Il faut attendre jusqu'à *(la veille / la vieille)* de Noël pour ouvrir les cadeaux.
4. Il est presque sept heures du soir. Il faut *(faire le ménage / mettre le couvert)*.
5. Ce soir on sert un bon repas français. *(C'est chouette, ça! / Quel gâchis!)*
6. Qu'est-ce que tu fais avec cet argent? Chut! Je le *(cache / casse)*.
7. Tu restes toujours au soleil? Tu es déjà rouge comme *(une cuisine / une tomate)*.
8. Qu'est-ce qu'il y a dans ce verre? *(De l'ail / De l'huile)* pour la salade.
9. Qu'est-ce que tu vas mettre dans la bouillabaisse? *(Du poisson / Des boissons)*, bien sûr.
10. Onze tasses et douze soucoupes! *(Il n'y a pas assez de / Il y a trop de)* tasses.

EXPLICATIONS I

Le verbe <u>mettre</u>

The verb *mettre* means "to put (in), to place, to set; to put on (clothing)."

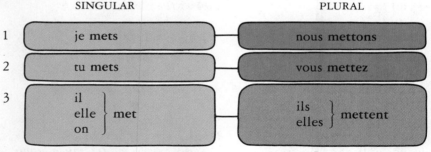

	SINGULAR		PLURAL
1	je mets		nous mettons
2	tu mets		vous mettez
3	il elle on } met		ils elles } mettent

IMPERATIVE: mets! mettons! mettez!

1. The plural forms of *mettre* follow the pattern of other *-re* verbs. The infinitive ending is dropped and the plural endings are added to the stem *mett-*.

2. In the singular, the second *t* is dropped, and the ending *-s* is added to the 1 and 2 sing. forms. All three singular forms are pronounced the same.

Exercices

A. Answer the questions in the negative. Follow the model.

1. Est-ce que tu mets du beurre sur le pain?
   Non. je ne mets pas de beurre sur le pain.

2. Est-ce qu'ils mettent le couvert?
3. Est-ce que je mets assez de sel?
4. Est-ce que tu mets du sucre dans le café?
5. Est-ce que nous mettons trop de poivre dans la soupe?
6. Est-ce que vous mettez la nappe sur la table?
7. Est-ce qu'elle met cette jupe aujourd'hui?

B. Replace the words in italics with the appropriate present-tense form of the verb *mettre*. Follow the model.

1. Elle *va mettre* les cuillères à côté des couteaux.
   Elle met les cuillères à côté des couteaux.

2. Nous *voulons mettre* le thé sur la cuisinière maintenant.
3. Tu *veux mettre* le lait dans le réfrigérateur?
4. Qu'est-ce qu'elles *aiment mettre* dans la salade niçoise?
5. Je *vais mettre* le couvert vers 6 h. 30.
6. Vous *allez mettre* des habits chauds ce matin?
7. Est-ce qu'il *peut mettre* les assiettes dans la salle à manger?
8. Ils *vont mettre* du vin sur la table.

Participes passés irréguliers

You know how to form the passé composé of regular verbs, using *avoir* and a past participle. Irregular verbs tend to have irregular past participles:

1. The past participles of verbs like *prendre* end in *-is:*

prendre	il prend	il a pris
apprendre	il apprend	il a appris
comprendre	il comprend	il a compris

2. The past participle of *mettre* is like that of *prendre:*

mettre	il met	il a mis

3. The following verbs have past participles ending in *-u:*

voir	il voit	il a vu
croire	il croit	il a cru
lire	il lit	il a lu
pouvoir	il peut	il a pu
pleuvoir	il pleut	il a plu
vouloir	il veut	il a voulu

4. The past participles of *ouvrir* and *offrir* end in *-ert:*

ouvrir	il ouvre	il a ouvert
offrir	il offre	il a offert

5. The past participles of *faire. dire.* and *écrire* are like the 3 sing. form:

faire	il fait	il a fait
dire	il dit	il a dit
écrire	il écrit	il a écrit

6. The past participles of *avoir* and *être* are highly irregular:

| avoir | il a | il a eu |
| être | il est | il a été |

Exercices

A. Answer the questions in the affirmative. Follow the model.

1. Est-ce qu'elles n'ont pas pu aller à la fête?
   Si. elles ont pu aller à la fête.

2. Est-ce que tu n'as pas fait la vaisselle ce matin?
3. Est-ce que je n'ai pas écrit les réponses correctes?
4. Est-ce qu'elle n'a pas eu tort?
5. Est-ce que nous n'avons pas mis assez de crème?
6. Est-ce que vous n'avez pas vu la nouvelle bibliothèque?
7. Est-ce que tu n'as pas cru cette vieille histoire?
8. Est-ce qu'il n'a pas ouvert la fenêtre?
9. Est-ce qu'ils n'ont pas pris de thé?

B. Put the sentences in the present tense. Follow the model.

1. Ils ont lu le dernier chapitre.
   Ils lisent le dernier chapitre.

2. Il a plu à la campagne.
3. J'ai pu y assister mercredi.
4. Vous avez dit "félicitations" à l'actrice.
5. Tu as voulu l'accompagner à l'hôpital?
6. Elle a offert du vin avec le repas.
7. Elles ont fait le ménage pour leur mère.
8. Nous avons mis des fruits et du fromage sur une grande assiette.
9. Il a compris plusieurs phrases.

C. Redo the sentences in the passé composé. Follow the model.

1. Elle ne met pas les tasses sur la table.
   Elle n'a pas mis les tasses sur la table.

2. Ils ne peuvent pas finir avant 3 h.
3. Tu n'as pas de chance, mon vieux.
4. Nous n'ouvrons pas la porte de la cuisine.
5. Il ne veut pas faire de l'alpinisme.
6. Vous n'avez pas raison.
7. Je ne vois pas beaucoup de vendeuses.
8. Elle n'offre pas trop de hors-d'œuvre.
9. Je ne lis pas beaucoup de romans policiers.
10. Ils sont très aimables aujourd'hui.

D. Put the sentences first in the present tense, then in the passé composé. Follow the model.

1. Il va pleuvoir aujourd'hui.
   Il pleut aujourd'hui. Il a plu aujourd'hui.

2. Je vais ouvrir les paquets tout de suite.
3. On va dire "au revoir."
4. Je vais écrire ces phrases en anglais.
5. Ils vont mettre les fourchettes à gauche des assiettes.
6. Tu vas avoir besoin de ton manteau.
7. Elle va lire la leçon de chimie.
8. Nous allons offrir des cadeaux aux petits enfants.
9. Puis elles vont faire un voyage à Bruxelles.
10. Nous allons apprendre l'espagnol.

Vérifiez vos progrès

Rewrite the sentences in the passé composé. Follow the model.

1. Nous ne voulons pas partir tout de suite.
   Nous n'avons pas voulu partir tout de suite.

2. Je mets mon chapeau gris et je dis "au revoir."
3. Il pleut ce matin, mais Marie ne porte pas son imperméable.
4. Qui voit l'autre gant?
5. Tu ne peux pas aller au marché cette semaine.
6. Nous faisons nos devoirs et ensuite je fais la vaisselle.
7. Elles n'offrent pas beaucoup de cadeaux à leurs cousines.
8. Vous écrivez des cartes postales?
9. Ils prennent des croque-monsieur et des citrons pressés.

CONVERSATION ET LECTURE

Parlons de vous

1. Est-ce que vous avez lu quelques bons livres cette année? Quels livres? Vous avez lu ces livres dans votre cours d'anglais?   2. Vous avez vu quelques bons films? Quels films? Vous avez vu ces films à la télé?   3. Qu'est-ce que vous avez fait hier soir?   4. Qu'est-ce qu'on vous a offert comme cadeaux de Noël l'année dernière? Vous les avez mis sous un arbre de Noël? Vous avez ouvert les paquets la veille de Noël?

Dans la cuisine

Hier, quand Gilles est rentré° à la maison vers cinq heures, il a vu son frère aîné, David, dans la cuisine. Il lui a demandé: "Qu'est-ce que tu fais?" "Ce soir, c'est nous qui préparons le dîner," lui a répondu
5 David, qui aime bien faire la cuisine.

GILLES Pourquoi est-ce que tu dis "nous"? Je ne veux pas faire la cuisine, moi.
DAVID Tu peux faire une salade, n'est-ce pas? Et d'abord, tu peux mettre le couvert pendant
10 que je prépare la viande et les légumes.
GILLES D'accord. Où est la nappe?
DAVID Nous n'avons pas besoin de mettre une nappe. Il y a déjà des sets° sur la table.
GILLES Et les serviettes? Elles y sont aussi?
15 DAVID Non, je crois qu'elles sont dans le buffet de la salle à manger. Regarde dans le troisième tiroir° à gauche.

Gilles est allé° chercher les serviettes. Mais il est revenu° bientôt et a demandé:

20 GILLES Nous sommes cinq, n'est-ce pas?
DAVID Bien sûr. Papa, maman, Nicole, toi et moi.
GILLES Alors, je n'ai pas pu trouver assez de fourchettes.
DAVID Est-ce que tu as fait la vaisselle après le
25 déjeuner?
GILLES Non.

est rentré: *returned*

le set: *place mat*

le tiroir: *drawer*

est allé: *went*
est revenu: *came back*

DAVID Alors, regarde dans l'évier.

Gilles est allé à l'évier. Il y a trouvé des fourchettes
et aussi des cuillères, des couteaux, des assiettes,
30 des tasses et des verres. Il a pris seulement° trois   seulement: *only*
fourchettes.

DAVID Et le reste° de la vaisselle? Pourquoi est-ce   le reste: *rest*
que tu le laisses dans l'évier?

GILLES Parce que j'ai besoin seulement des four-
35 chettes.

DAVID Comme° tu es paresseux!   comme: *(here) how*

GILLES Attends. Je vais faire cette vaisselle. Mais
d'abord je vais apporter les assiettes et les
verres dans la salle à manger.

40 Gilles les prend et il va lentement vers° la salle à   vers: *(here) toward*
manger.

DAVID Pourquoi est-ce que tu ne les mets pas sur
un plateau?° Gilles, fais attention!°   le plateau: *tray*
                                                          faire attention: *to*
PATATRAS!° Et cinq assiettes et cinq verres sont   *watch out*
45 cassés.   patatras!: *crash!*
                                                              la moitié de: *half*
DAVID Maintenant que tu as cassé la moitié de° la
vaisselle, qu'est-ce qu'on va faire?

GILLES On peut aller dîner au restaurant, peut-être?

À propos …

1. A quelle heure est-ce que Gilles est rentré hier? 2. Qui est-ce qu'il a vu
dans la cuisine? 3. Est-ce que David aime faire la cuisine? Et Gilles, est-ce
qu'il aime la faire aussi? 4. Qui va faire une salade? Qu'est-ce que David
va faire pendant que Gilles met le couvert? 5. Pourquoi est-ce qu'on n'a
pas besoin de mettre une nappe? 6. Les serviettes sont déjà sur la table?
Où sont-elles? 7. Qu'est-ce que Gilles n'a pas pu trouver? Où est-ce qu'il
les trouve enfin? Pourquoi sont-ils là? 8. Est-ce qu'il trouve seulement des
fourchettes dans l'évier? 9. Pourquoi laisse-t-il le reste de la vaisselle dans
l'évier? 10. Gilles dit qu'il va faire la vaisselle. Est-ce qu'il la fait tout de
suite? 11. Est-ce que Gilles met les assiettes et les verres sur un plateau?
Qu'est-ce qui arrive ("happens")? 12. Où est-ce que la famille va peut-être
dîner ce soir? 13. David dit que son frère cadet est paresseux. A-t-il raison? 14. Et vous, est-ce que vous êtes paresseux? Vraiment paresseux, ou
paresseux seulement chez vous? 15. Est-ce que vous mettez le couvert, par
exemple? Vous l'avez fait hier soir? Vous débarrassez la table? Vous faites
la vaisselle? Qui a fait la vaisselle chez vous hier soir? 16. Est-ce que vous
aimez faire la cuisine? Qu'est-ce que vous aimez préparer? 17. Est-ce que
votre mère ou votre père fait bien la cuisine? Vos frères ou vos sœurs?
18. Vous faites le ménage quelquefois? Vous allez au marché? Quand vous
n'allez pas au lycée, qu'est-ce que vous faites le matin? Vous faites la grasse
matinée peut-être?

EXPLICATIONS II

Les pronoms compléments d'objet au passé composé

1. Look at the following:

J'ai téléphoné à Jean.	Je lui ai téléphoné.
Elle a écrit à ses parents.	Elle leur a écrit.
Nous avons assisté au match.	Nous y avons assisté.
Ils ont commandé du gigot.	Ils en ont commandé.

In the passé composé, object pronouns come before the form of *avoir*.

2. Note what happens with the direct object pronouns *le, la,* and *les:*

Elle a attendu son mari.	Elle l'a attendu.
but: Il a attendu sa femme.	Il l'a attendue.
Elles ont attendu leurs maris.	Elles les ont attendus.
Ils ont attendu leurs femmes.	Ils les ont attendues.

The past participle agrees with the preceding direct object. If the direct object is feminine singular, an *e* is added; if it is masculine plural, an *s* is added; if it is feminine plural, an *es* is added. Note that *le* and *la* are elided to *l',* and that the *s* of *les* is a liaison consonant. However, if the direct object pronoun is *en,* the past participle does not change, even if *en* replaces a feminine noun: *Tu prends des pâtisseries?* → *J'en ai déjà pris.*

3. When *me, te, nous,* and *vous* are used as *indirect* objects, the past participle does not agree:

Il m'a téléphoné.	Il nous a téléphoné.
Il t'a téléphoné.	Il vous a téléphoné.

When they are used as *direct* objects, the past participle does agree:

Il m'a { regardé. / regardée. }   Il nous a { regardés. / regardées. }

Il t'a { regardé. / regardée. }   Il vous a { regardé, monsieur. / regardée, madame. / regardés, messieurs. / regardées, mesdames. }

Note that with the direct object pronoun *vous,* the past participle may have any of the four forms, depending upon who is being spoken to. Again there is elision (*me* and *te* → *m', t'*) and the *s* of *nous* and *vous* is a liaison consonant.

4. Note the following:

J'ai écrit la lettre.	Je l'ai écrite.
J'ai compris les leçons.	Je les ai comprises.
J'ai pris les couteaux.	Je les ai pris.

When an *e* is added to a past participle that ends in a consonant, the consonant is pronounced. If a past participle already ends in an *s,* no *s* is added to make masculine plural agreement.

5. In the negative, the object pronoun comes between the *ne (n')* and the form of *avoir;* the *pas* comes after the form of *avoir:*

Ils n'ont pas pris d'œufs.   Ils n'en ont pas pris.
Je n'ai pas écrit la réponse.   Je ne l'ai pas écrite.
Tu n'as pas ouvert les lettres.   Tu ne les as pas ouvertes.

Exercices

A. Answer using the appropriate indirect object pronoun, *lui* or *leur*. Follow the model.

   1. Ils ont donné l'argent *au vendeur?*
     Oui, ils lui ont donné l'argent.

   2. Vous avez téléphoné *au médecin?*
   3. Nous avons écrit *aux marins?*
   4. Elle a fait une visite *à ses nièces?*
   5. Tu as dit "bon anniversaire" *à ta secrétaire?*
   6. Elles ont posé des questions *aux hommes et aux femmes d'affaires?*
   7. Henri a offert des portefeuilles *à ses sœurs?*
   8. Elle a emprunté un foulard *à sa mère?*

B. Answer using the appropriate object pronoun, *y* or *en*. Follow the model.

   1. Ils ont joué *au football américain* la semaine dernière?
     Oui, ils y ont joué la semaine dernière.

   2. Ils ont réussi *à l'examen de sciences sociales?*
   3. Tu as commandé *de la mousse au chocolat?*
   4. Nous avons dîné *en ville* mardi?
   5. Il a assisté *aux cours de maths?*
   6. Vous avez choisi *des tasses et des soucoupes?*
   7. Elle a offert *de la tarte aux pommes* à Marcel?
   8. Vous avez eu besoin *de l'argent?*
   9. Elle a dormi *en classe?*

C. Answer using the direct object pronoun *l'*. Make sure that the past participle agrees with the noun that the object pronoun is replacing. Follow the models.

   1. A-t-elle servi *la bouillabaisse?*   *Oui, elle l'a servie.*
   2. As-tu fait *le ménage?*   *Oui, je l'ai fait.*

   3. A-t-il demandé *l'addition?*   7. Ont-ils trouvé *la confiture?*
   4. As-tu caché *le poison?*   8. Avez-vous eu *sa veste?*
   5. As-tu remercié *ton oncle?*   9. J'ai oublié *le paquet?*
   6. A-t-elle laissé *la cravate?*   10. As-tu cassé *cette assiette?*

D. Redo the above exercise in the negative. Follow the models.

   1. A-t-elle servi *la bouillabaisse?*   *Non, elle ne l'a pas servie.*
   2. As-tu fait *le ménage?*   *Non, je ne l'ai pas fait.*

E. Answer using the direct object pronoun *les*. Remember that the past participle must agree with the object pronoun. Follow the models.

1. Tu as cherché *tes colliers?*
   Oui, je les ai cherchés.
2. Il a apporté *les cuillères et les fourchettes?*
   Oui, il les a apportées.

3. J'ai bien prononcé *les mots?*
4. Elle a préparé *les tomates?*
5. Ils ont mangé *les pâtisseries?*
6. Tu as perdu *les enveloppes?*
7. Tu as trouvé *tes mouchoirs?*
8. Elles ont fini *les chansons?*
9. Il a lu *ces poèmes sénégalais?*
10. Tu as raté *les examens?*

F. Answer using the appropriate pronoun: *m', t', nous,* or *vous*. Watch for the agreement or nonagreement of the past participle. Follow the model.

1. Papa m'a écoutée? Il m'a répondu?
   Oui, il t'a écoutée. Oui, il t'a répondu.

2. Il t'a compris? Il t'a prêté son parapluie?
3. Nicole nous a attendues? Elle nous a apporté le livre de biologie?
4. Les Robert nous ont invités à une fête? Ils nous ont téléphoné?
5. Le facteur vous a rencontrées? Il vous a donné un grand paquet?
6. Luc vous a vue à la bibliothèque? Il vous a emprunté un stylo?
7. L'hôtesse de l'air t'a remerciée? Elle t'a offert du thé?
8. Le professeur vous a entendus? Elle vous a posé des questions?

G. Answer using the appropriate direct object pronoun, *l'* or *les*. Remember that the past participle must agree with the object pronoun. Follow the model.

1. Tu as mis *les serviettes* sur la table?
   Oui, je les ai mises sur la table.

2. Tu as ouvert *la fenêtre?*
3. Tu as écrit *la lettre?*
4. Tu as bien fait *tes devoirs?*
5. Tu as écrit *ces poèmes?*
6. Tu as compris *la question?*
7. Tu as dit *ces longues phrases?*
8. Tu as appris *ces danses?*
9. Tu as mis *tes bracelets?*

Vérifiez vos progrès

Write true "yes" or "no" answers to the questions, using the appropriate object pronoun—*l', les; lui, leur; y* or *en*. Be sure to make the past participle agree with all direct object pronouns.

1. Vous avez réussi *à votre dernier examen de français?*
2. Vous avez fait *vos devoirs* hier soir?
3. Vous avez donné vos devoirs *au professeur* ce matin?
4. Vous avez regardé *la télé* hier?
5. Vous avez débarrassé *la table* après le dîner hier soir?
6. Vous avez pris *des œufs* ce matin?
7. Vous avez compris *cette leçon?*
8. Vous avez écrit *les réponses aux autres questions?*

RÉVISION ET THÈME

Consult the model sentences, then put the English cues into French and use them to form new sentences.

1. *Nous avons pu prononcer les mots.*
   (I was able to begin my work.)
   (She wanted to put on her raincoat.)

2. *Il l'a ouvert dans la salle à manger et il m'a dit "félicitations!"*
   (We saw her at the movies and said "happy birthday" to her.)
   (She gave them (f.pl.) to the children and they told her "thank you.")

3. *Tu n'as pas apporté ton portefeuille, alors il faut faire de l'auto-stop.*
   (I didn't set the table, so I have to do the housework.)
   (We didn't do the cooking, so we have to do the dishes.)

4. *Il a appris les chansons et il les a chantées à la surprise-party.*
   (She understood the answers and wrote them in her notebook.)
   (I found the salt and pepper and put them in the kitchen.)

5. *"On y met les verres?" m'a demandé le garçon.*
   ("They (m.) put the knives there," the doctor told us.)
   ("I put the spoons and forks there," the housewife answered him.)

6. *Tu as vendu la cuisinière, n'est-ce pas?*
   (He's hidden the napkins and the tablecloth, hasn't he?)
   (We broke the cup and saucer, didn't we?)

Now that you have done the *Révision*, you are ready to write a composition. Put the English captions describing each cartoon panel into French to form a paragraph.

Bruno and Diane wanted to go shopping.

Their father met them at the door and said to them: "Ah, no!"

"You didn't prepare the meal, so you have to clear the table."

They took the dishes and put them in the sink.

"You're leaving the dishes there?" their father asked them.

"We cleared the table, didn't we?" Bruno answered him.

AUTO-TEST

A. Answer the questions in the present tense, using the appropriate direct object pronoun, *l'* or *les*. Follow the model.

1. Tu as mis *ton manteau?*
   Je le mets maintenant.

2. Elles ont mis *l'eau* sur la cuisinière?
3. Vous avez mis *le couvert*, mes filles?
4. Il a mis *le lait* dans le réfrigérateur?
5. Ils ont mis *les fleurs* dans la salle à manger?
6. Elle a mis *son imperméable?*
7. Tu as mis *ton vélo* dans le garage?

B. Answer in the negative using the appropriate direct object pronoun. Remember that the past participle must agree. Follow the model.

1. Tu as préparé *la bouillabaisse?*
   Non, je ne l'ai pas préparée.

2. Il a oublié *le sel et le poivre?*
3. Ils ont cassé *ces verres?*
4. Tu as ouvert *les lettres?*
5. Vous avez vu *les infirmières?*
6. Nous avons compris *le chapitre?*
7. Les ménagères ont cru *les vendeurs?*
8. Il a remercié *l'avocate?*
9. Elles ont fait *leurs robes?*

C. Answer using the cues in parentheses. Remember that when these pronouns are used as direct objects, the past participle must agree. In each case, assume that *m'* and *t'* represent one female; *nous* and *vous*, several females. Follow the models.

1. Qui as-tu cru? (vous)   *Je vous ai crues.*
2. A qui a-t-elle parlé? (vous)   *Elle vous a parlé.*

3. A qui a-t-il téléphoné? (t')   6. A qui a-t-il écrit? (m')
4. A qui ont-elles répondu? (m')   7. Qui as-tu choisi? (t')
5. Qui as-tu vu? (vous)   8. Qui a-t-elle rencontré? (nous)

D. Answer using the appropriate direct object pronoun, *l'*, *les*, or *en*. Then answer a second time using the appropriate indirect object pronoun, *lui*, *leur*, or *y*. Follow the model.

1. Tu as écrit cette lettre à ta tante?
   Oui, je l'ai écrite à ma tante. Je lui ai écrit cette lettre.

2. Elles ont pris leurs repas en ville?
3. Vous avez dit "bon courage" aux soldats?
4. J'ai montré la nappe et les serviettes à cette jeune femme?
5. Tu as offert cette nouvelle veste à ton frère?
6. Il a mis des cuillères dans l'évier?
7. Ils ont prêté l'électrophone et la radio à leurs neveux?

Poème

DÉJEUNER DU MATIN

Il a mis le café
Dans la tasse
Il a mis le lait
Dans la tasse de café
5   Il a mis le sucre
Dans le café au lait
Avec la petite cuiller°   la cuiller = la cuillère
Il a tourné
Il a bu° le café au lait   il a bu: *he drank*
10   Et il a reposé° la tasse   reposer: *to put back*
Sans me parler°   sans me parler: *without speaking to me*
Il a allumé°   allumer: *to light*
Une cigarette
Il a fait des ronds°   le rond: *ring*
15   Avec la fumée°   la fumée: *smoke*
Il a mis les cendres°   la cendre: *ash*
Dans le cendrier°   le cendrier: *ashtray*
Sans me parler
Sans me regarder
20   Il s'est levé°   il s'est levé: *he got up*
Il a mis
Son chapeau sur sa tête°   la tête: *head*
Il a mis
Son manteau de pluie°   le manteau de pluie = l'imperméable
25   Parce qu'il pleuvait°   il pleuvait: *it was raining*
Et il est parti°   il est parti: *he left*
Sous la pluie
Sans une parole°   la parole = le mot
Sans me regarder
30   Et moi j'ai pris
Ma tête dans ma main°   la main: *hand*
Et j'ai pleuré.°   pleurer: *to cry*

     Jacques Prévert, *Paroles*
     © Editions Gallimard, 1949

Proverbe

Qui casse les verres les paie.

Dix-Septième Leçon

Un voyage en voiture

Marie-Thérèse et sa sœur, Hélène, ne passent pas leurs vacances en France
cet été. Elles sont parties pour la Grèce avec une amie, Gisèle, qui a une
deux-chevaux.[1] En route, les filles veulent aussi visiter l'Italie et la Yougoslavie. Pendant le voyage, elles parlent des projets de vacances des parents
5 de Gisèle.

MARIE-THÉRÈSE	Tes parents restent à Avignon[2] cet été?
GISÈLE	Non, non, ils sont déjà partis en voyage il y a quinze jours.
MARIE-THÉRÈSE	Ah bon! Où est-ce qu'ils sont allés?
10 GISÈLE	Au Portugal.
HÉLÈNE	Ils font le voyage en voiture?
GISÈLE	Bien sûr. Eux, ils ont leur jolie caravane. Ce n'est pas du tout comme cette deux-chevaux!

Avignon

[1]The *deux-chevaux* (2-CV) is a very small, inexpensive French car. Its name comes from the
amount of horsepower it has under the French system. Very few French teenagers own cars.
Those who do usually have a car such as a 2-CV.

[2]Avignon is a city of 90,000 population in the southeast of France. It is especially well-known
as the site of *le Palais des Papes*, where the Pope lived during the fourteenth century, and for
its unfinished stone bridge, *le pont Saint-Bénezet*, which crosses part way over the Rhône River.
Since 1947 there has been an annual summer cultural festival there, with both indoor and
street performances.

A car trip

Marie-Thérèse and her sister, Hélène, aren't spending their vacation in France this summer. They have left for Greece with a friend, Gisèle, who has a Citroën 2-CV. On the way, the girls also want to visit Italy and Yugoslavia. During the trip, they talk about Gisèle's parents' vacation plans.

5 MARIE-THÉRÈSE   Are your parents staying in Avignon this summer?
   GISÈLE   No, they already left on a trip two weeks ago.
   MARIE-THÉRÈSE   Oh. Where did they go?
   GISÈLE   To Portugal.
   HÉLÈNE   Are they traveling by car?
10 GISÈLE   You bet! *They've* got their beautiful camper. It's not at all like this *deux-chevaux*.

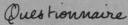

Questionnaire

1. Est-ce que Marie-Thérèse passe ses vacances en France cet été? 2. Où est-ce qu'elle va? Est-ce qu'elle y va seule? 3. Qui a une voiture? C'est une voiture américaine? 4. Quels autres pays ("countries") est-ce que les filles veulent visiter en route? 5. De quoi est-ce qu'elles parlent pendant le voyage? 6. Est-ce que les parents de Gisèle passent l'été à Avignon? Où est-ce qu'ils sont allés? Quand est-ce qu'ils sont partis? 7. Est-ce qu'ils ont pris le train? Comment est-ce qu'ils font le voyage? 8. Est-ce que les parents de Gisèle ont une deux-chevaux aussi? Qu'est-ce qu'ils ont?

PRONONCIATION

To pronounce the [ε] sound, start from the position for the [e] sound, but spread your mouth into a more open smile. Always keep your jaws steady.

Exercices

A. Listen, then say the following words aloud.

être	la fenêtre	est-ce que	presque	l'herbe
le verre	la cuillère	l'assiette	la serviette	derrière

B. These words contain both the [e] and the [ε] sounds.

Hélène	Thérèse	Etienne	l'élève	énergique

C. Listen, then say the following sentences aloud.

Eve cherche une veste pour Pierre.   C'est la veille de Noël, Adèle.
Ma mère a ouvert la lettre.   Vous êtes à l'hôtel avec elle.

MOTS NOUVEAUX I

L'Atlantique (f.) est **un océan**.
La Yougoslavie est **un pays**.
L'Europe (f.) est **un continent**.

La Belgique **se trouve au nord**
de la France.
La mer Méditerranée se trouve
au sud de la France.
La Suisse se trouve **à l'est**
de la France.
L'océan Atlantique se trouve **à**
l'ouest de la France.

*The Atlantic is **an ocean**.*
*Yugoslavia is **a country**.*
*Europe is **a continent**.*

*Belgium is **located to the north***
of France.
The Mediterranean Sea is located
to the south of France.
*Switzerland is **east** of France.*

*The Atlantic Ocean is **west of***
France.

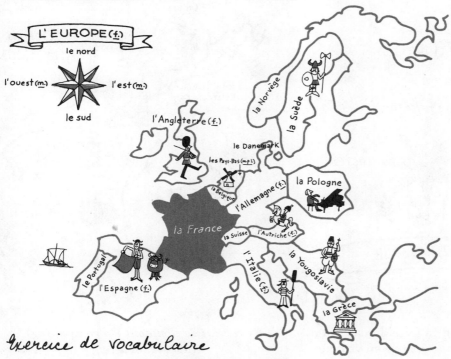

Exercice de vocabulaire

Answer the questions according to the map. Follow the model.

1. Quel pays se trouve au nord de l'Allemagne et de la Pologne?
   La Suède se trouve au nord de l'Allemagne et de la Pologne.

2. Quel pays se trouve à l'ouest de l'Espagne?
3. Quel pays se trouve à l'est de la Suisse?
4. Quel pays se trouve à l'est de l'Allemagne?
5. Quel pays se trouve au sud-ouest de la France?
6. Quel pays se trouve au nord-ouest de la France?
7. Quel pays se trouve au sud-est de la Yougoslavie?
8. Quel pays se trouve au nord de la Suisse et de l'Autriche?
9. Quel pays se trouve au nord-est de l'Angleterre et à l'ouest de la Suède?

MOTS NOUVEAUX II

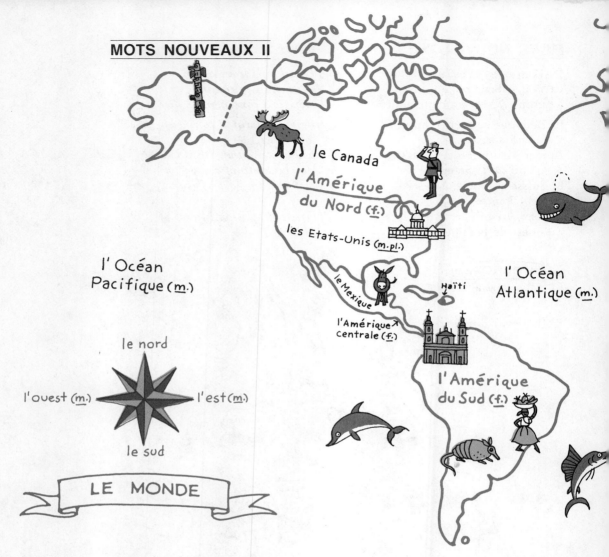

le Canada

l'Amérique du Nord (f.)

les Etats-Unis (m.pl.)

le Mexique

Haïti

l'Amérique centrale (f.)

l'Amérique du Sud (f.)

l'Océan Pacifique (m.)

l'Océan Atlantique (m.)

le nord

l'ouest (m.)   l'est (m.)

le sud

LE MONDE

On va faire du camping.	*We're going to camp out (to go camping).*
partir en voyage	*to leave on a trip*
partir en vacances	*to leave on vacation*
être en vacances	*to be on vacation*
prendre des vacances	*to take a vacation*
passer des vacances en Grèce	*to spend a vacation in Greece*
passer huit jours en Angleterre	*to spend a week in England*
passer quinze jours en Guyane[1]	*to spend two weeks in Guiana*
visiter[2] l'Autriche et la Suisse	*to visit Austria and Switzerland*

[1]La Guyane française, la Guadeloupe, la Martinique, and la Réunion are overseas departments of France *(les départements d'outre-mer)*. Departments are administrative districts, much like states in the U.S. or provinces in Canada. They are thus not separate countries, but are legally a part of France.

[2]*Visiter* is used with places; *faire une visite à* is used with people.

Dix-Septième
Leçon

282

Il m'a téléphoné **il y a une heure.**	*He called me **an hour ago.***
il y a huit jours	*a week ago*
il y a un an	*a year ago*
il y a longtemps	*a long time ago*
Il a parlé de **ses projets** *(m.pl.)* pour l'été.	*He talked about his summer **plans.***
Ses parents ont **une caravane.**	*His parents have **a camper.***
Ils vont aller à Avignon.	*They're going to go to Avignon.*
D'où est-ce qu'il a téléphoné?	***Where** did he call **from?***
De Bruxelles.	*Brussels.*
L'avion arrive **de bonne heure.**	*The plane's arriving **early.***
à l'heure	*on time*
en retard	*late*

Exercice de vocabulaire

Choose the word or phrase that best completes the sentence or fits the situation.

1. Où se trouve le Japon? *(A l'est de/A l'ouest de)* la Chine, dans l'océan *(Atlantique/Pacifique)*.
2. L'Asie, l'Afrique, l'Europe, etc., sont *(des continents/des pays)*.
3. Il y a trois pays dans l'Amérique du Nord: le Canada, les Etats-Unis et *(l'Amérique Centrale/le Mexique)*.
4. Il y a un continent qui est aussi un pays — c'est *(l'Australie/l'Autriche)*.
5. Ils font leurs projets de vacances maintenant. *(Ils les ont passées en Belgique, n'est-ce pas?/Où est-ce qu'ils veulent aller?)*
6. Je n'aime pas ce train. Il arrive toujours *(à l'heure/en retard)*.
7. Mes frères, ma sœur cadette et une de mes cousines vont nous accompagner. Alors il faut aller chercher *(une caravane/une deux-chevaux)*.
8. Ce monsieur est vraiment ennuyeux. Est-ce qu'il a parlé longtemps? *(Il y a deux heures!/Presque deux heures!)*
9. D'où est-ce qu'elles arrivent? *(De Bonn./De bonne heure.)*
10. Vous prenez la caravane? Oui, nous voulons faire *(de l'auto-stop/du camping)* cet été.
11. Tu vas en Allemagne? Oui, ma grand-mère y habite. Elle est très vieille et je voudrais *(la visiter/lui faire une visite)*.
12. Tu n'as pas bonne mine, mon vieux! Ah, je suis très fatigué, mais demain — enfin! — *(on part en vacances/je passe mes vacances)*.
13. Il a laissé son emploi il y a longtemps? Oui, *(l'année dernière/il y a huit jours)*.

EXPLICATIONS I

Le verbe venir

VOCABULAIRE		
venir *to come*	devenir *to become*	revenir *to come back*

	SINGULAR	PLURAL
1	je viens	nous venons
2	tu viens	vous venez
3	il elle on } vient	ils elles } viennent

IMPERATIVE: viens! venons! venez!
PAST PARTICIPLE: venu

1. The 1 and 2 pl. forms are regular. The *-ir* is dropped from the infinitive, and the endings *-ons* and *-ez* are added.

2. The singular stem is *vien-*. to which the regular endings *-s. -s.* and *-t* are added. All three forms are pronounced alike: [vjɛ̃].

3. The 3 pl. form is *viennent*. The *-nn-* is clearly released, and thus there is no nasal vowel sound: [vjɛn].

4. All verbs whose infinitive form ends in *-venir* follow this pattern. Two of the most common are *devenir* and *revenir*. Their past participles are *devenu* and *revenu*.

5. When *venir* is followed by a verb in the infinitive, its English equivalent is just what you would expect:

Je viens manger.	*I'm coming to eat.*
Nous venons les voir demain.	*We're **coming** to see them tomorrow.*

However, when *venir* is followed by *de* plus a verb in the infinitive, it means "to have just." This is called the "immediate past":

Je viens de manger. { *I've just eaten.* / *I just ate.*

Nous venons de les voir. { *We've just seen them.* / *We just saw them.*

Exercices

A. Answer the questions using the appropriate pronoun. Follow the model.

1. Vous venez toujours de bonne heure. Et moi?
   Tu viens toujours de bonne heure aussi.

2. Je reviens lundi matin. Et eux?
3. Yvette et Christine deviennent avocates. Et Julie?
4. Il vient souvent en retard. Et nous?
5. Tu deviens pilote. Et lui?
6. Nous revenons à pied. Et elles?
7. Ils viennent des Etats-Unis. Et vous?

B. Redo the sentences using the appropriate form of *venir de* + infinitive. Follow the model.

1. Nous avons rencontré les ouvriers.
   Nous venons de rencontrer les ouvriers.

2. Il a plu.
3. Ils ont vu le nouvel électrophone.
4. Nous avons fait nos projets de vacances.
5. Elles ont entendu la musique espagnole.
6. Tu as pris un Coca.
7. Je lui ai offert un manteau.
8. Tu m'as emprunté quelques timbres.

Lesson
17

285

C. Answer the questions using the appropriate form of *venir de*. Follow the model.

1. Elles ont écrit les cartes postales. Quand est-ce qu'elles les ont écrites?
   Elles viennent de les écrire.
2. J'ai lu plusieurs romans allemands. Quand est-ce que tu les as lus?
3. Ils ont vendu ce vieux piano. Quand est-ce qu'ils l'ont vendu?
4. Georges a laissé le pourboire. Quand est-ce qu'il l'a laissé?
5. Elle a trouvé sa montre. Quand est-ce qu'elle l'a trouvée?
6. Nous avons passé l'examen de physique. Quand est-ce que vous l'avez passé?
7. J'ai perdu ma bague. Quand est-ce que tu l'as perdue?
8. Ils ont ouvert ces grands paquets. Quand est-ce qu'ils les ont ouverts?
9. Nous avons appris les nouvelles chansons françaises. Quand est-ce que vous les avez apprises?

Le passé composé avec <u>être</u>

VOCABULAIRE			
descendre[1]	*to come down, to go down*	mourir	*to die*
descendre de	*to get out of, to get off*	naître	*to be born*
monter	*to come up, to go up, to climb*	retourner	*to go back*
monter dans	*to get in, to get on*	tomber	*to fall*

1. The verbs above and those below, which you already know, form their passé composé with *être:*

arriver	*to arrive*	Il est arrivé.
partir	*to leave*	Il est parti.
entrer	*to enter, to come in, to go in*	Il est entré.
sortir	*to go out*	Il est sorti.
aller	*to go*	Il est allé.
venir	*to come*	Il est venu.
rentrer	*to return, to go back, to come back*	Il est rentré.
revenir	*to come back*	Il est revenu.
rester	*to stay*	Il est resté.
devenir	*to become*	Il est devenu.

2. Look at the following:

Jean écrit: "J'y suis allé."   Jeanne écrit: "J'y suis allée."
Tu es sorti, Jean?   Tu es sortie, Jeanne?
Il est devenu médecin.   Elle est devenue médecin.
Ils écrivent: "Nous sommes   Elles écrivent: "Nous sommes
   partis à 2 h."   parties à 2 h."

[1]*Descendre* is a regular *-re* verb.

Vous êtes **tombé**, monsieur?   Vous êtes **tombée**, madame?

Vous êtes **restés** à l'hôtel,   Vous êtes **restées** à Paris, mes-
messieurs?   dames?

Ils sont **descendus** à la plage.   Elles y sont **descendues** aussi.

When a verb forms its passé composé with *être,* its past participle agrees
with the subject of the verb in gender and number.

3. *Naître* and *mourir* are irregular verbs. For now you need only know their
past participles:

Louis Pasteur est **né** en 1822.   Il est **mort** en 1895.

Marie Curie est **née** en 1867.   Elle est **morte** en 1934.

Exercices

A. Answer the questions according to the statements. Follow the model.

1. Lisette et Michèle sont venues me voir ce matin.
   - (a) Qui est venu te voir?
     Lisette et Michèle sont venues me voir.
   - (b) Quand est-ce qu'elles sont venues?
     Elles sont venues ce matin.
2. Nous sommes rentrés de Copenhague il y a huit jours.
   - (a) D'où est-ce que vous êtes rentrés?
   - (b) Quand est-ce que vous en êtes rentrés?
3. Le pauvre petit garçon! Il est tombé de son vélo.
   - (a) Pourquoi est-ce que tu dis "le pauvre petit garçon"?
   - (b) D'où est-il tombé?
4. Hier cette secrétaire est arrivée au bureau en retard et elle est partie
   une heure après.
   - (a) Qui est arrivé en retard?
   - (b) Elle y est restée longtemps?
5. Estelle m'a dit que Brigitte est devenue actrice.
   - (a) Estelle est devenue actrice?
   - (b) Qui t'a parlé de Brigitte?
6. Mes parents sont sortis hier soir, mais moi, je suis resté chez nous.
   - (a) Qui est sorti hier soir?
   - (b) Est-ce que tu les as accompagnés?
7. Jeanne d'Arc est née il y a cinq cents ans et elle est morte à l'âge de
   19 ans.
   - (a) Est-ce que Jeanne est née il y a longtemps?
   - (b) A quel âge est-ce qu'elle est morte?
8. Gaël et moi, nous sommes partis de la fête à minuit.
   - (a) A quelle heure est-ce que vous êtes partis?
   - (b) Avec qui est-ce que tu es parti?

B. Redo the sentences in the passé composé. Follow the model.

1. Elle va à Cannes cet été.   *Elle est allée à Cannes cet été.*

2. Isabelle vient plus tard, vers midi.

3. Le train de Lyon part à 3 h. 15.
4. Notre chat gris tombe de l'arbre.
5. Marlène reste au gymnase mais Agnès rentre chez elle.
6. Bernard rentre dimanche soir, le deux avril.
7. Leur fils aîné devient steward.
8. Quand est-ce qu'Elisabeth arrive?
9. Le nouvel étudiant entre dans le lycée.
10. La serveuse descend de l'autobus et tout à coup elle tombe.

C. Replace the words in italics with the appropriate past-tense form of the verb in parentheses. When two forms of the past participle are possible, show both. Follow the model.

1. Nous *avons assisté* au cours d'algèbre. (aller)
   Nous sommes allés au cours d'algèbre.
   Nous sommes allées au cours d'algèbre.

2. J'*ai répondu* tout de suite. (venir)
3. Tu *as fait un stage* dans cet hôpital? (naître)
4. Eric *a attendu* dans l'avion. (monter)
5. Nous *avons fait la cuisine* la semaine dernière. (arriver)
6. Les vendeuses *ont parlé* de la librairie. (sortir)
7. J'*ai joué* à la plage. (descendre)
8. Tu *as frappé* à la porte? (aller)

D. Redo the paragraph in the passé composé.

Samedi, *je fais* du camping avec ma famille. Nous *partons* de bonne heure et nous *arrivons* à la campagne vers 2 h. de l'après-midi. Nous *passons* deux jours pas loin d'un joli lac. Mon père et moi, nous *descendons* au lac pour nager, et nous *voyons* deux petites filles. Tout à coup, une des filles *tombe* dans l'eau. Tout de suite, nous *nageons* vers elle et papa *la prend* par la chemise. La mère des enfants *arrive*. Elle *remercie* papa et puis elle *part* avec ses enfants. Nous, nous *rentrons* chez nous.

Vérifiez vos progrès

Write complete sentences, putting the verbs in parentheses in the passé composé. Follow the model.

1. Il *(passer)* huit jours en Afrique et puis il *(rentrer)* en Europe.
   Il a passé huit jours en Afrique et puis il est rentré en Europe.

2. Ils *(sortir)* à 9 h. mais ils *(revenir)* une heure plus tard.
3. Napoléon *(naître)* en 1769; il *(mourir)* en 1821.
4. Les jeunes filles *(descendre)* à la plage et elles *(nager)* jusqu'à 4 h.
5. Elle *(rester)* en Chine et elle *(devenir)* médecin.
6. Elles *(venir)* te voir parce que tu *(vouloir)* leur parler.
7. Edouard et Luc *(monter)* dans le train, mais le train *(ne pas partir)* tout de de suite.
8. Hélène *(partir)* en vacances, mais nous *(rester)* en ville.

CONVERSATION ET LECTURE

Parlons de vous

Les états des Etats-Unis sont:

l'Alabama *(m.)*	l'Indiana *(m.)*	l'état de New York
l'Alaska *(m.)*	l'Iowa *(m.)*	le Nouveau Mexique
l'Arizona *(m.)*	le Kansas	l'Ohio *(m.)*
l'Arkansas *(m.)*	le Kentucky	l'Oklahoma *(m.)*
la Californie	la Louisiane	l'Oregon *(m.)*
la Caroline du Nord	le Maine	la Pennsylvanie
la Caroline du Sud	le Maryland	le Rhode Island
le Colorado	le Massachusetts	le Tennessee
le Connecticut	le Michigan	le Texas
le Dakota du Nord	le Minnesota	l'Utah *(m.)*
le Dakota du Sud	le Mississippi	le Vermont
le Delaware	le Missouri	la Virginie
la Floride	le Montana	la Virginie Occidentale
la Georgie	le Nebraska	l'état de Washington
Hawaii	le Nevada	le Wisconsin
l'Idaho *(m.)*	le New Hampshire	le Wyoming
l'Illinois *(m.)*	le New Jersey	

Les provinces du Canada sont:

la Colombie-Britannique	l'Ontario *(m.)*	l'Ile du Prince-
l'Alberta *(m.)*	le Québec	Edouard *(f.)*
la Saskatchewan	le Nouveau-Brunswick	la Terre-Neuve
le Manitoba	la Nouvelle-Ecosse	

1. Dans quel état est-ce que vous habitez? Dans quelle ville? Quelle est la
capitale de l'état? 2. Dans quel état est-ce que vous êtes né? 3. Vous avez
fait des voyages dans d'autres états? Quand est-ce que vous y êtes allé? l'été
dernier? il y a longtemps? il y a plusieurs années? 4. Vous pouvez nommer ("to name") trois états qui touchent au ("border on") Canada? au Mexique? à l'océan Atlantique? à l'océan Pacifique? au Golfe du Mexique?
5. Où est-ce qu'il y a des montagnes? des plages? 6. Quelles provinces du
Canada est-ce que vous avez visitées?

En panne° en Espagne

Une route déserte° en Espagne. Au bord de la route
on voit, au clair de lune,° une grande caravane blanche et, devant elle, une grosse voiture. Elle est belle,
mais elle ne bouge° pas. Un homme et une femme
5 regardent le moteur. Inquiets, ils ne disent rien.°

Monsieur et Mme Hébert sont en vacances et les
voici° à neuf heures du soir en panne dans un pays
étranger. Tout à coup M. Hébert dit: "Zut, zut et
zut!"

(être) en panne: *(to
 have a) breakdown*
désert, -e: *deserted*
au clair de lune: *in
 the moonlight*
bouger: *to move*
ne . . . rien: *nothing*

les voici: *here they
 are*

10 —Qu'est-ce que c'est? C'est grave?° lui demande sa   grave: *serious*
femme.
—Oui, je crois que c'est le carburateur. Mais je ne
vois pas ce qu'il y a° exactement.°   ce qu'il y a: *what's*
—Nous n'avons vraiment pas de chance! Qu'est-ce   *wrong*
15 qu'on fait maintenant?   exactement: *exactly*
—Je ne sais pas.
—Eh bien, on peut toujours passer la nuit ici. Après
tout,° nous sommes partis pour faire du camping.   tout: *all*
—Mais il n'y a pas d'eau, pas d'électricité. Il faut
20 plutôt° trouver un garage ce soir. Nous pouvons y   plutôt: *instead*
laisser la voiture et passer la nuit dans un hôtel.
—D'accord! Mais comment est-ce qu'on va trouver
un garage? On ne peut pas y aller à pied! C'est peut-
être très loin.
25 —Geneviève . . .
—Oui?
—Tu as jamais° fait de l'auto-stop?   jamais: *ever*
—Non. Mais je peux vite apprendre.
—Allons-y!
30 —Est-ce que le garagiste° va te comprendre?   le garagiste: *garage*
—Qu'est-ce que tu veux dire?!? Bien sûr, il va me   *mechanic*
comprendre. Après tout, j'ai étudié l'espagnol il n'y
a pas trop longtemps. Euh . . . Comment dit-on
"carburateur" en espagnol?

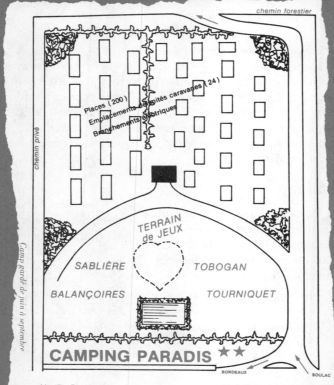

À propos ...

1. Où se trouve la caravane? Est-ce que les Hébert sont près de chez eux? Qu'est-ce qu'ils font? Quelle heure est-il? 2. Que dit M. Hébert enfin? 3. Est-ce que la panne est grave? Qu'est-ce que c'est? 4. Est-ce que les Hébert ont de la chance? 5. Qu'est-ce que Mme Hébert veut faire? Et son mari, qu'est-ce qu'il veut faire? 6. Comment est-ce qu'ils vont trouver un garage? 7. Est-ce que vous croyez que le garagiste va comprendre M. Hébert? Pourquoi? 8. Et vous, est-ce que vous avez jamais été en panne sur une route déserte? dans un pays étranger? 9. Est-ce que vous avez jamais fait de l'auto-stop? du camping? Où donc? 10. Est-ce que vos parents ont une caravane? Si "oui," décrivez ("describe") la caravane. 11. Est-ce que vous êtes allé en Europe? au Canada? au Mexique? Si "oui," parlez de votre voyage. Quels pays est-ce que vous avez visités? 12. Où est-ce que vous aimez passer vos vacances? Vous avez fait des projets de vacances pour l'été prochain? Qu'est-ce que vous allez faire?

EXPLICATIONS II

Continents, pays et villes

The prepositions "in," "at," "to," and "from" have several equivalents in French.

1. With cities *à* and *de* are used:

Il a passé ses vacances à Avignon.   *He spent his vacation **in** Avignon.*
Elle est arrivée d'Avignon hier.   *She arrived **from** Avignon yesterday.*

2. With *feminine* place names, *en* and *de* are used without the definite determiner:

La France est un beau pays.   ***France** is a beautiful country.*
Nous sommes allés **en Suède**.   *We went **to Sweden**.*
Elle vient de rentrer **d'Espagne**.   *She just returned **from Spain**.*

When *de* is used to mean "of," the definite determiner is usually used:

Il est resté dans le nord **de la France**.   *He stayed in the north **of France**.*
Il a vu les montagnes **de la Suisse**.   *He saw the mountains **of Switzerland**.*

3. With *masculine* countries, *à* and *de* + definite determiner are used:

Le Japon est un beau pays.   ***Japan** is a beautiful country.*
Les Etats-Unis sont grands.   ***The United States** is big.*
Elle est rentrée **au Mali**.   *She returned **to Mali**.*
Il a travaillé **aux Etats-Unis**.   *He worked **in the United States**.*
Il est revenu **du Canada**?   *Did he come back **from Canada**?*
Ils sont arrivés **des Pays-Bas**.   *They arrived **from the Netherlands**.*

Exercices

A. Answer the question. Follow the models.

D'où est-ce qu'il est venu?

1. le Sénégal *Il est venu du Sénégal.*
2. l'Australie *Il est venu d'Australie.*

3. l'Amérique
4. la Chine
5. l'Autriche
6. la Pologne
7. les Pays-Bas
8. le Canada
9. la Yougoslavie
10. les Etats-Unis
11. l'Angleterre
12. le Mexique

B. Answer the question according to the models.

Où est-ce que tu vas?

1. Paris *Je vais à Paris, la capitale de la France.*
2. Lisbonne *Je vais à Lisbonne, la capitale du Portugal.*

3. Londres
4. Mexico
5. Moscou
6. Washington
7. Dakar
8. Rome
9. Tokyo
10. Stockholm
11. Madrid
12. Athènes
13. Oslo
14. Copenhague

C. Answer the question according to the models.

Où est-ce qu'ils sont allés?

1. l'Afrique *Ils sont allés en Afrique.*
2. le Portugal *Ils sont allés au Portugal.*

3. l'Australie
4. le Mexique
5. l'Asie
6. la Belgique
7. l'Europe
8. la Suisse
9. le Japon
10. les Pays-Bas
11. le Danemark
12. l'Allemagne

Vérifiez vos progrès

Write complete sentences telling the countries where the languages mentioned are spoken. Then, using the pronoun cues, tell that the person or people come from that country. Follow the models.

1. le suédois / je *On parle suédois en Suède. Je viens de Suède.*
2. le wolof / tu *On parle wolof au Sénégal. Tu viens du Sénégal.*

3. le hollandais / vous
4. l'allemand / elle
5. le norvégien / tu
6. le flamand / elles
7. le danois / nous
8. le russe / je
9. le portugais / ils
10. le japonais / vous
11. le grec / elle
12. l'italien / ils

RÉVISION ET THÈME

Consult the model sentences, then put the English cues into French and use them to form new sentences.

1. *Nous venons d'arriver d'Espagne.*
   (They (m.) have just returned from the Netherlands.)
   (I just came back from Norway.)

2. *J'y ai fait du camping avec des copains.*
   (They visited their grandparents there.)
   (She visited the museums there with her brother.)

3. *Il est allé au Mexique il y a deux ans. Il aime le Mexique.*
   (She came to the United States a long time ago. She likes the United States.)
   (They (f.) arrived in Switzerland two weeks ago. They like Switzerland.)

4. *Il fait presque toujours du soleil au bord de la mer.*
   (It's still raining south of the city.)
   (It snows too much in the northwest [part] of the state.)

5. *Je n'y ai pas plongé.*
   (We didn't eat any.)
   (She didn't swim there.)

6. *Chaque matin je suis arrivé à la pharmacie à l'heure.*
   (Every evening we (m.) got on the bus on time.)
   (Every year you (f.pl.) left on vacation late.)

Now that you have done the *Révision*, you are ready to write a composition. Put the English captions describing each cartoon panel into French to form a paragraph.

Albert and Yvette have just returned from Portugal.

They visited their cousins there.

They went to Sweden a year ago. They like Sweden.

But it's often cold in the northeast (part) of the country. They didn't swim there, for example.

But in Portugal, every morning they went down to the beach early.

AUTO-TEST

A. Write answers to the questions using the correct form of the verb. Follow the model.

1. Il vient de Pologne. Et eux?
   Ils viennent de Pologne aussi.

2. Elle devient dentiste. Et toi?
3. Vous venez toujours de bonne heure. Et elles?
4. Nous revenons demain soir. Et lui?
5. Je deviens professeur. Et vous?
6. Tu viens du Mali. Et elle?
7. On vient de finir cette leçon. Et vous?

B. Rewrite the following sentences in the passé composé. Be careful! Some of the verbs require *être* and some require *avoir*. Follow the model.

1. Il tombe dans l'eau et il nage.
   Il est tombé dans l'eau et il a nagé.

2. Elle rentre en France et elle cherche un appartement.
3. Nous travaillons à l'hôpital mais nous ne devenons pas infirmiers.
4. Elles vont en Suisse où elles voient les belles montagnes.
5. Ils font un voyage mais ils ne prennent pas le train.
6. Ils descendent de l'avion et ils téléphonent à leurs parents.
7. J'attends l'autobus et il n'arrive pas.
8. Elle passe quinze jours en Chine et puis elle rentre au Canada.
9. Ils visitent la Belgique, la France et l'Allemagne, mais ils ne vont pas en Autriche.
10. Elle perd son portefeuille et elle retourne au cinéma pour le chercher.
11. Quand ils entendent ma réponse ils partent tout de suite.

Deux vieilles chansons

AU CLAIR DE LA LUNE°

Au clair de la lune,
Mon ami Pierrot,
Prête-moi ta plume°
Pour écrire un mot.
5 Ma chandelle° est morte,
Je n'ai plus° de feu;°
Ouvre-moi ta porte,
Pour l'amour° de Dieu.°

Au clair de la lune,
10 Pierrot répondit:°
"Je n'ai pas de plume,
Je suis dans mon lit.°

au clair de (la) lune:
  in the moonlight

la plume: *quill pen*

la chandelle: *candle*
ne . . . plus: *no more*
le feu: *fire*
l'amour (m.): *love*
Dieu: *God*
répondit = a répondu

le lit: *bed*

Va chez la voisine,
Je crois qu'elle y est;
15 Car° dans sa cuisine
On bat le briquet."°

car = parce que
battre le briquet: *to light a fire*

SUR LE PONT° D'AVIGNON

le pont: *bridge*

Sur le pont d'Avignon,
l'on° y danse, l'on y danse,
Sur le pont d'Avignon,
L'on y danse tout en rond.°

l'on = on

en rond: *in a circle*

5 Les beaux messieurs font comme ça
Et puis encore° comme ça.
Sur le pont, etc.

encore: *again*

Les belles dames font comme ça
Et puis encore comme ça . . .

10 Les musiciens font comme ça
Et puis encore comme ça . . .

Les couturières° font comme ça
Et puis encore comme ça . . .

la couturière: *seamstress*

Les militaires° font comme ça
15 Et puis encore comme ça . . .

le militaire = le soldat

Proverbe

Quand le chat est parti, les souris dansent.

106012
2E CL. PLACE ENTIERE
GOURNAY-FERRIERES

PARIS ST LAZARE
AMIENS
89 Km
VAL. 3 JOURS
PRIX : 18.00

106012

la mi-août en BRETAGNE
229F

Dix-Huitième Leçon

Les vacances d'été

Au mois d'août beaucoup de gens quittent Paris.[1] Mais il y a tant de touristes! Cependant, le jeune Edouard Droit ne part pas. Il reste à Paris avec
les touristes, parce que son père et sa mère prennent leurs vacances en hiver.

EDOUARD   C'est affreux! Personne ne reste ici—tous mes copains sont
5   partis.
MME DROIT   En effet, il n'y a que trois familles dans notre immeuble cette
                 semaine.
EDOUARD   C'est embêtant! Qu'est-ce qu'on peut faire?
MME DROIT   Je ne sais pas. Tu ne peux rien faire . . . Si! Pense aux va-
10   cances que tu vas passer à Barèges[2] l'hiver prochain pendant
                 que tes copains vont rester ici.

Barèges

---

[1]Under French law, everyone has one month's paid vacation every year. Most Parisians, except
  those in the tourist business, take the month of August.
[2]Barèges is a popular resort town in the Pyrénées, the mountain range that separates France and
  Spain. It is famous for its thermal baths and winter sports.

Summer vacation

In August, a lot of people leave Paris. But there are so many tourists! However, young Edouard Droit isn't leaving. He's staying in Paris with the tourists, because his father and mother take their vacation in the winter.

EDOUARD   This is awful! Nobody's staying here—all my friends have left.

5   MME DROIT   You're right. There are only three families in our building this week.

EDOUARD   It's annoying. What's there to do?

MME DROIT   I don't know. You can't do anything . . . Yes, you can! Think about the vacation you're going to have in Barèges next winter

10   while your friends stay here.

Questionnaire

1. Au mois d'août, que font les gens qui habitent Paris?   2. Qui se trouve à Paris en août?   3. Edouard quitte Paris? Pourquoi? Son père est dans le tourisme peut-être? Pourquoi le croyez-vous?   4. Edouard est heureux? Qu'est-ce qu'il dit?   5. Combien de familles sont restées dans l'immeuble des Droit?   6. Où vont les Droit cet hiver?

PRONONCIATION

The [w] sound is always followed by a pronounced vowel. It is pronounced with greater tension than its English equivalent.

Exercices

A. These words contain the [w] sound. Listen, then say them aloud.

moi   toi   quoi   trois   choix   loin   coin

B. Now compare the sounds [u] and [w]. Be careful to pronounce the [w] sound and the vowel that follows it as one syllable.

[u] / [w]   où / oui   joue / jouer   vous / voir   sous / soif

C. Now compare the sound combinations [wa] and [wɛ̃]. Be careful to pronounce both of the combinations as single syllables.

[wa] / [wɛ̃]   loi / loin   mois / moins   soi / soin   quoi / coin

D. Say these two-syllable words aloud.

choisir	voiture	western	boisson
suédois	chinois	étroit	pourquoi

E. Listen carefully to the following sentences, then say them aloud.

Moi, je vois François.   Il croit qu'il va jouer avec moi.
Voilà les trois histoires.   Oui, Louis croit qu'on a froid.

MOTS NOUVEAUX I

l' horaire (_m._)

la malle

la boîte

la valise

faire sa valise

fermer à clef

la clef

faire ses bagages (_m. pl._)

Voilà **un touriste** avec beaucoup de bagages.	There's **a tourist** with a lot of **luggage.**
Et **une touriste** avec sa valise.	And **a tourist** with **her suitcase.**
Ils vont **quitter** la Côte d'Azur?	Are they going **to leave the Riviera?**
En effet.	**Indeed they are.**
Pourquoi?	Why?
Parce qu'il y a **tant de** touristes.	Because there are **so many** tourists.
J'ai demandé **des renseignements** (_m.pl._) à **quelqu'un.**	I asked **someone** for **information.**
"**Je regrette,** monsieur," il m'a répondu, "mais je n'ai pas d'**horaire.**"	"**I'm sorry,**" he answered, "but I don't have a **timetable.**"
"Alors, où est le **bureau de renseignements?**"	"Then where's **the information desk?**"
"**Je regrette,** monsieur. Je ne sais pas."	"**I'm sorry,** sir. I don't know."
On peut toujours **regretter,** n'est-ce pas? Le train, **cependant,** ne m'a pas attendu.	One can always **be sorry,** right? The train, **however,** didn't wait for me.
Quelqu'un **vient de** vous téléphoner.	**Someone just** phoned you.
Hier il m'a téléphoné **une fois.**	Yesterday he called me **once.**
deux fois	twice
cinq fois	five times
C'est **embêtant.**	That's **annoying.**
En effet.	**You bet!**

Exercice de Vocabulaire

From the column on the right, choose the most logical response to each statement or question on the left. The answers to 1-6 will be found in a-f; the answers to 7-12 will be found in g-l.

1. Elle dit que cette demoiselle est dans le tourisme?
2. Il y a beaucoup de monde ici.
3. Je ne peux pas l'ouvrir.
4. Pourquoi est-ce que vous avez tant de bagages?
5. Tu cherches un horaire?
6. Vous avez fait votre valise?

a. Ce sont des touristes, je crois.
b. Je fais un voyage de six mois.
c. Oui, elle a un bureau pas loin de l'hôtel Carlton.
d. Oui, je l'ai faite hier soir.
e. Oui, mais il n'y en a pas.
f. Quoi? Tu n'as pas apporté ta clef?

7. Elle ne va pas quitter le pays cet été?
8. Monsieur Germont leur a téléphoné?
9. Quelqu'un est à la porte, maman.
10. Qu'est-ce qu'il y a dans cette boîte?
11. Qu'est-ce qu'il y a dans cette grande malle?
12. Tu ne lui as pas posé les questions?

g. C'est embêtant. Tu peux lui répondre?
h. C'est un petit cadeau pour la concierge.
i. En effet! Plusieurs fois! Il veut les voir tout de suite.
j. Non, son neveu lui fait une visite.
k. Si. Cependant, il n'a pas pu me donner de renseignements.
l. Ce sont nos habits. Nous partons en voyage demain matin.

MOTS NOUVEAUX II

Les Cartier habitent **un grand immeuble.**	*The Cartiers live in **a large apartment building.***
D'habitude ils restent chez eux	*They **usually** stay home*
tous les jours	*every day*
tous les matins	*every morning*
tous les soirs	*every evening*
Ce soir, cependant, ils vont au théâtre.	*This evening, however, they're going to the theater.*
Monsieur Cartier est **pressé.**	*Monsieur Cartier is **in a hurry.***
Sa femme est **pressée.**	*His wife is **in a hurry.***
La **circulation** est **affreuse.**	*The **traffic** is **terrible.***
Le **bruit** de la circulation est **affreux.**	*The **noise** of the traffic is **terrible.***
"On va arriver avant le **commencement** de la pièce?"	*"Will we arrive before **the beginning** of the play?"*
"Si on a de la chance, on va arriver avant **la fin!**"	*"If we're lucky, we'll arrive before **the end!**"*

Quand ils arrivent enfin, M. Cartier regarde dans son portefeuille.	*When they finally arrive, M. Cartier looks in his wallet.*
Il voit qu'il a son argent, ses papiers, ses cartes—tout **sauf** les billets.	*He sees that he has his money, his papers, his cards—everything **except** the tickets.*
"Nous sommes partis **sans** les billets," dit-il.	*"We left **without** the tickets," he says.*
Le silence de sa femme est affreux.	*His wife's **silence** is awful.*

Ils ont vu tout l'argent.	*They saw **all the money**.*
tous les gens	*all the people*
toute la circulation	*all the traffic*
toutes les cartes	*all the cards*
Mais pas de billets.	*But no tickets.*
C'est un peu embêtant.	*It's **a little annoying**.*

Exercice de vocabulaire

Choose the word or phrase that best completes the sentence or fits the situation.

1. Nous sommes le 21 mars. C'est *(le commencement/la fin)* de l'hiver.
2. Tout le monde parle. Il y a tant *(de bruit/de circulation)*.
3. Si on est pressé, on travaille *(lentement/vite)*.
4. A quelle heure part l'avion? Regardez *(l'horaire/la malle)*.
5. Il est sorti *(avec/sans)* la clef? Non, il l'a laissée sur la table.
6. Vous avez vos *(bagages/renseignements)?* Oui, mais je ne les ai pas fermés à clef.
7. Tout le monde est parti *(avec/sauf)* Benoît. Il reste à la maison pour attendre le facteur.
8. Elle peut aller à pied parce qu'elle *(a tant de/n'a pas de)* valises.
9. Quel *(bruit/silence)!* C'est toujours comme ça quand toute la classe passe un examen.
10. Ils vont quelquefois au restaurant. Cependant, ils dînent *(d'habitude/ tous les soirs)* chez eux.
11. Tu aimes ce grand nouvel immeuble au coin? Mais non, il est *(affreux/ pressé)*.
12. "Je regrette, madame," m'a dit l'infirmière, "mais le médecin est un peu *(embêtant/en retard)* ce matin."

EXPLICATIONS I

Les verbes connaître et savoir

VOCABULAIRE			
connaître	*to know, to be acquainted with*	reconnaître	*to recognize*
		savoir	*to know, to know how*

Connaître means "to know" in the sense of "to be acquainted with": *Je connais Marie: Je connais Paris: Je connais ce disque.*

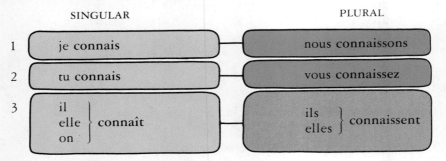

SINGULAR   PLURAL

1 je connais — nous connaissons

2 tu connais — vous connaissez

3 il / elle / on } connaît — ils / elles } connaissent

PAST PARTICIPLE: **connu**

1. The plural stem of *connaître* is *connaiss-*.
2. In the singular, the *ss* of the plural stem is dropped, and the endings *-s. -s.* and *-t* are added. All three singular forms are pronounced alike. Note that the circumflex appears only in the 3 sing. form: *connaît.*
3. *Reconnaître* also follows this pattern.

Savoir means "to know" in all senses except knowing people or places. For example: *Je sais le mot: Je sais qu'il est calé.* When followed by a verb in the infinitive, *savoir* means "to know how": *Je sais danser: Je sais lire.*

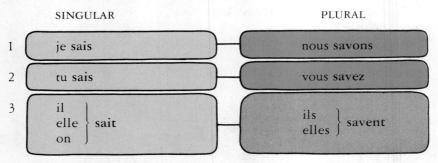

SINGULAR   PLURAL

1 je sais — nous savons

2 tu sais — vous savez

3 il / elle / on } sait — ils / elles } savent

PAST PARTICIPLE: **su**

1. The plural stem of *savoir* is *sav-*.
2. In the singular, the *v* of the plural stem is dropped, and the *a* becomes *ai*. The endings *-s. -s.* and *-t* are then added to the stem *sai-*. All three singular forms are pronounced alike.

Exercices

A. Answer the questions using the appropriate direct object pronoun. Follow the model.

1. Je reconnais cette chanson. Et vous?
   Nous la reconnaissons aussi.

2. Elle connaît leur ami portugais. Et nous?
3. Nous reconnaissons ce monsieur. Et elles?
4. Je reconnais la vendeuse dans cette boutique. Et vous?
5. Vous connaissez les rues de Paris. Et lui?
6. Ils reconnaissent cette histoire. Et toi?
7. François connaît l'Angleterre. Et vous?
8. Je connais bien ce musée. Et eux?

B. Replace the verb in italics with the appropriate form of the verb *savoir*. Follow the model.

1. Je *crois* qu'ils sont partis en voyage hier.
   Je sais qu'ils sont partis en voyage hier.

2. Nous *voulons* jouer du piano.
3. Tu *crois* qu'elle a raison.
4. Ils *vont* parler suédois.
5. Il *croit* qu'Antoinette et son mari sont très sympa.
6. Vous *pouvez* chanter ces chansons grecques?
7. Je *vais* faire la cuisine.
8. Elles *croient* que la dentiste est occupée.

C. Complete the sentences using the appropriate form of the correct verb *connaître* or *savoir*.

1. Je _____ ces gens à côté.
2. Ils _____ bien leur leçon de géographie.
3. Vous _____ ce café en face du cinéma?
4. Il _____ mon frère cadet.
5. Il _____ bien faire ses bagages.
6. Nous _____ que tu n'as pas lu ce chapitre.
7. Tu _____ que c'est embêtant.
8. Nous _____ tous les garçons qui sont à la fête.
9. Elles _____ la Pologne parce qu'elles y sont nées.
10. Vous _____ que Grégoire ne peut pas nous accompagner tous les jours.

Quelques expressions négatives

VOCABULAIRE

ne . . . jamais	*never, not ever*	ne . . . plus	*no longer, no more, not anymore*
ne . . . personne	*no one, nobody.*		
	not anyone, not	ne . . . que	*only*
	anybody	ne . . . rien	*nothing, not anything*

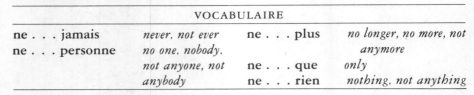

1. Look at the following constructions:

Tu **ne** comprends **jamais.**	*You **never** understand.*
Tu **ne** comprends **personne.**	*You **don't** understand **anyone.***
Tu **ne** comprends **plus.**	*You **no longer** understand.*
Tu **ne** comprends **que** l'anglais.	*You **only** understand English.*
Tu **ne** comprends **rien.**	*You **don't** understand **anything.***

Like *pas*, these words require *ne* before the verb.

2. Note how they are used in the passé composé and in the future:

Il n'a **jamais** compris.	Il ne va **jamais** comprendre.
Il n'a **plus** compris.	Il ne va **plus** comprendre.
Il n'a **rien** compris.	Il ne va **rien** comprendre.
but: Il n'a compris **personne.**	Il ne va comprendre **personne.**
Il n'a compris **qu'un** mot.	Il ne va comprendre **qu'un** mot.

Jamais, plus, and *rien* follow the same pattern as *pas. Personne* and *que* come after the past participle or the infinitive.

3. *Personne* and *rien* can also be used as the subject of the sentence:

Personne ne reste ici.	***Nobody** stays here.*
Rien ne coûte cher ici.	***Nothing**'s expensive here.*

4. Look at the following:

Elle écoute **quelquefois.**	Elle n'écoute **jamais.**
Elle écoute **quelqu'un.**	Elle n'écoute **personne.**
Elle écoute **quelque chose.**	Elle n'écoute **rien.**
Elle écoute **toujours.**	Elle n'écoute **plus.**

The affirmative expressions on the left correspond to the negative expressions on the right:

quelquefois	*sometimes*	ne . . . jamais	*never*
quelqu'un	*someone*	ne . . . personne	*no one*
quelque chose	*something*	ne . . . rien	*nothing*
toujours	*still*	ne . . . plus	*no longer*

5. Note how these negative expressions are used with *y* and *en*:

Elle n'y va **plus.**	*She **no longer** goes there.*
Tu n'y connais **personne.**	*You **don't** know **anyone** there.*
Il n'en a **jamais.**	*He **never** has **any** (of them).*
Je n'en sais **rien.**	*I **don't** know **anything** (about it).*

Exercices

A. Put the sentences into the present tense. Follow the model.

1. Nous n'avons jamais fait les malles.
   Nous ne faisons jamais les malles.

2. Je n'ai trouvé qu'une valise.
3. Il n'a rien perdu.
4. Ils ne sont jamais arrivés de bonne heure.
5. Je n'ai vu personne dans la rue.
6. Vous n'avez rien mangé.
7. Tu n'as demandé qu'un horaire.
8. Il n'a invité personne à la fête.

B. Put the sentences into the passé composé. Follow the models.

1. Nous ne voyons personne.
   Nous n'avons vu personne.
2. Nous n'arrivons jamais à l'heure.
   Nous ne sommes jamais arrivés à l'heure.

3. Je ne vois que des boîtes sous le bureau.
4. Vous ne dites rien aux employés.
5. Je ne reconnais personne.
6. Nous ne regardons que des documentaires à la télé.
7. Il n'y descend jamais.
8. Je n'écris rien dans mon cahier.
9. Personne ne quitte la maison jusqu'à midi.
10. On ne sert que des boissons et des hors-d'œuvre.

C. Answer in the negative using *jamais, personne, plus,* or *rien.*
Follow the model.

1. Tu en manges quelquefois?
   Non, je n'en mange jamais.

2. Tu lui prêtes quelque chose?
3. Tu oublies les clefs quelquefois?
4. Tu en sais quelque chose?
5. Quelqu'un frappe à la porte?
6. Tu mets quelque chose dans la malle?
7. Tu les attends toujours?
8. Tu lui offres quelque chose?
9. Tu mets toujours le couvert?
10. Tu es pressé quelquefois?

Write negative answers, using the expression that means the opposite of the one used in the question. Follow the model.

1. Est-ce que tu connais quelqu'un qui travaille ici?
   Non, je ne connais personne qui travaille ici.

2. Est-ce qu'ils en savent quelque chose?
3. Est-ce qu'elles ont reconnu quelqu'un?
4. Est-ce que j'y vais toujours?
5. Vous avez quelque chose?
6. Est-ce que vous savez toujours toutes les réponses?
7. Est-ce que vous connaissez quelqu'un à Montréal, monsieur?
8. Est-ce que vous êtes sortie quelquefois, madame?
9. Est-ce que tu la fermes toujours à clef?
10. Est-ce que vous faites quelquefois vos bagages?

CONVERSATION ET LECTURE

Parlons de vous

1. Est-ce que vous habitez une maison ou un immeuble? Si c'est un immeuble, combien d'étages ("stories") est-ce qu'il a? 2. Est-ce que vous quittez la maison à la même heure tous les matins? A quelle heure? Vous êtes quelquefois pressé? souvent? toujours? Vous quittez quelquefois la maison sans vos livres ou vos devoirs? 3. Est-ce qu'il y a quelque chose que vous trouvez embêtant le matin? Quoi? 4. Qu'est-ce qu'il y a dans votre ville qui est vraiment beau? affreux? 5. D'habitude, qu'est-ce que vous faites le soir? 6. Quand il ne faut plus étudier le soir—c'est-à-dire ("that's to say"), quand vous avez fini tous vos devoirs—qu'est-ce que vous aimez faire? 7. Qu'est-ce que vous ne savez pas faire que vous voulez apprendre à faire? Par exemple, si vous ne savez pas jouer aux échecs, est-ce que vous voulez apprendre à y jouer? 8. C'est la fin de l'année scolaire ("school year"). Qu'est-ce que vous avez appris cette année?

Une lettre de la Louisiane

Louise Boisseau vient de recevoir° une longue lettre   recevoir: *to receive*
de son amie Claude Chambard, qui est hôtesse de
l'air à Air France. Claude passe huit jours en Louisiane avec une amie.

5

Lafayette, Louisiane
le 3 juin

Ma chère° Louise,

Je t'écris d'une région des Etats-Unis qui ressemble
beaucoup à° notre vieille France,¹ la Louisiane aca-
10   dienne.² A la campagne et même° dans une grande
ville comme Lafayette, il y a beaucoup de gens qui
parlent français. Ils ont des noms° français et ils servent même du café comme nous le faisons en France.³
Ce sont les Acadiens ou "Cajuns."⁴ Leurs ancêtres°
15   sont venus ici vers 1750, quand les Anglais les ont
chassés° de leur pays—de l'Acadie, au Canada. Ils
ont choisi la Louisiane parce qu'elle était° aussi une
colonie française. Plus tard, cependant, Napoléon l'a
vendue aux Etats-Unis.

20   Je suis venue ici avec mon amie Anne-Marie. Elle a
des cousins à Lafayette, chez qui nous passons le
weekend. Ils sont très aimables.

Demain nous allons voir la Nouvelle Orléans et le
golfe du Mexique. Anne-Marie me dit que ça va
25   être une excursion° très intéressante pour moi qui
n'ai jamais vu les "bayous." Ce sont des rivières°
très tranquilles avec de grands vieux arbres, des
roseaux° et de la mousse° grise qui tombe des
arbres.

30   Hier soir on nous a servi un "gombo." C'est une
soupe de poisson avec du riz et des tomates. Mais
ce n'est pas du tout comme notre bouillabaisse. Elle
est très, très épicée.°

La semaine prochaine je vais faire le service des
35   Antilles: Miami—Fort-de-France, avec escale° à Port
au Prince.⁵

Je connais la Martinique mais je ne suis jamais

cher, chère: *(here)*
dear

ressembler à: *to*
resemble
même: *(here) even*
le nom: *name*

l'ancêtre *(m.):* an-
cestor
chasser: *to expel*
était: *was*

l'excursion *(f.):*
short trip
la rivière: *small*
river
le roseau: *reed*
la mousse: *moss*

épicé, -e: *spicy*

l'escale *(f.): stop*

---

¹Claude is referring to old customs, speech patterns, etc., which are still found in small French
towns and villages.
²This area in southwestern Louisiana was settled mainly by French people whom the British had
expelled from Acadia (now Nova Scotia).
³*Café au lait* is very popular in Louisiana.
⁴The people of Acadian Louisiana, called "Cajuns" (from the local pronunciation of *acadien*),
speak French. Cajun French does not differ too much from the local dialects spoken in small
towns in the northwestern provinces of France.
⁵*Faire le service de* means "to work the route of." Claude is saying that she will be working on
flights going to the West Indies *(les Antilles)*. Fort-de-France is the capital of Martinique. Port
au Prince is the capital of Haiti, a former French colony. In 1802, the slaves, led by Toussaint
l'Ouverture and Dessalines, defeated Napoleon's army, and thus Haiti became the second inde-
pendent nation in the Americas—and the first black republic in the world.

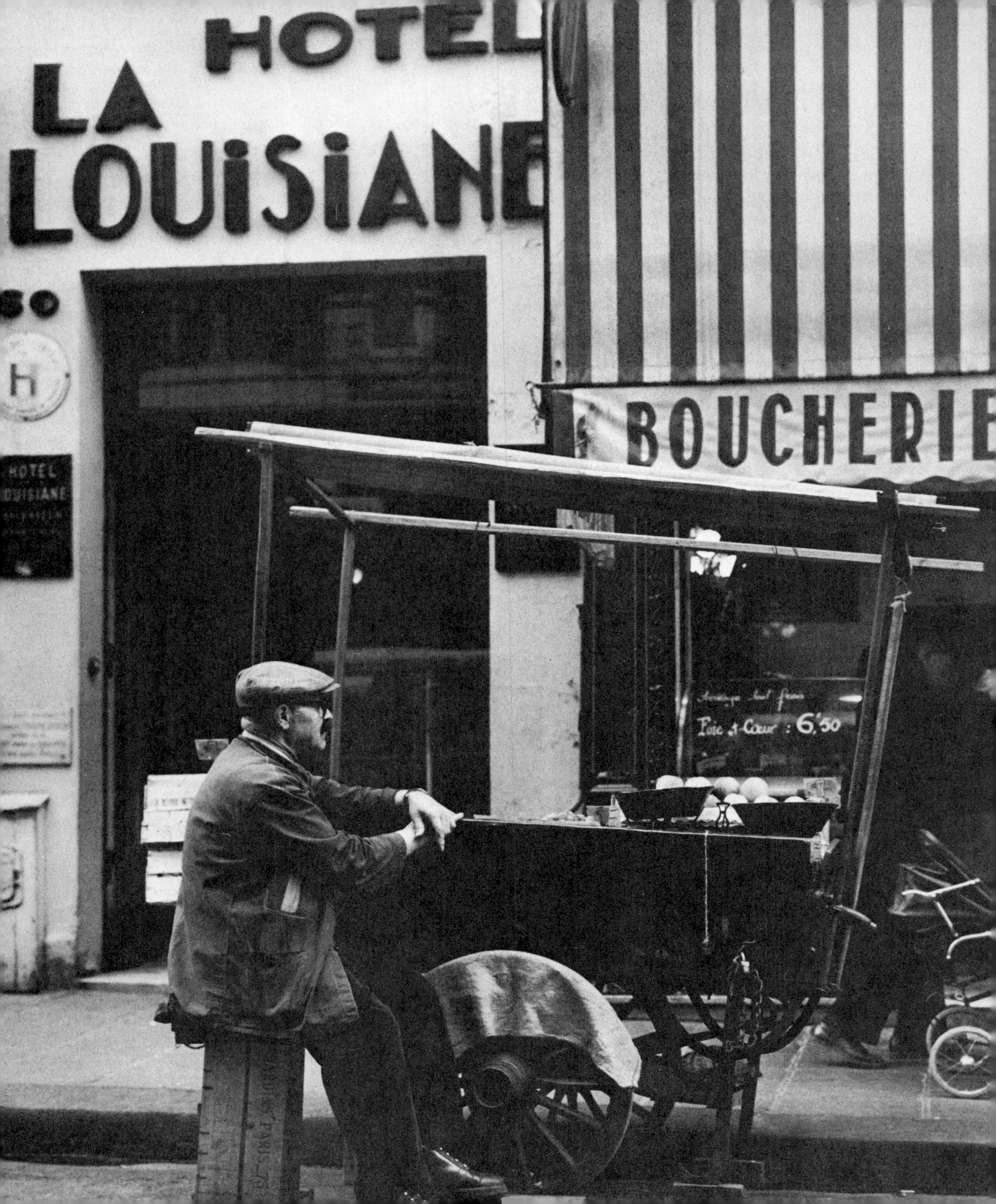
HOTEL
LA LOUISIANE
BOUCHERIE
Foie et Cœur : 6,50

allée en Haïti. Je crois que je vais beaucoup l'aimer. C'est un pays où le français est la langue officielle, 40 mais où tout le monde parle créole.[1] Malheureusement je n'ai appris qu'une phrase en créole: *"M ap chaché youn otèl ki pa tro chè."* Tu l'as comprise? Ça veut dire: "Je cherche un hôtel qui n'est pas trop cher."

45 Je ne rentre à Paris que vers la fin de juillet. Je vais t'apporter un petit paquet de cartes postales et d'autres souvenirs de mes voyages en Louisiane, au Canada et aux Antilles. Comme ça je pourrai° vous donner des renseignements sans fin sur l'Amérique 50 francophone.° (Les photos que je prends, moi, sont affreuses; alors j'ai acheté° beaucoup de cartes postales.) A bientôt.

je pourrai: *I'll be able*
francophone: *French-speaking*
acheter: *to buy*

Je t'embrasse,[2]
Claude

A propos...

1. Que fait Claude comme profession? Elle est en vacances maintenant? 2. D'où est-ce qu'elle écrit cette lettre? 3. En quoi est-ce que Lafayette est comme la France? 4. Qui sont les Acadiens? Quand est-ce qu'ils sont arrivés en Louisiane? Pourquoi ont-ils quitté le Canada? 5. Est-ce qu'Anne-Marie connaît quelqu'un à Lafayette? 6. Que vont faire les filles demain? Qu'est-ce que c'est qu'un "bayou"? 7. Qu'est-ce que les filles ont mangé la veille? 8. Quel service est-ce que Claude va faire la semaine prochaine? 9. Est-ce que Claude connaît Haïti? Elle parle créole? Que veut dire la phrase qu'elle a apprise? 10. Pourquoi est-ce que Claude a acheté tant de cartes postales? 11. Et vous, quand vous êtes en voyage, est-ce que vous prenez des photos? Comment sont vos photos? 12. Est-ce que vous connaissez quelques pays étrangers? Quelle langue est-ce qu'on y parle? 13. Quand vous allez faire un voyage, qui fait vos bagages? Qui va chercher les renseignements nécessaires ("necessary") — les horaires ou les cartes routières ("road maps"), par exemple? 14. Qu'est-ce que vous allez faire cet été? Vous avez des projets de vacances? Quels projets?

---

[1]Creole is a language that resulted from the contact of French and West African languages. It is spoken widely in the Antilles and in areas of Louisiana.
[2]*Embrasser* means "to kiss." This is a common way for relatives or close friends to sign a letter. It is equivalent to saying "love."

EXPLICATIONS II

Quelques expressions de quantité

1. You have seen that the indefinite determiners and the partitive often become *de* (or *d'*) after a negative:

J'ai **un** frère.	Je n'ai pas **de** frère.
J'ai **une** malle.	Je n'ai pas **de** malle.
Il a **des** journaux.	Il n'a pas **de** journaux.
Il y a **du** bruit.	Il n'y a pas **de** bruit.
Il y a **de la** circulation.	Il n'y a pas **de** circulation.
Il y a **des** huîtres.	Il n'y a pas **d'**huîtres.

But note the following:

C'est **un** bateau à voiles.	Ce n'est pas **un** bateau à voiles.
Ce sont **des** romans anglais.	Ce ne sont pas **des** romans anglais.
C'est **du** pain.	Ce n'est pas **du** pain.

If the verb is *être*. the indefinite determiners and the partitive do not become *de* after a negative.

2. After expressions of quantity, *de* (or *d'*) is used:

Il mange **beaucoup de** fruits.	*He eats **a lot of** fruit.*
Ils ont **assez d'**argent.	*They have **enough** money.*
La ville a **trop d'**hôtels.	*The city has **too many** hotels.*
Il y a **tant de** bruit.	*There's **so much** noise.*
Elle a **tant d'**amies.	*She has **so many** friends.*
Il y a **peu de** circulation ce soir.	*There's **little** traffic this evening.*
J'ai **peu de** valises.	*I have **few** suitcases.*
J'ai **un peu d'**argent.	*I have **a little** money.*

Exercices

A. Redo the sentences in the negative. Follow the models.

1. Il y a des oignons dans la soupe.
   Il n'y a pas d'oignons dans la soupe.
2. C'est de la crème caramel.
   Ce n'est pas de la crème caramel.

3. Je voudrais de la salade.
4. C'est une tarte aux pommes.
5. Ce sont des huîtres.
6. D'habitude ils commandent des escargots.
7. C'est du rôti de porc.
8. C'est de la confiture.
9. Il y a des assiettes dans l'évier.
10. Il met du lait dans les verres.

B. Answer the questions using the cues in parentheses. Follow the model.

1. Elle a pris du dessert? (trop)
   Elle a pris trop de dessert.

2. On a eu du vin? (un peu)
3. Il y a des histoires dans ce livre? (peu)
4. Elle a mis de l'ail dans la bouillabaisse? (trop)
5. Elles ont préparé des pommes frites? (assez)
6. Ils ont chanté des chansons? (beaucoup)
7. Il y a de la circulation tous les matins? (trop)
8. Il a des romans policiers? (tant)
9. Elles ont apporté des sandwichs? (beaucoup)

C. Redo the sentences in the affirmative using the cues in parentheses. Follow the model.

1. D'habitude il ne mange pas de tartes. (beaucoup)
   Aujourd'hui il mange beaucoup de tartes!

2. D'habitude elles n'ont pas d'argent (assez)
3. D'habitude nous n'avons pas de bagages. (trop)
4. D'habitude elle ne fait pas de bruit. (tant)
5. D'habitude tu ne me demandes pas de renseignements. (trop)
6. D'habitude je ne pose pas de questions. (beaucoup)
7. D'habitude ils ne prennent pas de pain. (un peu)
8. D'habitude ils n'ont pas d'horaires. (assez)
9. D'habitude il n'y a pas de mauvaises pommes. (beaucoup)
10. D'habitude on ne vend pas d'affiches. (tant)

Vérifiez vos progrès

Write answers to the questions using the cues in parentheses. Follow the model.

1. Ils ont des valises aujourd'hui? (tant)
   Tant de valises!

2. Elle connaît des gens à Sherbrooke? (peu)
3. Combien d'hôtels est-ce qu'il y a là? (beaucoup)
4. Combien de fois est-ce que nous sommes allés au cinéma? (trop)
5. Combien d'auteurs a-t-il lus? (tant)
6. Elles ont assisté à quelques matchs? (beaucoup)
7. Vous avez pris des fruits? (assez)
8. Il y a d'autres immeubles près de chez toi? (très peu)

RÉVISION ET THÈME

Consult the model sentences, then put the English cues into French and use them to form new sentences based on the models.

1. Pourquoi *est-ce qu'il n'y a que des clefs dans la boîte?*
   (isn't there anyone in the apartment building)
   (isn't there anything in the trunk)

2. *Trop de gens sont arrivés sur la Côte d'Azur.*
   (So many students (f.) have entered the classroom.)
   (A lot of workers have gone out of the dining room.)

3. *Bien sûr, rien n'y est arrivé en hiver.*
   (Indeed, no one returned there in the spring.)
   (So nobody went down there in the fall.)

4. *Nous savons* qu'il y a *beaucoup de bruit* là-bas aussi.
   (They (m.) know)   (enough timetables)
   (I know)   (too much traffic)

5. *Cette année elle passe huit jours au Danemark.*
   (Sometimes we spend the day in town.)
   (This time I'm spending every day at home.)

6. *Je connais bien les renseignements.*
   (He already knows the end.)
   (They (f.) really know the beginning.)

Now that you have done the *Révision*, you are ready to write a composition. Put the English captions describing each cartoon panel into French to form a paragraph.

① Why are there only tourists in Paris?

② A lot of people have gone to the Riviera.

③ However the Girauds have never gone there in the summer.

④ They know that there are too many tourists there too.

⑤ Usually they spend their vacation in Austria.

⑥ They know the country well.

AUTO-TEST

A. Rewrite each sentence, changing the verb in italics to the appropriate form of the correct verb, *connaître* or *savoir*. Follow the model.

1. Elle *révise* ses leçons.   *Elle sait ses leçons.*

2. Ils *croient* que nous partons vers minuit.
3. Est-ce que vous *aimez* vos voisins?
4. Il *invite* tous ces jeunes gens.
5. Je n'en *dis* rien.
6. Nous n'*attendons* pas le médecin.
7. Tu *visites* la Chine ou le Japon?
8. Nous *voyons* que vous êtes pressés, messieurs.
9. Vous *apprenez à* jouer de la guitare?

B. Write answers to each question using the negative cues in parentheses. Follow the models.

1. Qui connaît Jacques? (personne)   *Personne ne connaît Jacques.*
2. Qui est-ce qu'il attend? (personne)   *Il n'attend personne.*

3. Qu'est-ce qu'ils ont dit? (rien)
4. Qu'est-ce que tu as apporté? (que ce livre de poche)
5. Quand est-ce qu'elle est allée à l'aéroport? (jamais)
6. Quand est-ce qu'elles en parlent? (plus)
7. De quoi est-ce que tu as besoin? (rien)
8. Qu'est-ce qu'il y a au milieu de la route? (rien)

C. Rewrite the sentences using the cues in parentheses. Follow the model.

1. Il n'a pas pris les billets. (assez)   *Il n'a pas pris assez de billets.*

2. Il n'y a pas de touristes. (beaucoup)
3. Nous avons reconnu les gens. (peu)
4. Je n'ai plus besoin de bagages. (tant)
5. Elles ne vous donnent jamais de renseignements. (assez)
6. Tu as des mouchoirs blancs. (tant)
7. Il y a de nouveaux immeubles en ville. (trop)

Proverbe

Qui ne risque rien n'a rien.

Answers to Vérifiez vos progrès

If you have difficulty with any exercises, first check the *Explications* in the book.
If you feel that you need further help in order to maintain your progress, be sure
to check with your teacher.

Leçon 1, p. 8

1. Bien, merci. Et vous?
2. Bien, merci. Et toi?
3. Bien, merci. Et vous?
4. Bien, merci. Et vous?

Leçon 2, p. 22

2. Vous allez à l'hôtel.
3. Raoul et Denis (*or:* Ils) vont à l'usine.
4. Elle va à la banque.
5. Je vais à la montagne.
6. Nous allons à l'hôpital.

Leçon 2, p. 26

2. Ce sont les bureaux de Jean-Paul.
3. Ce sont les salles de classe d'Alice et de Suzanne.
4. Ce sont les villas de Mme Lebrun et de Mme Lenoir.

Leçon 3, p. 37

2. Tu es chez toi.
3. Il est chez lui.
4. Nous sommes chez nous.
5. Je suis chez moi.
6. Vous êtes chez vous.
7. Elle est chez elle.
8. Ils sont chez eux.

Leçon 3, p. 41

2. Oui, ce sont mes cousins.
3. Oui, c'est mon oncle.
4. Oui, c'est ma cousine.
5. Oui, c'est ma grand-mère.
6. Oui, c'est mon frère.
7. Oui, ce sont mes grands-parents.
8. Oui, ce sont mes neveux.

Leçon 4, p. 53

2. Vos cousines vont à la plage en autobus.
3. Leurs livres sont sous le pupitre.
4. Vos copains sont chez nous.
5. Nos crayons sont avec le cahier.
6. Leurs amis vont à la gare en moto.
7. Nos chaises sont derrière la porte.
8. Leurs bateaux à voiles sont à la plage.
9. Vos sœurs vont à l'église à pied.

Leçon 4, p. 57

2. Non, elle n'a pas dix-sept livres.
3. Non, il (*or:* Jean-Jacques) n'a pas cinq calendriers.
4. Non, vous n'avez pas (*or:* nous n'avons pas) huit fenêtres dans la salle de classe.
5. Non, elles n'ont pas quinze robes.
6. Non, nous n'avons pas (*or:* je n'ai pas) vingt crayons.
7. Non, elle (*or:* Mme Lebeau) n'a pas treize chapeaux.
8. Non, je n'ai pas quatorze cousins.
9. Non, ils n'ont pas neuf stylos.

Leçon 5, p. 69

2. Combien de livres et de cahiers est-ce qu'elle a?
3. De quelle couleur sont les chaussures?
4. Comment est-ce qu'ils vont à Cannes?
5. Qu'est-ce qui est en face de notre (*or:* votre) hôtel?
6. Qu'est-ce qui est à droite de l'opéra?
7. De quelle couleur est l'autobus?
8. Combien d'enfants est-ce qu'ils ont?
9. Comment est-ce que nous allons (*or:* vous allez) à l'aéroport?
10. Qu'est-ce qui est à gauche de l'église?

Leçon 5, p. 73

2. La banque est à gauche de la poste.
3. Je vais au bureau.
4. L'arbre est à côté du garage.
5. Les enfants vont aux lycées en autobus.
6. Nous allons au théâtre.
7. Sa villa est près du port.
8. Nous sommes loin de l'aéroport.
9. L'opéra est à droite des restaurants.
10. Le cinéma est en face des jardins.

Leçon 6, p. 87

1. Les Leclerc ont quatre enfants maintenant. Ils habitent toujours Montréal, où M. Leclerc travaille à l'hôpital.
2. L'après-midi les jeunes filles jouent au tennis. Le soir elles révisent leurs leçons pendant que tu regardes la télé.
3. Notre mère travaille à la banque et nos grands-parents restent à la maison avec nous. Le soir nous dînons chez nous ou au restaurant au coin de la rue.
4. Vous ouvrez la porte et Thomas entre dans la maison. Il porte son pull-over rouge et son jean. Il rentre du lycée.

Leçon 6, p. 93

2. Non, ils sont paresseux.
3. Non, elle est petite.
4. Non, elles sont généreuses.
5. Non, elles sont blanches.
6. Non, il est grand.

7. Non, elle est énergique.
8. Non, ils sont avares.
9. Non, il est noir.
10. Non, ils sont tristes.

Leçon 7, p. 105

A. 1. Il y a cinquante-deux semaines dans une année.
2. Il y a vingt-huit ou vingt-neuf jours dans le mois de février.
3. Il y a trente et un jours dans le mois de juillet.
4. Il y a quarante-huit heures dans deux jours.

B. 1. Quand il fait beau, nous ne finissons pas toujours nos devoirs.
2. Quelquefois les feuilles ne jaunissent pas en automne.
3. Je ne rougis pas souvent.
4. En été elle maigrit parce qu'elle joue au tennis.
5. En hiver tu grossis beaucoup parce que tu n'aimes pas aller dehors.
6. Quand il ne pleut pas, on ouvre les fenêtres.
7. Choisissez les affiches, mes enfants!

Leçon 7, p. 111

2. Vous avez une moto grise.
3. J'ai un frère paresseux.
4. Ils (*or:* Elles) ont des livres difficiles.
5. Tu n'as pas de maillot noir.
6. Ils (*or:* Elles) n'ont pas de cousins riches.
7. Nous avons une tante avare et un oncle généreux.
8. Elle a une jupe verte et une chemise blanche.

Leçon 8, p. 123

A. 1. En hiver, quand il fait froid, l'eau est froide aussi.
2. Pourquoi est-ce que tu as peur de l'eau?
3. Quand est-ce que vous faites des achats?
4. Quand ils ne révisent pas leurs leçons, ils font toujours des fautes.
5. En été, les nuits sont chaudes, mais il fait souvent du vent.
6. Quand il fait mauvais, Georges n'aime pas faire de l'auto-stop.

Answers to
Vérifiez vos progrès

B. 2. Oui, et le sable est beau aussi.
3. Oui, et le camion est laid aussi.
4. Oui, et ses tantes sont vieilles aussi.
5. Oui, et la mer est belle aussi.
6. Oui, et son jean est nouveau aussi.
7. Oui, et leurs voitures sont vieilles aussi.

Leçon 8, p. 128

1. Si, je fais la vaisselle après le dîner. *or:* Non, je ne fais pas la vaisselle après le dîner.
2. Oui, j'ai une moto. *or:* Non, je n'ai pas de moto.
3. Oui, je fais toujours mes devoirs. *or:* Non, je ne fais pas toujours mes devoirs.
4. Si, je révise mes leçons. *or:* Non, je ne révise pas mes leçons.

Leçon 9, p. 142

1. Pourquoi est-ce qu'il dort? Parce que les histoires sont trop longues.
2. Qu'est-ce qu'on sert? Il faut servir un dîner italien.
3. Pourquoi est-ce qu'elle maigrit? Parce qu'elle est trop grosse.
4. Qui part? Les auteurs célèbres.
5. Nous finissons une pièce allemande. J'aime mieux les pièces anglaises ou américaines.
6. Pourquoi est-ce que tu choisis toujours des rues étroites?
7. Quand est-ce que tu sors avec tes parents? Nous sortons samedi parce qu'on joue trois pièces canadiennes en ville. Les pièces sont presque inconnues, mais elles sont très bonnes.

Leçon 9, p. 147

PAPA	Qu'est-ce que tu vas faire?
MADELEINE	Je vais préparer le déjeuner. Mes amies vont arriver à 11 h. 30.
PAPA	Qu'est-ce que vous allez faire plus tard, toi et tes amies? Vous allez sortir?
MADELEINE	Non, nous n'allons pas sortir. Nous allons rester ici pour regarder un match

de basketball à la télé. Tu vas rester à la maison aussi, papa?

PAPA	Non, je vais sortir avec ta maman. Nous allons partir vers 1 h. 15.

Leçon 10, p. 159

2. Je vends ma jolie jupe norvégienne.
3. Une jeune dame grecque attend le même train.
4. Nous répondons à la petite fille aimable.
5. Elle commande une autre boisson froide.
6. Elles entendent une autre langue étrangère.

Leçon 10, p. 163

2. Samedi elles vont à ce marché.
3. Donnez ce journal à papa, s'il vous plaît.
4. Arnaud regarde cette étoile.
5. Son père joue quelquefois aux cartes avec ce monsieur.
6. Je n'aime pas cet hôtel.
7. Est-ce que vous entendez cet avion dans le ciel?
8. Il va perdre ce stylo.
9. Je ne révise pas cette histoire.
10. En automne il y a des feuilles jaunes sur cet arbre.

Leçon 11, p. 177

2. Mercredi, ils ont passé l'après-midi à la bibliothèque.
3. Hier soir, j'ai assisté au concert.
4. Le mois dernier, nous avons montré les photos à Andrée.
5. On a vite trouvé ces livres à la librairie au coin de la rue.
6. Tu as déjà compté jusqu'à soixante?
7. L'année dernière, maman n'a pas enseigné la chimie à l'université.
8. Ce matin, vous n'avez pas joué dehors?
(With the exception of vite *and* déjà, *all the adverbs of time could go at the beginning or end of the sentence.)*

Leçon 11, p. 181

2. Elle a déjà répondu aux étudiants.
3. Nous avons (*or:* J'ai) déjà maigri.
4. Elle (*or:* La serveuse) a déjà servi les gens à côté.

Answers to
Vérifiez vos progrès

5. Elles (*or:* Les feuilles) ont déjà jauni.
6. Il a déjà perdu sa route.
7. Ils ont déjà vendu leurs billets.
8. J'ai déjà choisi une de ces photos.

Leçon 12, p. 194

2. Ils ne comprennent pas cette dernière question.
3. Le vieil agriculteur ne vend pas ses cochons.
4. Nous ne prenons pas le premier avion.
5. Une bonne étudiante ne répond pas toujours aux mêmes questions.
6. Vous ne prenez pas le dernier autobus?
7. Ils n'apprennent pas ce beau poème par cœur.
8. Nous ne comprenons pas cette vieille histoire.
9. Cet enfant ne prend pas ce bel oiseau.
10. Tu ne prends pas cette nouvelle route pour aller au bureau?

Leçon 12, p. 200

2. N'a-t-il pas assisté à votre cours de sciences sociales?
3. Où ne veulent-ils pas aller pendant leurs vacances?
4. Qui ne travaille pas vite?
5. N'avez-vous pas entendu le nouveau disque?
6. Pourquoi est-ce que nous ne vendons pas la vieille voiture?
7. Est-ce que tu n'as pas réussi à trouver un bon cadeau?
8. Quel chapitre est-ce que tu ne comprends pas?
9. Qui est-ce que vous n'aimez pas?
10. Où ne peux-tu pas aller?

Leçon 13, p. 214

2. Nous croyons que ces nouvelles pharmaciennes sont passionnées par le travail.
3. Tu crois que les jeunes avocates font un stage.
4. Je vois de grands oiseaux dans le ciel.
5. Ils croient que ce sont de mauvaises infirmières.
6. Nous croyons qu'ils veulent être de bons marins.
7. Est-ce qu'on voit de jeunes hôtesses de l'air?
8. Il croit que ce sont de vieux hommes d'affaires.
9. Vous croyez qu'elles peuvent être de bonnes artistes.
10. Elles voient de gros hippopotames.

Leçon 13, p. 220

3. Il coûte soixante-dix-neuf francs. Je ne le veux pas.
4. Elle coûte mille quatre cents francs. Ils ne la veulent pas.
5. Il coûte deux cent quatre-vingt-quinze francs. Je ne vais pas le demander.
6. Elles coûtent quatre-vingt-dix-huit francs. Nous n'allons pas (*or:* Je ne vais pas) les prendre.
7. Elle coûte soixante et onze francs. On ne veut pas la voir.
8. Elles coûtent seize mille huit cent quatre-vingts francs. Nous ne les aimons pas (*or:* Je ne les aime pas).

Leçon 14, p. 235

2. Nous leur écrivons (*or:* Je leur écris) une longue lettre.
3. Vous leur empruntez (*or:* Nous leur empruntons) la voiture.
4. Ils lui offrent une cravate bleue.
5. Je lui montre une belle image.
6. Il leur donne des paquets.
7. Vous leur dites (*or:* Nous leur disons) quelques mots.
8. Je lui offre une jolie montre.
9. Elle lui emprunte plusieurs timbres.

Leçon 14, p. 239

1. Nous ne le voyons pas.
2. C'est un garçon aimable. Il veut te remercier.
3. Tu vas nous emprunter des gants et un parapluie?
4. Malheureusement il ne peut pas vous prêter cet argent.
5. Je lui offre un cadeau pour son anniversaire.
6. Pourquoi est-ce qu'il la laisse chez lui?
7. Qu'est-ce que vous leur dites?
8. Il a oublié ses gants. Il les cherche maintenant.
(*This was a very difficult exercise. If you got most of the sentences right—and understood why they were right and why the others would have been wrong—then you did very well. Be sure to check with your teacher if you have any questions.*)

Answers to
Vérifiez vos progrès

Leçon 15, p. 253

1. J'aime le pain, mais je n'aime pas les pommes de terre.
2. Je voudrais un croque-monsieur.
3. J'ai besoin d'œufs et de lait.
4. Je n'aime pas le gigot.
5. Pour commencer, je voudrais de la soupe à l'oignon.
6. Comme dessert, je voudrais des pâtisseries et comme boisson, de l'eau minérale.
7. Je ne voudrais pas de hors-d'œuvre.
8. Je voudrais du poisson, du riz et des petits pois.

Leçon 15, p. 257

3. Elles en cherchent.
4. J'en ai besoin.
5. Nous y allons.
6. Ils y attendent Jean.
7. Vous n'en mangez pas.
8. Nous y frappons.
9. On en veut.
10. Martine n'y danse pas.

Leçon 16, p. 269

2. J'ai mis mon chapeau gris et j'ai dit "au revoir."
3. Il a plu ce matin, mais Marie n'a pas porté son imperméable.
4. Qui a vu l'autre gant?
5. Tu n'as pas pu aller au marché cette semaine.
6. Nous avons fait nos devoirs et ensuite j'ai fait la vaisselle.
7. Elles n'ont pas offert beaucoup de cadeaux à leurs cousines.
8. Vous avez écrit des cartes postales?
9. Ils ont pris des croque-monsieur et des citrons pressés.

Leçon 16, p. 274

1. Oui, j'y ai réussi. *or:* Non, je n'y ai pas réussi.
2. Oui, je les ai faits hier soir. *or:* Non, je ne les ai pas faits hier soir.

3. Oui, je lui ai donné mes devoirs ce matin. *or:* Non, je ne lui ai pas donné mes devoirs ce matin.
4. Oui, je l'ai regardée hier. *or:* Non, je ne l'ai pas regardée hier.
5. Oui, je l'ai débarrassée après le dîner hier soir. *or:* Non, je ne l'ai pas débarrassée après le dîner hier soir.
6. Oui, j'en ai pris ce matin. *or:* Non, je n'en ai pas pris ce matin.
7. Oui, je l'ai comprise. *or:* Non, je ne l'ai pas comprise.
8. Oui, je les ai écrites. *or:* Non, je ne les ai pas écrites.

Leçon 17, p. 288

2. Ils sont sortis à 9 h., mais ils sont revenus une heure plus tard.
3. Napoléon est né en 1769; il est mort en 1821.
4. Les jeunes filles sont descendues à la plage et elles ont nagé jusqu'à 4 h.
5. Elle est restée en Chine et elle est devenue médecin.
6. Elles sont venues te voir parce que tu as voulu leur parler.
7. Edouard et Luc sont montés dans le train, mais le train n'est pas parti tout de suite.
8. Hélène est partie en vacances, mais nous sommes restés (*or:* restées) en ville.

Leçon 17, p. 292

3. On parle hollandais aux Pays-Bas. Vous venez des Pays-Bas.
4. On parle allemand en Allemagne. Elle vient d'Allemagne.
5. On parle norvégien en Norvège. Tu viens de Norvège.
6. On parle flamand en Belgique. Elles viennent de Belgique.
7. On parle danois au Danemark. Nous venons du Danemark.
8. On parle russe en Russie. Je viens de Russie.
9. On parle portugais au Portugal. Ils viennent du Portugal.
10. On parle japonais au Japon. Vous venez du Japon.
11. On parle grec en Grèce. Elle vient de Grèce.
12. On parle italien en Italie. Ils viennent d'Italie.

Leçon 18, p. 306

2. Non, ils n'en savent rien.
3. Non, elles n'ont reconnu personne.
4. Non, tu n'y vas plus.
5. Non, nous n'avons rien (*or:* je n'ai rien).
6. Non, nous ne savons plus (*or:* je ne sais plus) toutes les réponses.
7. Non, je ne connais personne à Montréal.
8. Non, je ne suis jamais sortie.
9. Non, je ne la ferme plus à clef.
10. Non, nous ne faisons jamais nos bagages (*or:* je ne fais jamais mes bagages).

Leçon 18, p. 311

2. Peu de gens!
3. Beaucoup d'hôtels!
4. Trop de fois!
5. Tant d'auteurs!
6. Beaucoup de matchs!
7. Assez de fruits!
8. Très peu d'immeubles!

Answers to Auto-Tests

Following each set of answers we point out where you can turn in the book if you
feel that you need further review. Always check with your teacher if you don't
fully understand an exercise or the structures involved.

Leçon 1, p. 11

A. 2. C'est le cahier.
3. C'est l'affiche.
4. C'est la porte.
5. C'est la gomme.
6. C'est le professeur.
(Did you remember that le professeur *can refer to a man
or a woman?)*

B. 2. Voilà la fenêtre.
3. Voici le livre.
4. Voici le papier.
5. Voilà la corbeille.
6. Voilà le professeur.
(If you need to review the gender of these nouns, see p. 5.)

C. 3. Comme ci, comme ça. Et toi?
4. Oui. Et vous?
5. Bien. Et toi?
6. Très bien, merci, madame. Et vous?
(To review these responses, see pp. 7 – 8.)

Leçon 2, p. 27

A. 2. Vous allez à la plage.
3. Nous allons à la gare.
4. Tu vas à la montagne.
5. Jean-Claude et Roger *(or:* Ils) vont à la poste.
6. Je vais à la maison.
(To review aller, *see p. 21.)*

B. 1. Où sont les drapeaux?
2. Où sont les hôpitaux?
3. Où sont les stylos?

4. Où sont les autobus?
5. Où sont les salles de classe?
6. Où sont les cartes?
(If you need to review these plural forms, see pp. 23 – 24.)

C. 2. C'est la banque de M. Lenoir et de Mme
Dupont.
3. C'est le calendrier d'Isabelle.
4. Ce sont les tables de Marie-Claire.
5. Ce sont les cahiers d'Olivier et d'Hélène.
6. Ce sont les villas de Mme Thomas, de Mlle
Monet et de M. Jeanson.
(Did you remember to repeat the de *with each person's
name? If not, see p. 25.)*

Leçon 3, p. 43.

A. 2. Lui, il est à l'école.
3. Vous, vous êtes *(or:* Nous, nous sommes) à
l'appartement.
4. Elles, elles sont à la plage.
5. Nous, nous sommes *(or:* Moi, je suis) à la
montagne.
6. Eux, ils sont à l'hôpital.
7. Elle, elle est à la maison.
(To review the pronouns, see p. 35; for the verb être,
see p. 36.)

B. 2. C'est sa jupe.
3. Ce sont ses bas.
4. Ce sont ses chaussures.
5. C'est son pull-over.
6. C'est son chapeau.
7. C'est sa chemise.
8. C'est son pantalon.
9. Ce sont ses chaussettes.
*(To review the vocabulary for clothing, see p. 33. Did
you remember that* sa, son, *and* ses *agree with the noun?
If not, see pp. 38 – 39.)*

C. 2. Oui, c'est mon frère, mais où est ma sœur?
   3. Oui, ce sont mes gommes, mais où est mon cahier?
   4. Oui, c'est ma robe, mais où sont mes chaussures?
   5. Oui, ce sont mes bandes, mais où est mon magnétophone?
   6. Oui, c'est mon oncle, mais où est ma tante?
   7. Oui, c'est mon chapeau, mais où est mon pull-over?
   8. Oui, c'est ma table, mais où sont mes chaises?
   9. Oui, c'est mon calendrier, mais où sont mes livres?
   10. Oui, ce sont mes nièces, mais où sont mes grands-parents?
(To review the possessive determiners, see pp. 38–39.)

Leçon 4, p. 59

A. 2. Nous allons à Cannes avec nos oncles.
   3. Vous avez votre robe.
   4. Tu vas à la gare avec ta voisine?
   5. Ils ont leur voiture.
   6. Nous sommes avec nos amies.
   7. Vous avez vos motos.
   8. Voilà leurs jardins.
(To review these possessive determiners, see p. 51.)

B. 1. Georges a trois sœurs, deux frères, dix cousins, treize cousines, quatre oncles et cinq tantes.
   2. Dans la salle de classe, nous avons dix-neuf élèves et vingt pupitres.
   3. Monsieur Dupont a seize crayons, huit stylos, trois gommes et onze cahiers sur son bureau.
(If you had difficulty spelling out the numbers, see p. 55.)

C. 2. Vous n'avez pas vos motos.
   3. Je ne vais pas à l'école à pied.
   4. Nous n'avons pas nos pull-overs.
   5. Tu ne vas pas à Nice en vélo.
   6. Ce ne sont pas mes cousines.
   7. Tu n'as pas ma voiture.
   8. Ils ne vont pas à Paris par le train.
   9. Elles n'ont pas leurs bateaux à voiles.
   10. Les feuilles ne sont pas sur l'herbe.
   11. Nous ne sommes pas en jean.
   12. Vous n'êtes pas en pantalon et en blouse.
(Did you place ne *before and* pas *after the verb to form the negative? If not, review p. 56. To review the forms of* aller, être, *or* avoir, *see pp. 21, 36, and 55.)*

Leçon 5, p. 75

A. 2. Combien de bateaux à voiles est-ce qu'il y a?
   3. De quelle couleur sont leurs chaussettes?
   4. Qui va au restaurant? Où est-ce que Thomas et Frédéric vont? Où vont Thomas et Frédéric?
   5. Qu'est-ce qui est en face du café? Où est le cinéma?
   6. Comment est-ce que vous allez à votre (*or:* nous allons à notre) villa? Qui va à votre (*or:* notre) villa par le train? Où est-ce que vous allez (*or:* nous allons) par le train?
   7. Qui est à l'aéroport? Où est Jean?
   8. Pourquoi est-ce qu'ils ne vont pas à la piscine? Qu'est-ce qu'ils n'ont pas?
(To review the interrogatives, see p. 66.)

B. 2. Mon pull-over est rouge.
   3. Ma moto est bleue.
   4. Mes chemises sont jaunes.
   5. Mes livres sont noirs.
   6. Mes voitures sont bleues.
(To review colors, see pp. 67–68.)

C. 3. Il va au café à côté du cinéma (avec son frère).
   4. Je vais à la plage près du port.
   5. Nous allons (*or:* Je vais) aux jardins en face du château.
   6. Les habits du garçon (*or:* Ses habits) sont sur la chaise à gauche de la table.
   7. Elles vont au restaurant en face du bureau.
   8. L'école est loin des hôtels.
   9. Ils vont à la banque à droite des usines.
   10. Leurs amis (*or:* Ils) vont aux musées près du parc.
(To review à *and* de + *definite determiner, see p. 71.)*

Leçon 6, p. 95

A. 2. Nous, nous regardons (*or:* Moi, je regarde) la télé.
   3. Vous, vous préparez (*or:* Nous, nous préparons) le goûter.
   4. Elles, elles travaillent au bureau.
   5. Nous, nous regardons (*or:* Moi, je regarde) le journal télévisé.

Answers to
Auto-Tests

6. Toi, tu aimes mieux rester ici.
7. Elle, elle demande son cahier à Claude.
8. Moi, je montre les images à Cécile.

(To review regular -er verbs, see pp. 84–85.)

B. 2. Je déjeune à midi.
3. Je joue au tennis à trois heures.
4. Je rentre du bureau à cinq heures.
5. Je dîne à six heures.

(To review telling time, see p. 92.)

C. 1. Martin va toujours au lycée à 8 h. du matin. Il est grand. Il porte son pantalon bleu, sa chemise blanche et son pull-over rouge. Ses chaussettes sont bleues aussi, mais ses chaussures sont noires.
2. Françoise n'est pas du tout paresseuse. Elle travaille à la banque. Aujourd'hui elle porte sa jupe verte, ses bas gris et sa blouse blanche. Ses chaussures sont grises et son chapeau est vert. Ses habits sont jolis, n'est-ce pas?

(To review adjectives, see pp. 67–68 and 90.)

Leçon 7, p. 113

A. 2. Il pleut.
3. Il gèle.
4. Il fait froid.
5. Il fait du vent.
6. Il fait du soleil.
7. Il neige.
8. Il fait frais.
9. Il fait mauvais.

(To review weather expressions, see p. 99.)

B. 1. quarante-six cinquante vingt et un
2. trente-trois zéro sept soixante-trois
3. quarante-huit onze cinquante-cinq
4. soixante-deux quarante-neuf dix-neuf
5. trente-deux trente vingt-sept
6. soixante-quatre zéro quatre quatorze

(To review the numbers 21–69, see p. 104; for the numbers 1–20, see p. 55.)

C. 2. Eux, ils maigrissent avant les vacances aussi.
3. Lui, il choisit toujours des chemises bleues aussi.

4. Nous, nous finissons nos (*or:* Moi, je finis mes) devoirs aussi.
5. Toi, tu grossis aussi.
6. Elles, elles rougissent quelquefois aussi.
7. Moi, je finis souvent mes devoirs avant neuf heures aussi.
8. Elle, elle choisit une robe rouge aussi.
9. Vous, vous finissez votre (*or:* Nous, nous finissons notre) déjeuner vers une heure aussi.

(To review these -ir/-iss- verbs, see p. 103.)

Leçon 8, p. 130

A. 3. Non, j'ai soif.
4. Si, elle a peur.
5. Non, nous avons faim.
6. Si, tu as raison.

(To review these expressions with avoir, see p. 117; if you need help answering negative questions, see p. 126.)

B. 2. La maison n'est pas nouvelle.
3. Les lacs ne sont pas beaux.
4. Ses nièces ne sont pas vieilles.
5. Les nuits ne sont pas chaudes.

(To review these irregular adjectives, see p. 122.)

C. 2. Vous faites (*or:* Nous faisons) du ski nautique près de la villa.
3. Tu fais (*or:* Vous faites) la vaisselle le matin.
4. Je fais un voyage au printemps.
5. Elle fait des achats lundi.

(To review the verb faire, see pp. 120–121.)

D. 2. Quarante moins onze font vingt-neuf.
3. Seize et dix-huit font trente-quatre.
4. Soixante-cinq moins quatorze font cinquante et un.

(To review the numbers, see pp. 55 and 104.)

Leçon 9, p. 149

A. 2. C'est une ville mexicaine. Il faut parler espagnol.
3. C'est une ville allemande. Il faut parler allemand.
4. C'est une ville américaine. Il faut parler anglais.
5. C'est une ville italienne. Il faut parler italien.
6. C'est une ville portugaise. Il faut parler portugais.

7. C'est une ville sénégalaise. Il faut parler français ou wolof.

(To review the adjectives of nationality and languages, see p. 135.)

B. 2. Il est large.
3. Elle est courte.
4. Elle est petite.
5. Il est long.
6. Ils sont inconnus.
7. Elles sont brunes.
8. Elle est bonne.
9. Elles sont maigres.

(To review these adjectives, see p. 140.)

C. 2. Les poètes partent à onze heures et demie.
3. Tu sers le dîner à sept heures et quart.
4. Nous finissons nos leçons vers dix heures moins le quart.
5. Vous dormez pendant le concert?
6. Je pars pour le marché à neuf heures moins vingt.
7. Nous sortons du grand magasin avant cinq heures vingt.
8. Elles dorment à la bibliothèque!
9. Est-ce qu'il part ou est-ce qu'il choisit un livre?

(To review simple -ir verbs, see p. 139. For -ir/-iss- verbs, see p. 103. To review expressions of time, see p. 146.)

D. 2. Les poètes vont partir à onze heures et demie.
3. Tu vas servir le dîner à sept heures et quart.
4. Nous allons finir nos leçons vers dix heures moins le quart.
5. Vous allez dormir pendant le concert?
6. Je vais partir pour le marché à neuf heures moins vingt.
7. Nous allons sortir du grand magasin avant cinq heures vingt.
8. Elles vont dormir à la bibliothèque!
9. Est-ce qu'il va partir ou est-ce qu'il va choisir un livre?

(To review the future formed with aller, see p. 145.)

Leçon 10, p. 165

A. 2. Je vends cette grande maison rouge.
3. Ce garçon et cette serveuse servent le déjeuner.
4. Ce professeur ne répond pas à cet élève.
5. Elles commandent ce bon citron pressé.
6. Tu attends cette amie à cet hôtel?
7. Nous ne répondons pas à cette porte après 7 h. 30.

8. Vous entendez ces langues étrangères souvent en ville?

(To review the regular -re verbs, see p. 157. For demonstrative determiners, see p. 162.)

B. 1. f; 2. e; 3. b; 4. c; 5. d; 6. a.

C. 2. C'est une grosse dame.
3. C'est une fille fatiguée.
4. C'est une boisson froide.
5. C'est une langue étrangère.
6. C'est une petite bibliothèque.
7. C'est une autre serveuse aimable.
8. C'est une jeune femme calée.

(To review these adjectives, see pp. 155–156 and 158.)

Leçon 11, p. 183

A. Check your answers with your teacher.

B. 3. Il veut offrir un cadeau à Guillaume aussi.
4. Je peux réussir à l'examen aussi.
5. Nous voudrions (*or:* Je voudrais) passer la matinée à la maison aussi.
6. Ils veulent aller à l'université aussi.
7. Elles peuvent assister au cours de chimie aussi.
8. Vous voulez (*or:* Nous voulons) poser une autre question aussi.
9. Nous voudrions (*or:* Je voudrais) faire des sciences sociales aussi.
10. Tu peux (*or:* Vous pouvez) sortir dimanche aussi.

(To review pouvoir and vouloir, see p. 173.)

C. 2. Hier nous avons attendu l'autobus jusqu'à 7 h. du soir.
3. Le professeur n'a pas répondu aux questions des étudiants.
4. Nous avons réussi à l'examen de biologie.
5. Tu as perdu l'argent au supermarché.
6. Sa sœur a choisi deux livres de poche dans la librairie.
7. Tu as raté l'examen parce que tu n'as pas révisé tes leçons.

(Did you remember the plural of livre de poche? To review the passé composé, see pp. 175 and 180.)

Leçon 12, p. 202

A. 2. C'est un dindon.
3. C'est une poule.
4. C'est une vache.
5. C'est un mouton.
6. C'est un chat.
7. C'est un canard.
8. C'est un cheval.
9. C'est un coq.
10. C'est un cochon.

(To review, see p. 189.)

B. 2. C'est notre bel ours russe.
3. C'est un petit tigre jaune et noir.
4. C'est notre première girafe maigre.
5. C'est un vieil éléphant paresseux.
6. C'est leur nouvel hippopotame noir.
7. C'est un petit singe méchant.
8. C'est une vieille souris grise.
9. C'est un bel oiseau bleu.

(To review the names of the animals, see p. 190. For the adjectives, see pp. 158 and 193.)

C. 2. Ces jeunes gens comprennent le flamand.
3. Nous apprenons l'espagnol.
4. Tu prends une bière.
5. L'agriculteur comprend les animaux.
6. Vous prenez quelque chose.
7. Ce petit enfant apprend à jouer aux cartes.
8. La concierge et son mari comprennent cet oiseau.

(To review these verbs, see p. 192.)

D. 3. Qu'est-ce qu'ils prennent?
4. Qu'est-ce que vous pouvez (*or:* nous pouvons) regarder?
5. Qu'est-ce que nous n'avons pas (*or:* je n'ai pas) étudié?
6. Qui est-ce qu'elle a cherché?
7. Qu'est-ce qu'ils vendent?
8. Qui est-ce qu'elle aime?

(To review, see pp. 197–198.)

E. 3. Quel avion prennent-ils?
4. Quels dessins animés pouvez-vous (*or:* pouvons-nous) regarder?
5. Quel chapitre n'avons-nous pas (*or:* est-ce que je n'ai pas) étudié?

6. Quel agent a-t-elle cherché?
7. Quelle villa vendent-ils?
8. Quelles vendeuses aime-t-elle?

(Did you remember to make the form of quel *agree with the noun? If you used* je *in your answer to #5, did you remember not to use inversion? To review, see p. 198.)*

Leçon 13, p. 222

A. 3. C'est une jeune dentiste.
4. Ce sont de grands marchés.
5. C'est un vieil artiste.
6. C'est une nouvelle avocate.
7. Ce sont de jeunes hôtesses de l'air.
8. Ce sont de vieilles employées (de bureau).
9. C'est une mauvaise pharmacie.
10. C'est un nouvel infirmier.
11. Ce sont de jeunes femmes d'affaires.
12. Ce sont de beaux soldats.

(To review the adjectives, see pp. 193 and 213.)

B. 3. Oui, elle l'habite.
4. Non, il ne va pas le faire à Clermont-Ferrand.
5. Non, je ne le rencontre pas devant la maison.
6. Oui, nous les voyons (*or:* je les vois).
7. Oui, ils vont les vendre.
8. Oui, je le vois.
9. Non, on ne le sert pas dans ce café.
10. Non, ils ne la croient pas.
11. Oui, il (*or:* l'agriculteur) va les chercher.
12. Non, nous ne les offrons pas (*or:* je ne les offre pas) à grand-maman.

(To review direct object pronouns, see pp. 216–217.)

Leçon 14, p. 241

A. 2. Il lui prête le mouchoir.
Il le prête à Denise.
3. Je lui montre les bagues.
Je les montre à Grégoire.
4. Nous lui empruntons (*or:* Je lui emprunte) la montre.
Nous l'empruntons (*or:* Je l'emprunte) à Marguerite.
5. Nous leur écrivons (*or:* Je leur écris) la carte postale.
Nous l'écrivons à nos (*or:* Je l'écris à mes) grands-parents.
6. Il faut leur emprunter les ceintures.
Il faut les emprunter à Roger et à Charles.

7. Ils (*or:* Mes parents) vont lui offrir le sac.
   Ils (*or:* Mes parents) vont l'offrir à grand-maman.
8. Ils veulent lui donner les gants.
   Ils veulent les donner à leur fille cadette.

(Did you remember to place the direct and indirect object pronouns before the infinitives in #6–8? To review these object pronouns, see pp. 216–217 and 233.)

B. 2. Non, nous ne vous montrons pas (*or:* Non, je ne vous montre pas) mon nouveau manteau.
3. Non, ils ne lui posent pas d'autres questions.
4. Non, je ne te vends pas ces timbres.
5. Non, elle ne leur parle pas maintenant.
6. Non, elles ne vont pas me lire sa lettre.
7. Non, elles ne me prêtent pas ce foulard aujourd'hui.
8. Non, je ne leur emprunte pas le parapluie.
9. Non, je ne veux pas vous faire une visite.
10. Non, il ne vous (*or:* t') offre pas ce beau collier.

(To review, see pp. 233 and 238.)

Leçon 15, p. 259

A. 2. Nous mangeons des sandwichs.
3. Nous prononçons ces phrases espagnoles.
4. Nous nageons avant le déjeuner.
5. Nous commençons la nouvelle leçon.
6. Nous dansons ce soir.
7. Nous plongeons dans le lac.
8. Nous remercions les employés de bureau.

(To review verbs whose infinitives end in -cer or -ger, see p. 249. Did you remember that danser *and* remercier *are regular* -er *verbs?)*

B. 2. Non, nous mangeons (*or:* je mange) du riz.
3. Non, il a besoin du beurre.
4. Non, nous voulons (*or:* je veux) des croque-monsieur.
5. Non, il y a de la soupe à l'oignon et des escargots.
6. Non, elles ont besoin d'œufs et de fromage.

(To review the partitive, see p. 250.)

C. 3. Non, elles n'en choisissent pas.
4. Non, on n'y va pas.
5. Non, il n'en sert pas.
6. Non, ils n'y vont pas.
7. Non, elles n'en vendent pas.
8. Non, il n'y rentre pas.

9. Non, elle n'y arrive pas.
10. Non, je n'en veux pas.

(To review y *and* en*, see pp. 255–256.)*

Leçon 16, p. 276

A. 2. Elles la mettent sur la cuisinière maintenant.
3. Nous le mettons maintenant.
4. Il le met dans le réfrigérateur maintenant.
5. Ils les mettent dans la salle à manger maintenant.
6. Elle le met maintenant.
7. Je le mets dans le garage maintenant.

(To review mettre*, see p. 266.)*

B. 2. Non, il ne les a pas oubliés.
3. Non, ils ne les ont pas cassés.
4. Non, je ne les ai pas ouvertes.
5. Non, nous ne les avons pas (*or:* je ne les ai pas) vues.
6. Non, vous ne l'avez pas (*or:* nous ne l'avons pas) compris.
7. Non, elles (*or:* les ménagères) ne les ont pas crus.
8. Non, il ne l'a pas remerciée.
9. Non, elles ne les ont pas faites.

(To review the irregular past participles, see pp. 267–268. To review agreement, see pp. 272–273.)

C. 3. Il t'a téléphoné.
4. Elles m'ont répondu.
5. Je vous ai vues.
6. Il m'a écrit.
7. Je t'ai choisie.
8. Elle nous a rencontrées.

(Note that the question à qui? *indicates an* indirect object. Past participles agree only with *direct* object pronouns. To review, see p. 272.)*

D. 2. Oui, elles les ont pris en ville.
   Oui, elles y ont pris leurs repas.
3. Oui, nous l'avons dit aux soldats.
   Oui, nous leur avons dit "bon courage."
4. Oui, tu les as montrées à cette jeune femme.
   Oui, tu lui as montré la nappe et les serviettes.
5. Oui, je l'ai offerte à mon frère.
   Oui, je lui ai offert cette nouvelle veste.

6. Oui, il en a mis dans l'évier.
   Oui, il y a mis des cuillères.
7. Oui, ils les ont prêtés à leurs neveux.
   Oui, ils leur ont prêté l'électrophone et la radio.

(To review, see p. 272.)

Leçon 17, p. 294

A. 2. Je deviens dentiste aussi.
   3. Elles viennent toujours de bonne heure aussi.
   4. Il revient demain soir aussi.
   5. Nous devenons professeurs *(or:* Je deviens professeur) aussi.
   6. Elle vient du Mali aussi.
   7. Nous venons *(or:* Je viens) de finir cette leçon aussi.

(To review venir, *see pp. 284–285.)*

B. 2. Elle est rentrée en France et elle a cherché un appartement.
   3. Nous avons travaillé à l'hôpital mais nous ne sommes pas devenus infirmiers.
   4. Elles sont allées en Suisse où elles ont vu les belles montagnes.
   5. Ils ont fait un voyage mais ils n'ont pas pris le train.
   6. Ils sont descendus de l'avion et ils ont téléphoné à leurs parents.
   7. J'ai attendu l'autobus et il n'est pas arrivé.
   8. Elle a passé quinze jours en Chine et puis elle est rentrée au Canada.
   9. Ils ont visité la Belgique, la France et l'Allemagne, mais ils ne sont pas allés en Autriche.

10. Elle a perdu son portefeuille et elle est retournée au cinéma pour le chercher.
11. Quand ils ont entendu ma réponse ils sont partis tout de suite.

(To review the passé composé formed with être, *see pp. 286–287.)*

Leçon 18, p. 313

A. 2. Ils savent que nous partons vers minuit.
   3. Est-ce que vous connaissez vos voisins?
   4. Il connaît tous ces jeunes gens.
   5. Je n'en sais rien.
   6. Nous ne connaissons pas le médecin.
   7. Tu connais la Chine ou le Japon?
   8. Nous savons que vous êtes pressés, messieurs.
   9. Vous savez jouer de la guitare?

(To review connaître *and* savoir, *see p. 302.)*

B. 3. Ils n'ont rien dit.
   4. Je n'ai apporté que ce livre de poche.
   5. Elle n'est jamais allée à l'aéroport.
   6. Elles n'en parlent plus.
   7. Je n'ai besoin de rien.
   8. Il n'y a rien au milieu de la route.

(To review the negative expressions, see p. 304.)

C. 2. Il n'y a pas beaucoup de touristes.
   3. Nous avons reconnu peu de gens.
   4. Je n'ai plus besoin de tant de bagages.
   5. Elles ne vous donnent jamais assez de renseignements.
   6. Tu as tant de mouchoirs blancs.
   7. Il y a trop de nouveaux immeubles en ville.

(To review the expressions of quantity, see p. 310.)

Vocabulaire Français-Anglais

The *Vocabulaire français-anglais* contains all active vocabulary from the text. In addition, passive vocabulary from the *Conversation et Lecture* sections, the *poèmes,* and the *proverbes* is included.

A dash (—) in a subentry represents the word at the beginning of the main entry; for example, faire des —s following l'achat means faire des achats.

The number following each entry indicates the lesson in which the word or phrase is first introduced. Two numbers indicate that it is introduced in one lesson and elaborated upon in a later lesson.

Passive vocabulary—those words not introduced in the *Mots Nouveaux* sections or a *vocabulaire*—is indicated by the letter P preceding the lesson number. Two numbers indicate that the word is introduced passively in one lesson and made active in a later lesson.

Adjectives are shown in the masculine singular form followed by the appropriate feminine ending.

à to (2); at, in (3); on (4)
abord: d'— first (9)
acadien, -ienne Acadian (P18)
l'accent *m.* accent mark (P2)
    l'— aigu acute accent (´) (P2)
    l'— circonflexe circumflex accent (ˆ) (P2)
    l'— grave grave accent (`) (P2)
accompagner to accompany, to go with (14)
accord: d'— okay (3)
l'achat: faire des —s to shop, to go shopping (8)
acheter to buy (P18)
l'acteur *m.* actor (13)
l'actrice *f.* actress (13)
l'addition *f.* check, bill (P10; 15)
l'adresse *f.* address (P14)
l'adulte *m.&f.* adult (P12)
l'aéroport *m.* airport (5)

les affaires *f.pl.:*
    la femme d'— *f.* businesswoman (13)
    l'homme d'— *m.* businessman (13)
l'affiche *f.* poster (1)
affreux, -euse terrible, awful (18)
l'Afrique *f.* Africa (17)
l'âge *m.* age (12)
    quel — avez-vous? how old are you? (12)
l'agent *m.* policeman (5)
agréable pleasant (P15)
l'agriculteur *m.* farmer (12)
aigu: l'accent — acute accent (´)(P2)
l'ail *m.* garlic (16)
aimable nice, kind (10)
aimer to like, to love (6)
    — mieux to prefer (6)
aîné, -e older (P6;12)
l'air: l'hôtesse de l'— *f.* stewardess (13)

l'algèbre *f.* algebra (11)
l'Allemagne *f.* Germany (17)
allemand, -e German (9)
l'allemand *m.* German *(language)* (9)
aller to go (2)
    allons-y! let's get going! (4)
allô hello *(on telephone)* (9)
allumer to light (P16)
alors so, in that case, then (P1;3)
l'alpinisme *m.:* faire de l'— to go mountain-climbing (8)
américain, -e American (2;9)
    le football — football (P5; 6)

l'Amérique *f.* America (17)

   l' — centrale Central America (17)

   l' — du Nord (Sud) North (South) America (17)

l'ami *m.,* l'amie *f.* friend (2)

l'amour *m.* love (P17)

amusant, -e fun (P8)

l'an *m.:* avoir . . . ans to be . . . years old (12)

l'ancêtre *m.* ancestor (P18)

anglais, -e English (9)

l'anglais *m.* English (*language*) (9)

l'Angleterre *f.* England (17)

l'animal, *pl.* les animaux *m.* animal (12)

animé: le dessin — movie cartoon (6)

l'année *f.* year (7)

   l' — scolaire school year (P18)

l'anniversaire *m.* birthday (P10;14)

   bon —! happy birthday! (14)

annoncer to announce (15)

l'anorak *m.* ski jacket (8)

les Antilles *f.pl.* Antilles (P18)

août *m.* August (7)

l'appartement *m.* apartment (2)

appeler to call (P13)

   je m'appelle my name is (1)

   il s'appelle his name is (P5)

l'appétit *m.:* bon — enjoy your meal (P15)

apporter to bring (6)

apprendre to learn (12)

   — à + *verb* to learn how (12)

   — par cœur to memorize, to learn by heart (12)

appris *past participle of* apprendre (16)

après after, afterward (P5;7)

   d' — according to (P7)

l'après-midi *m.* afternoon, in the afternoon (6)

   de l' — P.M. (6)

l'arbre *m.* tree (4)

l'argent *m.* money (P3;10)

arrêter to stop (P7); to arrest (P11)

arriver to arrive (P3;6); to happen (P16)

l'artiste *m.&f.* artist (P4;13)

l'Asie *f.* Asia (17)

assez (de) enough (16;18)

   — + *adj.* quite, pretty, rather + *adj.* (12)

l'assiette *f.* plate (16)

assister à to attend (11)

Athènes Athens (10)

l'Atlantique *f.* Atlantic Ocean (17)

l'attaché *m.* attaché (P14)

attendre to wait, to wait for (10)

attention: faire — (à) to watch out (for) (P16)

au (à + le) (5)

au-dessous de below (12)

au-dessus de above (12)

aujourd'hui today (P3;7)

   c'est — today is (P6;7)

au revoir good-by (1)

aussi also, too (P2;4)

l'Australie *f.* Australia (17)

l'auteur *m.* author (9)

l'autobus *m.* bus (2)

l'automne *m.* autumn, fall (7)

l'auto-stop *m.:* faire de l' — to hitchhike (8)

l'auto-test *m.* self-test (P1)

autre other (10)

l'Autriche *f.* Austria (17)

aux (à + les) (5)

avant before (7)

avare stingy, greedy (6)

avec with (3)

l'aventure *f.* adventure (P9)

l'avion *m.* airplane (4)

l'avocat *m.,* l'avocate *f.* lawyer (13)

avoir to have (4)

   See also âge, an, besoin,

chance, chaud, faim, froid, mal, mine, peur, raison, soif, sommeil, tort

avril *m.* April (7)

les bagages *m. pl.* luggage, baggage (18)

   faire ses — to pack one's bags (18)

la bague ring (14)

le bal masqué costume party (P4)

la bande tape (2)

la banque bank (2)

la barbe beard (P4)

le bas stocking (3)

le basketball basketball (9)

le bateau, *pl.* les bateaux boat (4)

   le — à voiles sailboat (4)

battre: — le briquet to light a fire (P17)

beau (bel), belle handsome, beautiful (8;12)

   il fait beau it's nice out (7)

beaucoup very much, a lot (5)

   — de much, many, a lot of (P7;16;18)

   — de monde a lot of people (14)

bel *see* beau

belge Belgian (10)

la Belgique Belgium (P14;17)

belle *see* beau

le béret beret (P4)

le besoin: avoir — de to need (14)

bête dumb, stupid (10)

le beurre butter (15)

la bibliothèque library (9)

bien well (1); good (P1)

   — sûr of course, certainly (9)

   ça va — things are fine (1)

bientôt soon (12)

   à — see you later (P2)

la bière beer (10)

le bifteck steak (15)
le billet ticket (P9;10)
la biologie biology (11)
bizarre strange (P4)
blanc, blanche white (6)
bleu, -e blue (5)
blond, -e blond (9)
la blouse blouse (3)
bof! aw! (7)
la boisson drink, beverage (10)
boire: il a bu he drank (P16)
la boîte box (18)
le bol bowl (16)
bon, bonne good (9)
avoir bonne mine to look
well (16)
bon anniversaire! happy
birthday! (14)
bon appétit enjoy your
meal (P15)
de bonne heure early (17)
bonjour hello (1)
le bord: au — de by (12)
bouger to move (P17)
la bouillabaisse bouillabaisse,
fish stew (16)
les boules f.pl. lawn bowling
(P13)
bouleversé, -e upset (P14)
la bouteille bottle (P15)
la boutique shop, boutique
(13)
le bracelet bracelet (14)
le briquet: battre le — to
light a fire (P17)
le bruit noise (18)
brun, -e brown, brunette (9)
Bruxelles Brussels (10)
bu see boire
le buffet buffet, sideboard (P16)
le bureau, pl. les bureaux desk
(2); office (5)
l'employé m. l'employée f.
de — office clerk (13)

ça that (1)
— va? how are things? (1)
— va bien things are fine
(1)

comme ci, comme ça so-
so (1)
cacher to hide (16)
le cadeau, pl. les cadeaux gift,
present (P10;11)
cadet, -ette younger (12)
le café café (5); coffee (10)
le — au lait café au lait
(16)
le — crème coffee with
cream (P10)
la terrasse d'un — side-
walk café (10)
le cahier notebook (1)
le caissier, la caissière cashier
(P14)
calé, -e smart (10)
le calendrier calendar (2)
le camion truck (4)
la campagne country, country-
side (2)
le camping: faire du — to go
camping, to camp out
(17)
le Canada Canada (17)
canadien, -ienne Canadian
(2;9)
le canard duck (12)
il fait un froid de — it's
freezing cold (P7)
la cantine lunchroom (P5)
la capitale capital (city) (P17)
car because (P17)
le caramel: la crème — caramel custard (15)
la caravane van, camper (17)
le carburateur carburetor (P17)
la carte map (2); card (6)
la — d'étudiant student
I.D. (P11)
la — postale post card
(P6;14)
la — routière road map
(P18)
casser to break (16)
ce (cet), cette this, that (P9;
10)
ce qu'il y a what's wrong
(P17)
ce sont these are, those
are, they are (2)

c'est this is, that is, it is (1)
c'est-à-dire that's to say
(P18)
la cédille cedilla (ç) (P2)
la ceinture belt (14)
célèbre famous (9)
le cendre ash (P16)
le cendrier ashtray (P16)
cent hundred (13)
central, -e: l'Amérique — e f.
Central America (17)
cependant however (18)
certainement definitely (P14)
ces these, those (10)
cet, cette see ce
la chaise chair (2)
le châlet chalet (P8)
la chance: avoir de la — to be
lucky (14)
la chandelle candle (P17)
la chanson song (14)
chanter to sing (14)
le chapeau, pl. les chapeaux
hat (3)
le chapitre chapter (11)
chaque each, every (14)
la chasse hunt (P10)
chasser to expel (P18)
le chat cat (P9;12)
le château, pl. les châteaux
château, castle (5)
chaud, -e warm, hot (8)
avoir — to be warm (hot)
(8)
il fait — it's warm (hot)
out (7)
la chaussette sock (3)
la chaussure shoe (3)
la chemise shirt (3)
cher, chère expensive (11);
dear (P18)
coûter cher to be expen-
sive (10)
chercher to look for (11)
le chercheur d'or gold digger
(P3)

le cheval, *pl.* les chevaux horse (12)

chez to (at) someone's house or business (P1;2)

chic! neat! great! (7)

le chien dog (12)

la chimie chemistry (11)

la Chine China (17)

chinois, -e Chinese (9)

le chinois Chinese (*language*) (9)

le chocolat: la mousse au — chocolate mousse (15)

choisir to choose (7)

le choix choice (9)

la chose: quelque — something (12)

chouette! great! neat! (4)

chut! hush! (15)

ci: comme ci, comme ça so-so (1)

le ciel sky, heaven (8)

le cinéma movies; movie theater (5)

cinq five (4)

cinquante fifty (7)

cinquième fifth (P5)

circonflexe: l'accent — circumflex accent (î) (P2)

la circulation traffic (18)

le citron pressé lemonade, citron pressé (10)

clair: au — de (la) lune in the moonlight (P17)

la clarinette clarinet (P14)

la classe class (1)

la salle de — classroom (1)

la clef key (18)

fermer à — to lock (18)

le climat climate (P7)

le Coca Coke (10)

le cochon pig (12)

le cœur: apprendre par — to memorize, to learn by heart (12)

le coin corner (5)

au — (de la rue) on the corner (5)

le collier necklace (14)

collectionner to collect (P14)

la colonie colony (P18)

combien (de) how much? how many? (5)

— font? how much is? (*in math*) (8)

commander to order (10)

comme like, as; for (P4;13)

— ci, — ça so-so (1)

le commencement beginning (18)

commencer to begin, to start (15)

comment how (5)

le complet suit (14)

comprendre to understand (12)

compris *past participle of* comprendre (16)

le service est — the tip is included (15)

compter to count (11)

le concert concert (9)

concierge *m.&f.* concierge, janitor (12)

le concours contest (P8)

le — d'entrée entrance exam (P13)

la conférence conference (P14)

la confiture jam (15)

la connaissance knowledge (P14)

connaître to know, to be acquainted with (P8;18)

connu *past participle of* connaître (18)

le continent continent (17)

la conversation conversation (P4)

le copain, la copine friend (4)

Copenhague Copenhagen (10)

le coq rooster (12)

le — au vin chicken cooked in wine, coq au vin (15)

la corbeille wastebasket (1)

la corde: il pleut des —s it's pouring rain (P7)

correct, -e correct (11)

le correspondant, la correspondante pen pal (P14)

la Côte d'Azur the Riviera (5)

le côté:
à — next door (P5); nearby (10)

à — de next to, beside (5)

la couleur color (5)

de quelle —? what color? (5)

le coup: tout à — suddenly (12)

le couple couple (P15)

le courage: bon —! good luck! (P9;14)

courageux, -euse brave (P11)

le cours class, course (11)

au — de in the course of (P14)

court, -e short (9)

le cousin, la cousine cousin (3)

le couteau, *pl.* les couteaux knife (16)

coûter to cost (10)

— cher to be expensive (10)

— peu to be inexpensive (10)

la couturière seamstress (P17)

le couvert: mettre le — to set the table (16)

la craie chalk (2)

la cravate necktie (14)

le crayon pencil (1)

la crème cream (15)

la — caramel caramel custard (15)

crier to shout (P5)

croire to believe, to think (13)

le croque-monsieur grilled ham and cheese, croque-monsieur (15)

cru *past participle of* croire (16)

la cuillère spoon (16)

la cuisine kitchen (16)

faire la — to cook, to do the cooking (16)

la haute — gourmet cooking (P15)

la cuisinière stove (16)

la dactylo typist (P14)
la dame lady (10)
le Danemark Denmark (17)
danois, -e Danish (10)
le danois Danish (*language*) (10)
dans in, into (P1;4)
la danse dance (14)
danser to dance (14)
la date date (7)
de of (2); from (6); about (14); some, any (7;15)
débarrasser to clear (16)
décembre *m.* December (7)
décrire to describe (P4)
le déguisement costume (P4)
dehors outside, outdoors (7)
déjà already (11)
déjeuner to have breakfast or lunch (6)
le déjeuner lunch (6)
le petit — breakfast (6)
demain tomorrow (9)
demander to ask, to ask for (6)
— à to ask (*someone*), to ask (*someone*) for (6)
demie: *time* + et demie half past (9)
la demoiselle young lady (15)
dentiste *m.&f.* dentist (13)
le département department (P13)
le — d'outre-mer overseas department (P17)
dernier, -ière last (11)
derrière behind (4)
des (de + les) (5)
descendre to come down, to go down (P13;17)
— de to come down from, to get off (17)
désert, -e deserted (P17)
le dessert dessert (15)
le dessin animé movie cartoon (6)
dessous *see* au-dessous de
dessus *see* au-dessus de

deux two (4)
tous (toutes) les — both (P15)
la deux-chevaux Citroën 2-CV car (17)
deuxième second (P2)
devant in front of (4)
devenir to become (P13;17)
devenu *past participle of* devenir (17)
les devoirs *m.pl.* homework (6)
le dictionnaire dictionary (P14)
Dieu God (P17)
difficile difficult, hard (5)
dimanche *m.* Sunday (7)
le dindon turkey (12)
dîner to dine, to have dinner (6)
le dîner dinner (6)
le diplomate diplomat (P14)
dire (à) to say (to), to tell (14)
c'est-à-— that's to say (P18)
dis! say! (P5)
vouloir — to mean (11)
le discours speech (P14)
la discussion discussion (P9)
le disque record (6)
dit *past participle of* dire (16)
dix ten (4)
dix-huit eighteen (4)
dix-huitième eighteenth (P18)
dixième tenth (P10)
dix-neuf nineteen (4)
dix-sept seventeen (4)
dix-septième seventeenth (P17)
le documentaire documentary (6)
le dommage: c'est — too bad (P3)
donc! *emphatic exclamation* (14)
donner (à) to give (to) (6)
dormir to sleep (9)
doucement! hold it! (P8)
douze twelve (4)
douzième twelfth (P12)
le dragon dragon (8)

le drapeau, *pl.* les drapeaux flag (2)
droite: à — (de) to the right (of) (5)
drôle funny (P4)
du (de + le) (5)

l'eau, *pl.* les eaux *f.* water (8)
l'— minérale mineral water (15)
les échecs *m.pl.* chess (6)
l'école *f.* school (2)
écouter to listen (to) (6)
l'écran *m.* screen (P9)
écrire to write (P12;14)
écrit *past participle of* écrire (P12;16)
l'écriture *f.* writing (P13)
l'écrivain *m.* writer (P12)
l'effet *m.:* en — indeed, you bet (18)
l'église *f.* church (2)
l'électrophone *m.* record player (14)
l'électricité *f.* electricity (P17)
l'éléphant *m.* elephant (12)
l'élève *m.&f.* pupil, student (1)
elle she, it (2); her (3)
elles *f.pl.* they (2); them (3)
embêtant, -e annoying (18)
embrasser to kiss (P18)
l'emploi *m.* job (13)
l'employé *m.,* l'employée *f.* employee, clerk (13)
l'— de bureau office clerk (13)
les empreintes digitales *f.pl.* fingerprints (P11)
emprunter (à) to borrow (from) (14)
en in (3;7); to (9); some, any (15)
— + *clothing* in (3)
— + *vehicles* by (4)
— retard late (17)

encore again (P1)

énergique energetic, lively (6)

l'enfant *m.&f.* child (3)

enfantin, -e children's (P8)

enfin finally, at last (12)

ennuyeux, -euse boring, dull (14)

enseigner to teach (11)

ensemble together (P5)

ensuite next, then (15)

entendre to hear (10)

l'entracte *m.* intermission (P9)

entrer (dans) to enter, to go in, to come in (6)

l'entrée *f.:* le concours d' — entrance exam (P13)

l'enveloppe *f.* envelope (14)

épicé, -e spicy (P18)

l'épouvante *f.* horror (P9)

l'équipe *f.* team (P8)

l'escale *f.* stop (P18)

l'escalope de veau *f.* veal cutlet (P15)

l'escargot *m.* snail (15)

l'Espagne *f.* Spain (17)

espagnol, -e Spanish (9)

l'espagnol *m.* Spanish *(language)* (9)

l'Esquimau, *pl.* les Esquimaux Eskimo (P6)

l'esquimau, *pl.* les esquimaux *m.* ice cream bar (P9; 10)

l'est *m.* east (17)

est-ce que *introduces a question* (P2;5)

qu'— what? (6)

qui — whom? (12)

et and (1)

l'étage *m.* story *(of a building)* (P18)

les Etats-Unis *m.pl.* United States (17)

été *past participle of* être (16)

l'été *m.* summer (7)

l'étoile *f.* star (8)

étranger, -ère foreign (10)

être to be (3)

nous sommes lundi, etc. it's Monday, etc. (7)

étroit, -e narrow (9)

l'étude *f.* study (P14)

les —s supérieures advanced studies (P13)

l'étudiant *m.,* l'étudiante *f.* student (11)

la carte d' — student I.D. (P11)

étudier to study (6)

eu *past participle of* avoir (16)

euh er, uh (6)

l'Europe *f.* Europe (17)

eux *m.pl.* they, them (3)

l'évier *m.* sink (16)

exactement exactly (P17)

l'examen *m.* exam, test (11)

passer un — to take a test (11)

rater un — to fail a test (11)

réussir à un — to pass a test (11)

excellent, -e excellent (15)

l'exemple *m.:* par — for example (11)

l'exercice *m.* exercise (P1)

l'excursion *f.* trip (P18)

l' — en traîneau sleigh ride (P8)

les explications *f.pl.* explanations (P1)

l'expédition *f.:* la feuille d' — packing list (P14)

la face:

(d')en — across the street (P10)

en — de opposite, across from (5)

facile easy (5)

le facteur postman (P6;13)

la faim: avoir — to be hungry (8)

faire to do, to make (6;8)

— attention (à) to watch out (for) (P16)

— de + *school subjects* to take (11)

— le service de to work the route of (P18)

— peur à to frighten, to scare (12)

il se fait tard it's getting late (P8)

See also achat, alpinisme, auto-stop, bagages, beau, camping, chaud, combien, cuisine, frais, froid, jour, matinée, mauvais, ménage, nuit, progrès, ski, soleil, stage, valise, vent, visite, voyage

fait *past participle of* faire (16)

falloir to be necessary, to have to, must (9)

la famille family (3)

fana *m.&f.* fan (P5)

fatigué, -e tired (P5;10)

il faut *see* falloir

la faute mistake (8)

félicitations! congratulations! (14)

la femme woman (10); wife (12)

la — d'affaires businesswoman (13)

la fenêtre window (1)

la ferme farm (12)

fermer to close (6); to turn off (P7)

— à clef to lock (18)

le festival festival (P5)

la fête party, celebration (14)

la Fête des Mères (des Pères) Mother's (Father's) Day (11)

la — foraine traveling carnival (P7)

le feu fire (P17)

la feuille leaf (4)

la — d'expédition packing list (P14)

février *m.* February (7)

fiancé, -e engaged (12)

le fiancé, la fiancée fiancé, fiancée (12)
la fille daughter (3); girl (10)
la jeune — girl (3)
le film movie, film (6)
le — policier detective
film (6)
le grand — main feature
(P9)
le fils son (3)
la fin end (18)
finir to finish (7)
flamand, -e Flemish (10)
le flamand Flemish (language)
(10)
la fleur flower (4)
le fleuve river (8)
la flûte flute (P14)
fois times (in math) (13)
la fois time (18)
deux — twice (18)
quelque— sometimes (7)
une — once (18)
le football soccer (P5;6)
le — américain football
(P5;6)
foraine: la fête — traveling
carnival (P7)
fort, -e: — en + school subjects
good in (11)
fou, folle crazy (P8)
le foulard scarf (P4;14)
la fourchette fork (16)
frais: il fait — it's cool out
(7)
le franc franc (10)
français, -e French (2;9)
le français French (language) (9)
la France France (17)
francophone French-speaking
(P18)
frapper (à) to knock (on) (12)
le frère brother (3)
frites: les pommes — f.pl.
French fries (15)
froid, -e cold (8)
avoir — to be cold (8)
il fait — it's cold out (7)
il fait un — de canard it's
freezing cold (P7)

le fromage cheese (15)
les fruits m.pl. fruit (15)
la fumée smoke (P16)

le gâchis mess (16)
gagner to win (P8)
le gangster gangster (P11)
le gant glove (14)
le garage garage (4)
le garagiste garage mechanic
(P17)
le garçon boy (3); waiter (10)
la gare railroad station (2)
gauche: à — (de) to the left
(of) (5)
geler to freeze (9)
il gèle it's freezing (7)
généreux, -euse generous (6)
les gens m.pl. people (10)
la géographie geography (11)
la géométrie geometry (11)
le gérant, la gérante manager
(P11)
le geste gesture (11)
le gigot leg of lamb (15)
la girafe giraffe (12)
la glace ice (7); ice cream (10)
le golfe du Mexique Gulf of
Mexico (P17)
la gomme eraser (1)
le goûter afternoon snack (6)
grand, -e big, large (6)
le — film main feature
(P9)
le — magasin department
store (9)
la grand-mère grandmother (3)
le grand-père grandfather (3)
les grands-parents m.pl. grandparents (3)
grasse: faire la — matinée
to sleep late (11)
grave serious (P17)
l'accent — grave accent (`)
(P2)
grec, grecque Greek (10)
le grec Greek (language) (10)

la Grèce Greece (17)
la grenadine grenadine (10)
la grenouille frog (P9)
gris, -e gray (6)
gros, grosse fat, large (9)
grossir to gain weight, to get
fat (7)
la Guadeloupe Guadeloupe
(P13)
le Guignol Guignol, Punch and
Judy (4)
la guitare guitar (14)
le gymnase gymnasium (9)

habiter to live, to live in (6)
les habits m.pl. clothes (3)
habitude: d' — usually (P10;
18)
l'habitué m., l'habituée f. regular customer (P10)
Haïti Haiti (17)
les*haricots verts m.pl. green
beans (15)
le*hautbois oboe (P14)
hein eh, huh (P3;15)
l'herbe f. grass (4)
l'heure f. hour, o'clock (6)
à l'— on time (17)
à quelle —? what time? at
what time? (6)
à une (deux) —(s) at 1:00
(2:00) (6)
de bonne — early (17)
quelle — est-il? what time
is it? (6)
heureux, -euse happy (6)
hier yesterday (11)
— soir last night, last evening (11)
l'hippopotame m. hippopotamus (12)
l'histoire f. story (9); history
(11)
l'hiver m. winter (7)

*Words marked by an asterisk begin with aspirate *h*, so there is no liaison or elision.

le*hockey hockey (9)
*hollandais, -e Dutch (10)
le*hollandais Dutch (language)
(10)
l'homme m. man (10)
l'— d'affaires businessman
(13)
l'hôpital, pl. les hôpitaux m.
hospital (2)
l'horaire m. timetable (18)
les*hors-d'œuvre m.pl. appetizer,
hors d'œuvres (15)
l'hôtesse de l'air f. stewardess
(13)
l'hôtel m. hotel (2)
l'huile f. oil (16)
huit eight (4)
— jours a week (17)
huitième eighth (P8)
l'huître f. oyster (15)

ici here (5); this is (on telephone) (9)
l'idée f. idea (P7)
il he, it (2)
il y a there is, there are (P4;
5)
ce qu'— what's wrong (P17)
— + time ago (17)
l'île f. island (P)
ils m.pl. they (2)
l'image f. picture (2)
l'immeuble m. apartment building (18)
l'imperméable m. raincoat (14)
l'importance f. importance
(P14)
important, -e important (P14)
impossible impossible (5)
inconnu, -e unknown (9)
l'inconnu m., l'inconnue f.
stranger (12)
l'infirmier m., l'infirmière f.
nurse (13)
l'ingénieur m. engineer (13)

l'— agronome agricultural
engineer (P13)
inquiet, -iète worried (10)
l'inspecteur m. inspector (P11)
s'installer to sit down (P10)
intelligent, -e intelligent
(P12)
intéressant, -e interesting
(14)
l'intérieur m.: à l'— inside, indoors (7)
international, -e; pl. inter-
nationaux, -nales in-
ternational (P14)
l'interprète m.&f. interpreter
(P14)
inviter to invite (14)
l'Italie f. Italy (17)
italien, -ienne Italian (9)
l'italien m. Italian (language)
(9)

jamais ever (P17)
ne . . . — never (18)
le jambon ham (P10;15)
le sandwich au — ham
sandwich (P10)
janvier m. January (7)
le Japon Japan (17)
japonais, -e Japanese (9)
le japonais Japanese (language)
(9)
le jardin garden (4)
jaune yellow (5)
jaunir to turn yellow (7)
je I (2)
le jean jeans (P3;4)
le jeu, pl. les jeux game (P8)
jeudi m. Thursday (7)
jeune young (5)
la — fille girl (3)
joli, -e pretty (5)
jouer to play (6)
— à to play (games, sports)
(6)
— de to play (musical in-
struments) (14)
— une pièce to put on a
play (13)

le jour day (P6;7)
huit —s a week (17)
il fait — it's daytime, it's
light out (8)
par — per day (P6)
quel — sommes-nous? what
day is it? (7)
quinze —s two weeks (17)
tous les —s every day (18)
le journal, pl. les journaux newspaper (6)
le — télévisé TV news (6)
journaliste m.&f. journalist
(P14)
la journée (the whole) day (11)
le juge judge (13)
juillet m. July (7)
juin m. June (7)
la jupe skirt (3)
jusqu'à until (P6;11)

le kilomètre kilometer (P8)

la (l') f. the (1); her, it (13)
là here, there (P4;5)
là-bas there, over there (3)
le lac lake (8)
laid, -e ugly (8)
laisser to leave (behind) (14)
le lait milk (15)
le café au — café au lait
(16)
la langue language (10)
large wide (9)
le (l') m. the (1); him, it (P12;
13)
la leçon lesson (P1;6)
la lecture reading (P1)
le légume vegetable (15)
lentement slowly (10)
le léopard leopard (12)
les m.&f.pl. the (2); them (13)
la lettre letter (13)
leur to (for, from) them (P13;
14)
leur, -s their (4)
se lever to get up (P16)

la librairie bookstore (11)
libre unoccupied, free (10)
le lion lion (12)
lire to read (14)
Lisbonne Lisbon (9)
le lit bed (P17)
le livre book (1)
le — de poche paperback (11)
loin (de) far (from) (5)
les loisirs *m.pl.* leisure-time activities (P)
Londres London (9)
long, longue long (9)
longtemps a long time (17)
louer to rent (P8)
la Louisiane Louisiana (P18)
le loup-garou werewolf (P9)
lu *past participle of* lire (P12; 16)
lui him (3); to (for, from) him (her) (14)
lundi *m.* Monday (7)
la lune moon (8)
au clair de (la) — in the moonlight (P17)
le lycée high school (5)

ma my (3)
la machine à sous pinball machine (P10)
madame, *pl.* mesdames Mrs., ma'am (1;3)
mademoiselle, *pl.* mesdemoiselles Miss (1;3)
le magasin store (13)
le grand — department store (9)
le magnétophone tape recorder (2)
mai *m.* May (7)
maigre thin, skinny (9)
maigrir to lose weight, to get thin (7)
le maillot bathing suit (3)
la main hand (P16)
maintenant now (5)
mais but (3)

— non of course not, heck no (2)
la maison house (2)
le maître master (P12); teacher (P13)
mal bad (1); badly (10)
le mal: avoir le — du pays to be homesick (P13)
malheureusement unfortunately (9)
le Mali Mali (17)
malien, -ienne Malian (13)
la malle trunk (18)
maman *f.* mother, mom (9)
manger to eat (15)
la salle à — dining room (16)
le manteau, *pl.* les manteaux coat, overcoat (14)
le marché market (9)
mardi *m.* Tuesday (7)
le — gras Mardi Gras (P4)
le mari husband (P6;12)
marié, -e married (P6;12)
le marin sailor (13)
mars *m.* March (7)
la Martinique Martinique (P2)
le match, *pl.* les matchs game, match (P5;6)
les mathématiques, les maths *f.pl.* mathematics, math (11)
la matière subject (P11)
le matin morning, in the morning (6)
du — A.M. (6)
tous les —s every morning (18)
la matinée (the whole) morning (11)
faire la grasse — to sleep late (11)
mauvais, -e bad (P7;9)
il fait — it's bad out, it's nasty out (7)
me (m') to (for, from) me (14)
méchant, -e naughty; mean (12)
le médecin doctor (13)
la Méditerranée Mediterranean (17)

même same (10); even (P14)
le ménage: faire le — to do the housework (16)
la ménagère housewife (13)
la mer sea (8)
merci thank you, thanks (1)
mercredi *m.* Wednesday (P6; 7)
la mère mother (3)
mes *pl.* my (3)
messieurs-dames ladies and gentlemen (15)
la météo weather report (P7)
mettre to put, to place, to put on (P15;16)
— le couvert to set the table (16)
les meubles *m.pl.* furniture (P14)
mexicain, -e Mexican (9)
Mexico Mexico City (9)
le Mexique Mexico (17)
le golfe du — Gulf of Mexico (P17)
midi noon (6)
mieux: aimer — to prefer (6)
mil thousand *(in dates)* (P12;13)
le mileu: au — de in the middle of (12)
le militaire soldier (P17)
mille thousand (P11;13)
la mine: avoir bonne — to look well (16)
minérale: l'eau — *f.* mineral water (15)
minuit midnight (6)
mis *past participle of* mettre (16)
la mode: la revue de — fashion magazine (P6)
moi me, I (3)
moins minus (8)
time + — le quart quarter to (9)
le mois month (7)
la moitié: la — de half (P16)
mon my (P1;3)

le monde world (17)
    beaucoup de — a lot of people (14)
    tout le — everyone, everybody (15)
monsieur, *pl.* messieurs Mr., sir (1;3)
    le — man, gentleman (10)
la montagne mountain (2)
    à la — to (in) the mountains (2)
monter to go up, to come up, to climb (17)
    — dans to get on (17)
la montre (wrist)watch (P10;14)
Montréal Montreal (9)
montrer (à) to show (to) (6)
mort *past participle of* mourir (17)
Moscou Moscow (10)
le mot word (P1;11)
le moteur motor (P17)
la moto motorbike (4)
le mouchoir handkerchief (14)
mourir to die (17)
la mousse moss (P18)
    la — au chocolat chocolate mousse (15)
le mouton sheep (12)
le musée museum (5)
le musicien, la musicienne musician (P17)
la musique music (14)

nager to swim (15)
naître to be born (17)
la nappe tablecloth (16)
naturel, -le natural (11)
nautique *see* ski
ne:
    — . . . jamais never (18)
    — . . . pas not (4)
    — . . . personne nobody, no one, not anyone (18)

    — . . . plus no longer, not any more (P12;18)
    — . . . que only (18)
    — . . . rien nothing, not anything (18)
né *past participle of* naître (17)
nécessaire necessary (P18)
la neige snow (7)
neiger to snow (7)
n'est-ce pas? *interrogative tag* aren't I? isn't it? don't we? etc. (5)
neuf nine (4)
neuvième ninth (P9)
le neveu, *pl.* les neveux nephew (3)
le nez nose (P4)
niçoise *see* salade
la nièce niece (3)
Noël Christmas (7)
    la veille de — Christmas Eve (16)
noir, -e black (5)
le Noir, la Noire black person (P13)
le nom name (P11)
le nombre number (P4)
nommer to name (P17)
non no (1)
le nord north (17)
    l'Amérique du Nord *f.* North America (17)
le nord-est northeast (17)
le nord-ouest northwest (17)
la Norvège Norway (17)
norvégien, -ienne Norwegian (10)
le norvégien Norwegian (*language*) (10)
nos *pl.* our (4)
notre our (4)
nous we (2); us (3); to (for, from) us (14)
nouveau (nouvel), nouvelle new (P1;8;12)
novembre *m.* November (7)
le nuage cloud (8)
la nuit night, the dark (8)
    il fait — it's nighttime, it's dark out (8)
nul, nulle: — en + *school subjects* no good in (11)

occupé, -e busy, occupied (10)
l'océan *m.* ocean (17)
octobre *m.* October (7)
l'œuf *m.* egg (15)
offert *past participle of* offrir (16)
officiel, -ielle official (P18)
offrir à to offer (to), to give (to) (11)
l'oignon *m.* onion (15)
    la soupe à l'— onion soup (15)
l'oiseau, *pl.* les oiseaux *m.* bird (12)
    l'— -lyre *m.* lyre-bird (P13)
l'omelette *f.* omelette (15)
on we, they (2)
l'oncle *m.* uncle (3)
onze eleven (4)
onzième eleventh (P11)
l'opéra *m.* opera, opera house (5)
l'or: le chercheur d'— gold digger (P3)
l'orangeade *f.* orangeade (10)
organiser to organize (P12; 14)
l'orthographe *f.* spelling (P12)
ou or (5)
où where (1)
    d'— from where (17)
oublier to forget (14)
l'ouest *m.* west (17)
oui yes (1)
l'ours *m.* bear (12)
ouvert *past participle of* ouvrir (16)
l'ouvreuse *f.* usher (P9)
l'ouvrier *m.*, l'ouvrière *f.* worker, laborer (13)
ouvrir to open (6)

le Pacifique Pacific Ocean (17)
la page page (2)
le pain bread (15)
le palais palace (P5)
la palette palette (P4)

le panier basket (P15)
la panne breakdown (of a car)
(P17)
   (être) en — (to have a)
   breakdown (P17)
le pantalon pants, slacks (3)
papa m. father, dad (9)
le papier paper (1)
le paquet package (14)
par by (4)
   — exemple for example
   (11)
   — jour per day (P6)
   regarder — to look out
   of (7)
le parapluie umbrella (14)
le parc park (4)
parce que because (4)
pardon excuse me, pardon
   me (5)
les parents m.pl. parents (3)
paresseux, -euse lazy (6)
parler to talk, to speak (6)
la parole word (P16)
partir (de) to leave (9)
pas not (1;8)
   ne . . . — not (4)
   — de + noun no (8)
   — du tout not at all (5)
le passé composé past tense
   (P10)
passer to spend (time) (11);
   to go by (P13)
   — un examen to take a
   test (11)
passionné, -e par enthusiastic about (13)
la pâtisserie pastry (15)
patatras! crash! (P16)
patiner to skate (P8)
le patron, la patronne boss
   (P14)
pauvre poor (5)
payer to pay (P6)
le pays country (17)
   avoir le mal du — to be
   homesick (P13)
les Pays-Bas m.pl. the Netherlands (17)
la peine: ça vaut la — it's
   worth it (P12)

Pékin Peking (9)
pendant during (P8;9)
   — que while (6)
penser (à) to think (about)
   (12)
   — de to think of (14)
perdre to lose (10)
le père father (3)
personne . . . ne no one, nobody (18)
petit, -e little, small (6)
   le — déjeuner breakfast
   (6)
   les —s pois m.pl. peas (15)
peu:
   coûter — to be inexpensive (10)
   — de few, little (18)
   un — (de) a little (P11;18)
la peur:
   avoir — (de) to be afraid
   (of) (8)
   faire — à to scare, to fright-
   en (12)
peut-être perhaps, maybe (10)
la pharmacie pharmacy (13)
le pharmacien, la pharmacienne pharmacist (13)
la photo photo(graph) (11)
la phrase sentence (P4;11)
la physique physics (11)
le piano piano (14)
la pièce play (6)
   jouer une — to put on a
   play (13)
le pied: à — on foot (4)
le pilote pilot (13)
le pinceau paintbrush (P4)
la piscine swimming pool (2)
la piste: la — de ski ski run
   (P8)
la place seat (P9); place (P10)
la plage beach (2)
plaît: s'il te (vous) — please
   (5;9)
le plateau tray (P16)
pleurer to cry (P11)
pleuvoir to rain (P7;9)
   il pleut it's raining (7)
   il pleut des cordes it's
   pouring rain (P7)

plonger to dive (15)
plu past participle of pleuvoir
   (16)
la pluie rain (7)
la plume quill pen (P17)
plus:
   ne . . . — no longer, not
   any more (P12;18)
   — tard later (9)
plusieurs several (14)
plutôt instead (P17)
la poche: le livre de — paperback (11)
le poème poem (9)
le poète poet (9)
le point: à — medium (of meat)
   (P15)
le pois: les petits — m.pl. peas
   (15)
le poison poison (16)
le poisson fish (15)
le poivre pepper (16)
la police police (P10)
policier:
   le film — detective film (6)
   le roman — detective novel (10)
la Pologne Poland (17)
la pomme apple (15)
   la — de terre potato (15)
   la tarte aux —s apple pie
   (15)
   les —s frites French fries
   (15)
le pont bridge (P17)
le porc: le rôti de — roast pork
   (15)
le port port (5)
la porte door (1)
le portefeuille wallet, billfold
   (14)
porter to wear (P5;6)
   — un toast à to toast (P15)
portugais, -e Portuguese (9)
le portugais Portuguese (language) (9)
le Portugal Portugal (17)

poser une question to ask a question (11)

possible possible (5)

postal, -e: la carte —e post card (14)

la poste post office (2)

le poste de police police station (P10)

la poule hen (12)

pour for, (in order) to (P6;9); to (11)

le pourboire tip, gratuity (P9; 15)

pourquoi why (P3;4)

pourtant however (P8)

pouvoir can, to be able (P10; 11)

premier, -ière first (P1;12)

le — + *month* the first of (7)

prendre to take, to have (12)

— quelque chose to have something to eat (or drink) (12)

préparer to prepare, to fix (6)

près (de) near (5)

presque almost (7)

pressé, -e in a hurry (18)

le citron — lemonade, citron pressé (10)

prêter (à) to lend (to) (14)

prier: je vous (t')en prie you're welcome (5)

principal, -e; *pl.* principaux, -pales principal (13)

le rôle — the lead *(in a play)* (13)

le printemps spring (7)

au — in the spring (7)

pris *past participle of* prendre (16)

le prison: aller en—to go to prison (P11)

le problème problem (P14)

prochain, -e next (11)

le professeur, le prof teacher (1)

la profession profession (13)

les progrès *m.pl.* progress (P1;13)

faire des — to make progress (13)

les projets *m.pl.* plans (17)

prononcer to pronounce (15)

la prononciation pronunciation (P1)

le propos: à — by the way (P2)

provençal, -e; *pl.* provençaux, -çales of (from) Provence (16)

le proverbe proverb (P7)

les provisions *f.pl.* food (P)

pu *past participle of* pouvoir (16)

puis then (P2;12)

le pull-over sweater (3)

le pupitre student desk (2)

quand when (P5;6)

la quantité quantity (P18)

quarante forty (7)

le quart:

time + et — quarter past (9)

time + moins le — quarter to (9)

quatorze fourteen (4)

quatorzième fourteenth (P14)

quatre four (4)

quatre-vingt-dix ninety (13)

quatre-vingts eighty (13)

quatrième fourth (P4)

que what (12); that (13)

ne . . . — only (18)

québécois, -e of (from) Quebec, Québecois (10)

quel, quelle what, which (P5; 12)

à — heure? (at) what time (6)

de — couleur? what color? (5)

— âge avez-vous? how old are you? (12)

— heure est-il? what time is it? (6)

— jour sommes-nous? what day is it? (7)

— temps fait-il? what's it like out? (7)

quelque chose something (12)

prendre — to have something (to eat or drink) (12)

quelquefois sometimes (7)

quelques some, a few (14)

quelqu'un someone (18)

qu'est-ce que what? (6)

qu'est-ce qui what? (5)

— ne va pas? what's wrong? (16)

la question question (11)

poser une — to ask a question (11)

le questionnaire questionnaire (P3)

qui who (1); which (P13)

à — to whom (13)

— est-ce que whom? (12)

quinze fifteen (4)

— jours two weeks (17)

quinzième fifteenth (P15)

quitter to leave (18)

quoi what (P7;13)

à — what? (13)

de — what? about what? (14)

raconter to tell (P14)

la radio radio (6)

radoter to be "out of it" (P8)

la raison: avoir — to be right (8)

rater to fail (11)

recevoir to receive, to get (P11)

reconnaître to recognize (18)

reconnu *past participle of* reconnaître (18)

le réfrigérateur refrigerator (16)

regarder to watch, to look (at) (6)

— par to look out of (7)

le régime diet (15)

au — on a diet (15)

la région region (P18)

régler to solve (P14)
regretter to be sorry (18)
remercier to thank (14)
rencontrer to meet, to run into (P2;13)
les renseignements *m.pl.* information (18)
rentrer to come back, to go back, to return (6)
le repas meal (16)
répéter to repeat (P13)
répondre à to answer (10)
la réponse answer, response (11)
reposer to put back (P16)
le restaurant restaurant (5)
le reste rest (P16)
rester to stay, to remain (6)
retard: en — late (17)
retourner to go back (17)
ressembler à to resemble (P18)
réussir (à) + *infinitive* to succeed (in) (12)
— à un examen to pass a test (11)
le réveil alarm clock (14)
revenir to come back (P16; 17)
revenu *past participle of* revenir (17)
réviser to go over, to review (6)
la révision review (P1)
revoir: au — good-by (1)
la révolte revolt (P12)
se révolter to revolt (P12)
la revue magazine (P5)
la — de mode (de sports) fashion (sports) magazine (P6)
le rhinocéros rhinoceros (12)
riche rich (P3;5)
rien . . . ne nothing (P17;18)
risquer to risk (P18)
le riz rice (15)
la robe dress (3)
le rock rock music (P9)
le rôle part, role (13)
le — principal the lead *(in a play)* (13)
le roman novel (9)

le — policier detective novel (10)
le rond smoke ring (P16)
en — in a circle (P17)
le roseau, *pl.* les roseaux reed (P18)
le rôti de porc roast pork (15)
rouge red (P4;5)
rougir to become red, to blush (7)
rousse *see* roux
la route road; way (11)
en — (pour) on the way (to) (P2;11)
routière: la carte — road map (P18)
roux, rousse redheaded, a redhead (9)
la rue street (5)
russe Russian (10)
le russe Russian *(language)* (10)
la Russie Russia (17)

sa his, her, its (3)
le sable sand (8)
le sac purse (14)
sage well-behaved (10)
saignant, -e rare *(of meat)* (P15)
sais *see* savoir
la saison season (7)
la salade salad (15)
la — niçoise Nicoise salad (15)
la salle:
la — à manger dining room (16)
la — de classe classroom (1)
salut hello; good-by (2)
samedi *m.* Saturday (7)
le sandwich, *pl.* les sandwichs sandwich (15)
le — au jambon ham sandwich (P10)
sans without (18)
sauf except, but (18)
sauver to save (P13)
savoir to know, to know how (18)

je ne sais pas I don't know (12)
la science-fiction science fiction (P12)
les sciences sociales *f.pl.* social studies (11)
scolaire: l'année — school year (P18)
secrétaire *m.&f.* secretary (13)
le secteur division (P14)
seize sixteen (4)
seizième sixteenth (P16)
le sel salt (16)
le semaine week (7)
le Sénégal Senegal (17)
sénégalais, -e Senegalese (9)
le sens meaning (P)
sept seven (4)
septembre *m.* September (7)
septième seventh (P7)
la serveuse waitress (10)
le service:
à votre — at your service (5)
faire le — de to work the route of (P18)
le — est compris the tip is included (15)
la serviette napkin (16)
servir to serve, to wait on (9)
ses *pl.* his, her, its (3)
le set place mat (P16)
seul, -e only (10); alone (12)
seulement only (P7)
si if (P5;9); yes (8); so (P10)
s'il vous (te) plaît please (5;9)
signaler to report (P11)
le silence silence (18)
le singe monkey (12)
la situation situation (P14)
six six (4)
sixième sixth (P6)
le ski skiing (8)
faire du — to ski (8)
faire du — nautique to water-ski (8)
la piste de — ski run (P8)

social, -e; *pl.* sociaux, -ciales:
les sciences sociales
f.pl. social studies (11)
la sociéte company, business (14)
la — de transport moving
company (P14)
la sœur sister (3)
la soif: avoir — to be thirsty (8)
le soir evening, in the evening
(P4;6)
du — P.M. (6)
hier — last night, last evening (11)
tous les —s every night
(18)
la soirée (the whole) evening (11)
soixante sixty (7)
soixante-dix seventy (13)
le soldat soldier (13)
le soleil sun (7)
il fait du — it's sunny (7)
la somme amount (P11)
le sommeil: avoir — to be
sleepy (8)
son his, her, its (3)
le son sound (P)
sortir (de) to go out (9)
le sou: la machine à —s pinball
machine (P10)
la soucoupe saucer (16)
la soupe soup (15)
la — à l'oignon onion soup
(15)
la souris mouse (12)
sous under (3)
le souvenir souvenir (P18)
souvent often (7)
les sports *m.pl.* sports (6)
la revue de — sports mag-
azine (P6)
le stade stadium (5)
le stage training period, internship (13)
faire un — to train, to intern (13)
le steward steward (13)
le stylo pen (1)

su *past participle of* savoir (18)
le sucre sugar (15)
le sud south (17)
l'Amérique du Sud *f.*
South America (17)
le sud-est southeast (17)
le sud-ouest southwest (17)
la Suède Sweden (17)
suédois, -e Swedish (10)
le suédois Swedish *(language)*
(10)
suisse Swiss (P15)
la Suisse Switzerland (17)
la suite: tout de — right away
(P10;12)
supérieur, -e: les études —es
advanced studies (P13)
le supermarché supermarket (9)
sur on (3)
sûr: bien — of course, certainly (9)
la surprise-party informal party, get-together (14)
surtout especially (P9;14)
le suspect suspect (P11)
sympa likable, nice (14)

ta your (3)
la table table (2)
le tableau, *pl.* les tableaux
blackboard (2)
tant de so much, so many (18)
la tante aunt (3)
tard: plus — later (9)
il se fait — it's getting late
(P8)
la tarte pie (15)
la — aux pommes apple
pie (15)
la tasse cup (16)
te (t') to (for, from) you (14)
la télé TV (6)
le téléphone: au — on the
phone (P14)
téléphoner à to telephone, to
phone (9)
télévisé: le journal — TV
news (6)

le temps weather (7)
quel — fait-il? what's it
like out? what's the
weather like? (7)
le tennis tennis (6)
la terrasse d'un café sidewalk
café (10)
la terre land, earth (8)
la pomme de — potato
(15)
tes *pl.* your (3)
la tête head (P16)
le thé tea (15)
le théâtre theater (5)
le thème theme, composition
(P1)
le tigre tiger (12)
le timbre stamp (14)
le tiroir drawer (P16)
toast: porter un — à to toast
(P15)
toc! toc! knock! knock! (12)
toi you (1)
la tomate tomato (16)
tomber to fall (17)
ton your (P1;3)
le tort: avoir — to be wrong (8)
tôt early (P8)
toucher à to border on (P17)
toujours always, still (P5;6)
le tourisme tourism (13)
touriste *m.&f.* tourist (18)
le tournedos filet mignon (P15)
tourner to turn, to stir (P16)
tout, -e; *pl.* tous, toutes all;
every (P8;18)
après — after all (P17)
pas du — not at all (5)
tous (toutes) les deux both
(P15)
tous les jours every day
(18)
— à coup suddenly (12)
— de suite right away (P10;
12)
— le monde everyone, ev-
erybody (15)
le traducteur, la traductrice
translator (P11)
traduire to translate (P14)

le train train (4)
le traîneau: l'excursion en —
f. sleigh ride (P8)
tranquille tranquil, quiet
(P18)
le transport transportation, moving (P)
le travail, pl. les travaux work,
job (13)
travailler to work (6)
treize thirteen (4)
treizième thirteenth (P13)
tréma diaeresis (¨) (P2)
trente thirty (7)
très very (1)
triste sad, unhappy (6)
trois three (P2;4)
troisième third (P3)
trop too (7)
— de too much, too many
(16;18)
trouver to find (11)
se — to be, to be located
(17)
tu you (2)
typiquement typically (16)

un, une one (4); a, an (P5;7)
unique only (12)
l'université f. university (11)
l'usine f. factory (2)

les vacances f.pl. vacation (7)
en — on vacation (7)
passer des — to spend a
vacation (17)
prendre des — to take a
vacation (17)
la vache cow (12)
la vaisselle dishes (8)
la valise suitcase (18)
faire sa — to pack one's
suitcase (18)

vaut; ça — la peine it's worth
it (P12)
le veau: l'escalope de — f. veal
cutlet (P15)
la veille (de) night before, eve
(16)
la — de Noël Christmas
Eve (16)
le vélo bike (4)
le vendeur, la vendeuse salesperson (11)
vendre to sell (10)
vendredi m. Friday (7)
venir to come (17)
— de + infinitive to have
just (17)
le vent wind (7)
il fait du — it's windy (7)
venu past participle of venir
(17)
vérifier to check (P1)
le verre glass (16)
vers around, about (7); toward
(P16)
verser to pour (P15)
vert, -e green (6)
la veste jacket (14)
la viande meat (15)
vieux (vieil), vieille old (8;
12)
mon vieux, ma vieille old
pal (16)
la villa villa (2)
la ville city, town (9)
en — in(to) town (9)
le vin wine (15)
le coq au — chicken cook-
ed in wine (15)
vingt twenty (4)
le violon violin (P14)
le violoncelle cello (P14)
la visite: faire une — à to visit
(someone) (14)
visiter to visit (a place) (17)
vite quick! hurry! (4); quickly, fast (10)
le vocabulaire vocabulary (P1)

voici here is, here are (1)
voilà there is, there are (1)
la voile: le bateau à —s sailboat (4)
voir to see (13)
le voisin, la voisine neighbor (4)
la voiture car (4)
le vol theft (P11)
le volleyball volleyball (9)
vos pl. your (4)
votre your (4)
vouloir to want (P8;11)
je voudrais I'd like (11)
nous voudrions we'd like
(11)
— dire to mean (11)
voulu past participle of vouloir (16)
vous you (1;2); to (for, from)
you (14)
le voyage trip (17)
en — on a trip (17)
faire un — to take a trip
(8)
vrai, -e real (P5); true (P11)
vraiment really, truly (10)
vu past participle of voir (P12;
16)

le weekend weekend (P13)
le western western (movie) (9)
le wolof Wolof (a Senegalese
language) (9)

y there; it (15)
il y a there is, there are (5)
il y a + time ago (17)
la Yougoslavie Yugoslavia (17)

zéro zero (7)
le zoo zoo (12)
zut! darn! (7)

English-French Vocabulary

The *English-French Vocabulary* contains active vocabulary only.

a, an un, une (7)
able: to be — pouvoir (11)
about de (6); vers (7)
— what de quoi (14)
above au-dessus de (12)
to accompany accompagner (14)
acquainted: to be — with
connaître (18)
across from en face de (5)
actor l'acteur *m.* (13)
actress l'actrice *f.* (13)
afraid: to be — (of) avoir
peur (de) (8)
Africa l'Afrique *f.* (17)
after, afterward après (7)
afternoon l'après-midi *m.* (6)
in the — l'après-midi *m.*
(6); *time* + de l'après-
midi (6)
ago il y a + *time* (17)
airplane l'avion *m.* (4)
airport l'aéroport *m.* (5)
alarm clock le réveil (14)
algebra l'algèbre *f.* (11)
all tout, -e; *pl.* tous, toutes
(18)
not at — pas du tout (5)
almost presque (7)
alone seul, -e (12)
already déjà (11)
also aussi (4)
always toujours (6)
a.m. du matin (6)
America l'Amérique *f.* (17)
Central — l'Amérique cen-
trale (17)

North — l'Amérique du
Nord (17)
South — l'Amérique du
Sud (17)
American américain, -e (2; 9)
and et (1)
animal l'animal, *pl.* les animaux *m.* (12)
to announce annoncer (15)
annoying embêtant, -e (18)
answer la réponse (11)
to answer répondre à (10)
any des (7); *(after negative)* de
(7;15); en (15)
not — more ne . . . plus
(18)
anybody, anyone; not — ne
. . . personne (18)
anything: not — ne . . . rien
(18)
apartment l'appartement *m.*
(2)
— building l'immeuble *m.*
(18)
appetizer les hors-d'œuvre
m.pl. (15)
apple la pomme (15)
— pie la tarte aux pommés
(15)
April avril *m.* (7)
around vers (7)
to arrive arriver (6)
artist l'artiste *m.&f.* (13)
as comme (13)
Asia l'Asie *f.* (17)
to ask, to ask for demander (6)
to — a question poser une
question (11)
to — (someone), to — (someone) for demander à (6)
Athens Athènes (10)

Atlantic Ocean l'Atlantique
f. (17)
at à (3); chez (3)
— last enfin (12)
to attend assister à (11)
August août *m.* (7)
aunt la tante (3)
Australia l'Australie *f.* (17)
Austria l'Autriche *f.* (17)
author l'auteur *m.* (9)
autumn l'automne *m.* (7)
awful affreux, -euse (18)

bad mal (1); mauvais, -e (9)
it's — out il fait mauvais
(7)
badly mal (10)
baggage les bagages *m.pl.*
(18)
bank la banque (2)
basketball le basketball (9)
to play — jouer au basketball (9)
bathing suit le maillot (3)
to be être (3); se trouver (17)
beach la plage (2)
beans les haricots verts *m.pl.*
(15)
bear l'ours *m.* (12)
beautiful beau (bel), belle
(8;12)
because parce que (4)
to become devenir (17)
beer la bière (10)
before avant (7)
the night — la veille (de)
(16)
to begin commencer (15)

beginning le commencement (18)

behind derrière (4)

Belgian belge (10)

Belgium la Belgique (17)

to believe croire (13)

below au-dessous de (12)

belt la ceinture (14)

beside à côté de (5)

bet: you — en effet (18)

beverage la boisson (10)

big grand, -e (6)

bike le vélo (4)

bill l'addition f. (15)

billfold le portefeuille (14)

biology la biologie (11)

bird l'oiseau, pl. les oiseaux (12)

birthday l'anniversaire m. (14)

black noir, -e (5)

blackboard le tableau, pl. les tableaux (2)

blond blond, -e (9)

blouse la blouse (3)

blue bleu, -e (5)

to blush rougir (7)

boat le bateau, pl. les bateaux (4)

sail — le bateau à voiles (4)

book le livre (1)

bookstore la librairie (11)

boring ennuyeux, -euse (14)

born né, -e (17)

to be — naître (17)

to borrow (from) emprunter (à) (14)

bouillabaisse la bouillabaisse (16)

boutique la boutique (13)

bowl le bol (16)

box la boîte (18)

boy le garçon (3)

bracelet le bracelet (14)

bread le pain (15)

to break casser (16)

breakfast le petit déjeuner (6)

to have — déjeuner (6)

to bring apporter (6)

brother le frère (3)

brown brun, -e (9)

brunette brun, -e (9)

Brussels Bruxelles (10)

building: apartment — l'immeuble m. (18)

bus l'autobus m. (2)

business la société (14)

businessman l'homme d'affaires m. (13)

businesswoman la femme d'affaires f. (13)

busy occupé, -e (10)

but mais (3); sauf (18)

butter le beurre (15)

by en (4); par (4); au bord de (12)

café le café (5)

sidewalk — la terrasse d'un café (10)

café au lait le café au lait (16)

calendar le calendrier (2)

camper la caravane (17)

to camp out faire du camping (17)

can see able

Canada le Canada (17)

Canadian canadien, -ienne (2;9)

car la voiture (4)

caramel custard la crème caramel (15)

card la carte (6)

to play —s jouer aux cartes (6)

post — la carte postale (14)

cartoon: movie — le dessin animé (6)

castle le château (5)

cat le chat (12)

celebration la fête (14)

Central America l'Amérique centrale f. (17)

certainly bien sûr (9)

chair la chaise (2)

chalk la craie (2)

chapter le chapitre (11)

château le château, pl. les châteaux (5)

check l'addition f. (15)

cheese le fromage (15)

grilled ham and — le croque-monsieur (15)

chemistry la chimie (11)

chess les échecs m.pl. (6)

to play — jouer aux échecs (6)

chicken la poule (12)

— cooked in wine le coq au vin (15)

child l'enfant m.&f. (3)

China la Chine (17)

Chinese chinois, -e (9); le chinois (9)

chocolate mousse la mousse au chocolat (15)

choice le choix (9)

to choose choisir (7)

Christmas Noël (7)

— Eve la veille de Noël (16)

church l'église f. (2)

Citroën 2-CV car la deux-chevaux (17)

citron pressé le citron pressé (10)

city la ville (9)

to (in) the — en ville (9)

class la classe (1); le cours (11)

classroom la salle de classe (1)

to clear débarrasser (16)

clerk l'employé m., l'employée f. (de bureau) (13)

to climb monter (17)

climbing: to go mountain-— faire de l'alpinisme m. (8)

clock: alarm — le réveil (14)

to close fermer (6)

cloud le nuage (8)

clothes les habits m.pl. (3)

coat le manteau, pl. les manteaux (14)

rain— l'imperméable m. (14)

coffee le café (10)

a cup of — un café (10)

Coke le Coca (10)

cold froid, -e (8)
   it's — out il fait froid (7)
   to be — (of people) avoir froid (8)
color la couleur (5)
   what —? de quelle couleur? (5)
to come venir (17)
   to — back rentrer (6); revenir (17)
   to — down descendre (17)
   to — in entrer (dans) (6)
   to — up monter (17)
company la société (14)
concert le concert (9)
concierge le/la concierge (12)
congratulations! félicitations! (14)
continent le continent (17)
to cook faire la cuisine (16)
cool: it's — out il fait frais (7)
Copenhagen Copenhague (10)
coq au vin le coq au vin (15)
corner le coin (5)
   on the — au coin de la rue (5)
correct correct, -e (11)
to cost coûter (10)
to count compter (11)
country la campagne (2); le pays (17)
course:
   of — bien sûr (9)
   of — not mais non (2)
cousin le cousin, la cousine (3)
cow la vache (12)
cream la crème (15)
cup la tasse (16)
   — of coffee un café (10)

dad papa m. (9)
dance la danse (14)
to dance danser (14)

Danish danois, -e (10); le danois (10)
dark: it's — out il fait nuit (8)
date la date (7)
daughter la fille (3)
day le jour (7); la journée (11)
   Father's (Mother's) Day la Fête des Pères (des Mères) (11)
   it's — time il fait jour (8)
   what — is it? quel jour sommes-nous? (7)
December décembre m. (7)
Denmark le Danemark (17)
dentist le/la dentiste (13)
department store le grand magasin (9)
desk le bureau, pl. les bureaux (2); le pupitre (2)
dessert le dessert (15)
detective:
   — film le film policier (6)
   — novel le roman policier (10)
to die mourir (17)
diet le régime (15)
   on a — au régime (15)
difficult difficile (5)
to dine dîner (6)
dining room la salle à manger (16)
dinner le dîner (6)
   to have — dîner (6)
dishes la vaisselle (8)
to dive plonger (15)
to do faire (6;8)
doctor le médecin (13)
documentary le documentaire (6)
dog le chien (12)
door la porte (1)
down: to come (go) — descendre (17)
dragon le dragon (8)
dress la robe (3)
drink la boisson (10)
to drink: to have something to — prendre quelque chose (12)

duck le canard (12)
dull ennuyeux, -euse (14)
dumb bête (10)
during pendant (9)
Dutch hollandais, -e (10); le hollandais (10)

each chaque (14)
early de bonne heure (17)
earth la terre (8)
east l'est m. (17)
easy facile (5)
to eat manger (15)
   to have something to — prendre quelque chose (12)
egg l'œuf m. (15)
eight huit (4)
eighteen dix-huit (4)
eighty quatre-vingts (13)
elephant l'éléphant m. (12)
eleven onze (4)
employee l'employé m., l'employée f. (13)
end la fin (18)
energetic énergique (6)
engaged fiancé, -e (12)
engineer l'ingénieur m. (13)
England l'Angleterre f. (17)
English anglais, -e (9); l'anglais m. (9)
enough assez (de) (16)
to enter entrer (dans) (6)
enthusiastic (about) passionné, -e (par) (13)
envelope l'enveloppe f. (14)
eraser la gomme (1)
especially surtout (14)
Europe l'Europe f. (17)
eve la veille (de) (16)
   Christmas Eve la veille de Noël (16)
evening le soir (6); la soirée (11)
   in the — le soir (6); time + du soir (6)
   last — hier soir (11)
every chaque (14); tous les, toutes les (18)

everybody, everyone tout le monde (15)

exam l'examen *m.* (11)
  to fail an — rater un examen (11)
  to pass an — réussir à un examen (11)
  to take an — passer un examen (11)

example: for — par exemple (11)

excellent excellent, -e (15)

except sauf (18)

excuse me pardon (5)

expensive cher, chère (11)
  to be — coûter cher (10)
  to be in— coûter peu (10)

factory l'usine *f.* (2)

to fail rater (11)

fall l'automne *m.* (7)

to fall tomber (17)

family la famille (3)

famous célèbre (9)

far (from) loin (de) (5)

farm la ferme (12)

farmer l'agriculteur *m.* (12)

fast vite (10)

fat gros, grosse (9)
  to get — grossir (7)

father le père (3)
  Father's Day la Fête des Pères (11)

February février *m.* (7)

few peu de (18)
  a — quelques (14)

fiancé(e) le fiancé, la fiancée (12)

fifteen quinze (4)
  6:15 six heures et quart (9)

fifty cinquante (7)

film le film (6)
  detective — le film policier (6)

finally enfin (12)

to find trouver (11)

fine: things are — ça va bien (1)

to finish finir (7)

first premier, -ière (12)
  (at) — d'abord (9)
  the — of le premier + *month* (7)

fish le poisson (15)
  — stew la bouillabaisse (16)

five cinq (4)

to fix préparer (6)

flag le drapeau, *pl.* les drapeaux (2)

Flemish flamand, -e (10); le flamand (10)

flower la fleur (4)

foot: on — à pied (4)

football le football américain (6)
  to play — jouer au football américain (6)

for pour (9)

foreign étranger, -ère (10)

to forget oublier (14)

fork la fourchette (16)

forty quarante (7)
  —-five quarante-cinq (7)
  5:45 six heures moins le quart (9)

four quatre (4)

fourteen quatorze (4)

franc le franc (10)

France la France (17)

free libre (10)

to freeze geler (9)
  it's freezing il gèle (7)

French français, -e (2;9); le français (9)

French fries les pommes frites *f.pl.* (15)

Friday vendredi *m.* (7)

friend l'ami *m.*, l'amie *f.* (2); le copain, la copine (4)

to frighten faire peur à (12)

from de (6)
  across — en face de (5)
  front: in — of devant (4)

fruit les fruits *m.pl.* (15)

to gain weight grossir (7)

game le match, *pl.* les matchs (6)

garage le garage (4)

garden le jardin (4)

garlic l'ail *m.* (16)

generous généreux, -euse (6)

gentleman le monsieur, *pl.* les messieurs (10)
  ladies and gentlemen messieurs-dames (15)

geography la géographie (11)

geometry la géométrie (11)

German allemand, -e (9); l'allemand *m.* (9)

Germany l'Allemagne *f.* (17)

gesture le geste (11)

to get:
  — fat grossir (7)
  — off (out of) descendre (de) (17)
  — on (in) monter (dans) (17)
  let's — going allons-y! (4)

gift le cadeau, *pl.* les cadeaux (11)

giraffe la girafe (12)

girl la jeune fille (3); la fille (10)

to give (to) donner à (6); offrir à (11)

glass le verre (16)

glove le gant (14)

to go aller (2)
  to — back rentrer (6); retourner (17)
  to — camping faire du camping (17)
  to — down descendre (17)
  to — in entrer (dans) (6)
  to — out sortir (de) (9)
  to — over réviser (6)
  to — shopping faire des achats (8)
  to — up monter (17)
  to — with accompagner (14)

good bon, bonne (9)
— in (+ *school subjects*) fort,
-e en (11)
no — in (+ *school subjects*)
nul, nulle en (11)
good-by au revoir (1); salut
(2)
grandfather le grand-père (3)
grandmother la grand-mère
(3)
grandparents les grands-parents *m.pl.* (3)
grass l'herbe *f.* (4)
gratuity le pourboire (15)
gray gris, -e (6)
great! chouette! (4); chic! (7)
Greece la Grèce (17)
greedy avare (6)
Greek grec, grecque (10); le
grec (10)
green vert, -e (6)
— beans les haricots verts
m.pl. (15)
grenadine la grenadine (10)
grilled ham and cheese le
croque-monsieur (15)
Guignol le Guignol (4)
guitar la guitare (14)
to play the — jouer de la
guitare (14)
gymnasium le gymnase (9)

Haiti Haïti (17)
half past *time* + et demie (9)
ham le jambon (15)
grilled — and cheese le
croque-monsieur (15)
handkerchief le mouchoir
(14)
handsome beau (bel), belle
(8;12)
happy heureux, -euse (6)
— birthday bon anniver-
saire (14)
hard difficile (5)

hat le chapeau, *pl.* les chapeaux (3)
to have avoir (4); prendre (12)
— to il faut (9)
he il (2)
to hear entendre (10)
heaven le ciel (8)
heck no mais non (2)
hello bonjour (1); salut (2);
(on telephone) allô (9)
hen la poule (12)
her elle (3); sa, son, ses (3);
la (l') (13)
to (for, from) — lui (14)
here ici (5); là (5)
— is, — are voici (1)
to hide cacher (16)
high school le lycée (5)
him lui (3); le (l') (13)
to (for, from) — lui (14)
hippopotamus l'hippopotame
m. (12)
his sa, son, ses (3)
history l'histoire *f.* (11)
to hitchhike faire de l'auto-stop
m. (8)
hockey le hockey (9)
to play — jouer au hockey
(9)
home: at — chez + moi, toi,
etc. (2)
homework les devoirs *m.pl.*
(6)
hors d'œuvres les hors-d'œuvre *m.pl.* (15)
horse le cheval, *pl.* les chevaux (12)
hospital l'hôpital, *pl.* les hôpitaux *m.* (2)
hot chaud, -e (8)
it's — out il fait chaud (7)
to be — *(of people)* avoir
chaud (8)
hotel l'hôtel *m.* (2)
hour l'heure *f.* (6)
house la maison (2)
at (to) the — of chez (2)
housewife la ménagère (13)
housework: to do the —
faire le ménage (16)
how comment (5)
— are things? ça va? (1)

— many, — much com-
bien de (5)
— much is? *(in math)* combien font (8)
— old are you? quel âge
avez-vous? (12)
to know — savoir (18)
however cependant (18)
hundred cent (13)
hungry: to be — avoir faim
(8)
hurry! vite! (4)
in a — pressé, -e (18)
husband le mari (12)

I je (2); moi (3)
ice la glace (7)
ice cream la glace (10)
— bar l'esquimau, *pl.* les
esquimaux *m.* (10)
if si (9)
impossible impossible (5)
in à (3); dans (4); en (3)
included: tip — le service
est compris (15)
indeed en effet (18)
indoors à l'intérieur (7)
inexpensive: to be — coûter
peu (10)
information les renseignements *m.pl.* (18)
inside à l'intérieur (7)
interesting intéressant, -e (14)
to intern faire un stage (13)
internship le stage (13)
into dans (4)
to invite inviter (14)
it elle, il (2); le, la, l' (13); y
(15)
— is c'est (1); il (elle) est
(3)
its sa, son, ses (3)
Italian italien, -ienne (9); l'italien *m.* (9)
Italy l'Italie *f.* (17)

jacket la veste (14)
ski — l'anorak *m.* (8)

jam la confiture (15)
janitor le/la concierge (12)
January janvier *m.* (7)
Japan le Japon (17)
Japanese japonais, -e (9); le japonais (9)
jeans le jean (4)
job l'emploi *m.* (13)
judge le juge (13)
July juillet *m.* (7)
June juin *m.* (7)
just: to have — venir de + *infinitive* (17)

key la clef (18)
kind aimable (10)
kitchen la cuisine (16)
knife le couteau, *pl.* les couteaux (16)
to knock (on) frapper (à) (12)
to know connaître (18); savoir (18)
   I don't — je ne sais pas (12)
   to — how savoir (18)

laborer l'ouvrier *m.,* l'ouvrière *f.* (13)
ladies and gentlemen messieurs-dames (15)
lady la dame (10)
   young — mademoiselle, *pl.* mesdemoiselles (1;3); la demoiselle (15)
lake le lac (8)
lamb: leg of — le gigot (15)
land la terre (8)
language la langue (10)
large grand, -e (6); gros, grosse (9)
last dernier, -ière (11)
   at — enfin (12)
   — evening hier soir (11)
   — night hier soir (11)
late en retard (17)
   to sleep — faire la grasse matinée (11)
later plus tard (9)

lawyer l'avocat *m.,* l'avocate *f.* (13)
lazy paresseux, -euse (6)
lead *(in a play)* le rôle principal, *pl.* les rôles principaux (13)
leaf la feuille (4)
to learn apprendre (12)
   to — by heart apprendre par cœur (8)
   to — how apprendre à + *infinitive* (12)
to leave partir (de) (9); quitter (18)
   to — (something) behind laisser (14)
left: to the — (of) à gauche (de) (5)
leg of lamb le gigot (15)
lemonade le citron pressé (10)
to lend (to) prêter (à) (14)
leopard le léopard (12)
lesson la leçon (6)
let's *1 pl. form of any verb* (2)
letter la lettre (13)
library la bibliothèque (9)
light: it's — out il fait jour (8)
likable sympa (14)
to like aimer (6)
   I'd — je voudrais (11)
   we'd — nous voudrions (11)
lion le lion (12)
Lisbon Lisbonne (9)
to listen (to) écouter (6)
little petit, -e (6)
   a — un peu (de) (18)
to live (in) habiter (6)
lively énergique (6)
located: to be — se trouver (17)
to lock fermer à clef (18)
London Londres (9)
long long, longue (9)
   a — time longtemps (17)
longer: no — ne . . . plus (18)
to look (at) regarder (6)
   to — for chercher (11)
   to — out of regarder par (7)

to — well avoir bonne mine (16)
to lose perdre (10)
   to — weight maigrir (7)
lot:
   a — beaucoup (5)
   a — of beaucoup de (16)
   a — of people beaucoup de monde (14)
to love aimer (6)
luck:
   good —! bon courage! (14)
   to be lucky avoir de la chance (14)
luggage les bagages *m.pl.* (18)
lunch le déjeuner (6)
   to have — déjeuner (6)

ma'am, madam madame, *pl.* mesdames (1;3)
mailman le facteur (13)
to make faire (8)
Mali le Mali (17)
Malian malien, -ienne (13)
man l'homme *m.* (10); le monsieur, *pl.* les messieurs (10)
many beaucoup de (16)
   how — combien de (5)
   so — tant de (18)
   too — trop de (16)
map la carte (2)
March mars *m.* (7)
market le marché (9)
   super — le supermarché (9)
married marié, -e (12)
match le match, *pl.* les matchs (6)
math(ematics) les mathématiques, les maths *f.pl.* (11)
May mai *m.* (7)
maybe peut-être (10)

me moi (3)
    to (for, from) — me (m')
    (14)
meal le repas (16)
mean méchant, -e (12)
to mean vouloir dire (11)
meat la viande (15)
Mediterranean la Méditer-
    ranée (17)
to meet rencontrer (13)
to memorize apprendre par
    cœur (12)
mess le gâchis (16)
Mexican mexicain, -e (9)
Mexico le Mexique (17)
Mexico City Mexico (9)
middle: in the — of au mi-
    lieu de (12)
midnight minuit (6)
milk le lait (15)
mineral water l'eau minérale
    f. (15)
minus moins (8)
Miss mademoiselle (1)
mistake la faute (8)
mom maman f. (9)
Monday lundi m. (7)
money l'argent m. (10)
monkey le singe (12)
month le mois (7)
Montreal Montréal (9)
moon la lune (8)
more: no — ne . . . plus (18)
morning le matin (6); la ma-
    tinée (11)
    every — tous les matins
        (18)
    in the — le matin (6); time
        + du matin (6)
Moscow Moscou (10)
mother la mère (3); maman
    f. (9)
    Mother's Day la Fête des
        Mères (11)
motorbike la moto (4)
mountain la montagne (2)

to go —-climbing faire
    de l'alpinisme m. (8)
to (in) the —s à la mon-
    tagne (2)
mouse la souris (12)
mousse: chocolate — la
    mousse au chocolat
    (15)
movie le film (6)
    — cartoon le dessin ani-
        mé (6)
    —s le cinéma (5)
    — theater le cinéma (5)
Mr. Monsieur (1)
Mrs. Madame (1)
much beaucoup de (16)
    how — combien (de) (5)
    so — tant (de) (18)
    too — trop (de) (16)
    very — beaucoup (5)
museum le musée (5)
music la musique (14)
must il faut (9)
my ma, mon, mes (3)

name: my — is je m'appelle
    (1)
napkin la serviette (16)
narrow étroit, -e (9)
natural naturel, -le (11)
naughty méchant, -e (12)
near près (de) (5)
nearby à côté (10)
neat! chic! (7)
necessary: it's — il faut (9)
necklace le collier (14)
necktie la cravate (14)
to need avoir besoin de (14)
neighbor le voisin, la voisine
    (4)
nephew le neveu, pl. les ne-
    veux (3)
the Netherlands les Pays-Bas
    m.pl. (17)
never ne . . . jamais (18)
new nouveau (nouvel), nou-
    velle (8;12)
news: TV — le journal télé-
    visé (6)

newspaper le journal, pl. les
    journaux (6)
next (adj.) prochain, -e (11);
    (adv.) ensuite (15)
    — to à côté de (5)
nice aimable (10); sympa (14)
    it's — out il fait beau (7)
Niçoise salad la salade ni-
    çoise (15)
niece la nièce (3)
night la nuit (8)
    every — tous les soirs (18)
    it's —time il fait nuit (8)
    last — hier soir (11)
    the — before la veille (de)
        (16)
nine neuf (4)
nineteen dix-neuf (4)
ninety quatre-vingt-dix (13)
no non (1); pas de + noun (8)
    heck — mais non (2)
    — good in + school sub-
        jects nul, nulle en (11)
    — longer ne . . . plus (18)
    — one personne . . . ne
        (18)
nobody personne . . . ne (18)
noise le bruit (18)
noon midi (6)
north le nord (17)
North America l'Amérique
    du Nord f. (17)
northeast le nord-est (17)
northwest le nord-ouest (17)
Norway la Norvège (17)
Norwegian norvégien, -ienne
    (10); le norvégien (10)
not pas (1;8); ne . . . pas (4)
    — any more ne . . . plus
        (18)
    — anyone ne . . . person-
        ne (18)
    — anything ne . . . rien
        (18)
    — at all pas du tout (5)
    of course — mais non (2)
notebook le cahier (1)
nothing rien . . . ne (18)
novel le roman (9)
    detective — le roman po-
        licier (10)

November novembre *m.* (7)

now maintenant (5)

nurse l'infirmier *m.*, l'infir-mière *f.* (13)

occupation la profession (13)

occupied occupé, -e (10)

ocean l'océan *m.* (17)

o'clock une heure, deux heures, etc. (6)

October octobre *m.* (7)

of de (2;5)

off: to get — descendre (de) (17)

to offer (to) offrir à (11)

office le bureau, *pl.* les bu-reaux (5)

— clerk l'employé *m.*, l'em-ployée *f.* de bureau (13)

post — la poste (2)

often souvent (7)

oil l'huile *f.* (16)

okay d'accord (3)

old vieux (vieil), vieille (8;12)

how — are you? quel âge avez-vous? (12)

— pal mon vieux, ma vieil-le (16)

older aîné, -e (12)

omelette l'omelette *f.* (15)

on sur (3); à (4)

to get — monter (dans) (17)

once une fois (18)

one un, une (4)

onion l'oignon (15)

— soup la soupe à l'oignon (15)

only seul, -e (10); unique (12); ne . . . que (18)

to open ouvrir (6)

opera (house) l'opéra *m.* (5)

opposite en face de (5)

or ou (5)

orangeade l'orangeade *f.* (10)

order: in — to pour (9)

to order commander (10)

to organize organiser (14)

other autre (10)

our notre, nos (4)

out:

to get — of descendre (de) (17)

to go — sortir (de) (9)

outdoors dehors (7)

outside dehors (7)

over:

— there là-bas (3)

to go — réviser (6)

overcoat le manteau, *pl.* les manteaux (14)

oyster l'huître *f.* (15)

Pacific Ocean le Pacifique (17)

to pack (one's bags) faire ses bagages *m.pl.* (18)

package le paquet (14)

page la page (2)

pal: old — mon vieux, ma vieille (16)

pants le pantalon (3)

paper le papier (1)

(news) — le journal, *pl.* les journaux (6)

paperback le livre de poche (11)

pardon me pardon (5)

parents les parents *m.pl.* (3)

park le parc (4)

part (*in a play*) le rôle (13)

party la fête (14); la surprise-party (14)

to pass (a test) réussir à (un exa-men) (11)

pastry la pâtisserie (15)

peas les petits pois *m.pl.* (15)

Peking Pékin (9)

pen le stylo (1)

pencil le crayon (1)

people les gens *m.pl.* (10)

a lot of — beaucoup de monde (14)

pepper le poivre (16)

perhaps peut-être (10)

pharmacist le pharmacien, la pharmacienne (13)

pharmacy la pharmacie (13)

to phone téléphoner à (9)

photo(graph) la photo (11)

physics la physique (11)

piano le piano (14)

to play the — jouer du pia-no (14)

picture l'image *f.* (2); la photo (11)

pie la tarte (15)

apple — la tarte aux pom-mes (15)

pig le cochon (12)

pilot le pilote (13)

to place mettre (16)

plane l'avion *m.* (4)

plans les projets *m.pl.* (17)

plate l'assiette *f.* (16)

play la pièce (6)

to put on a — jouer une pièce (13)

to play jouer (6)

to — (*musical instruments*) jouer de (14)

to — (*sports & games*) jouer à (6)

please s'il vous (te) plaît (5; 9)

p.m. de l'après-midi (6); du soir (6)

poem le poème (9)

poet le poète (9)

poison le poison (16)

Poland la Pologne (17)

policeman l'agent *m.* (5)

pool: swimming — la pis-cine (2)

poor pauvre (5)

pork roast le rôti de porc (15)

port le port (5)

Portugal le Portugal (17)

Portuguese portugais, -e (9); le portugais (9)

possible possible (5)

post card la carte postale (14)

poster l'affiche *f.* (1)

postman le facteur (13)

post office la poste (2)

potato la pomme de terre (15)

to prefer aimer mieux (6)
to prepare préparer (6)
   present le cadeau, *pl.* les cadeaux (11)
   pretty joli, -e (5)
    — + *adj.* assez (12)
profession la profession (13)
progress: to make — faire des progrès *m.pl.* (13)
to pronounce prononcer (15)
   Provence: of (from) — provençal, -e; *pl.* provençaux, -çales (16)
   Punch and Judy le Guignol (4)
   pupil l'élève *m.&f.* (1)
purse le sac (14)
to put (in, on) mettre (16)
   to — on a play jouer une pièce (13)

quarter:
   — past (six) (six) heures et quart (9)
   — to (six) (six) heures moins le quart (9)
québecois québécois, -e (10)
question la question (11)
   to ask a — poser une question (11)
quick! vite! (4)
quickly vite (10)
quite assez (12)

radio la radio (6)
railroad station la gare (2)
rain la pluie (7)
to rain pleuvoir (9)
   it's —ing il pleut (7)
raincoat l'imperméable *m.* (14)
rather assez + *adj.* (12)
to read lire (14)

really vraiment (10)
to recognize reconnaître (18)
record le disque (6)
   — player l'électrophone *m.* (14)
recorder: tape — le magnétophone (2)
red rouge (5)
   to turn — rougir (7)
redheaded, a redhead roux, rousse (9)
refrigerator le réfrigérateur (16)
to remain rester (6)
response la réponse (11)
restaurant le restaurant (5)
to return rentrer (6)
to review réviser (6)
rhinoceros le rhinocéros (12)
rice le riz (15)
rich riche (5)
right:
   — away tout de suite (12)
   to be — avoir raison (8)
   to the — (of) à droite (de) (5)
ring la bague (14)
river le fleuve (8)
the Riviera la Côte d'Azur (5)
road la route (11)
roast pork le rôti de porc (15)
role le rôle (13)
   lead — le rôle principal, *pl.* les rôles principaux (13)
room:
   class — la salle de classe (1)
   dining — la salle à manger (16)
rooster le coq (12)
to run into rencontrer (13)
Russia la Russie (17)
Russian russe (10); le russe (10)

sad triste (6)
sailboat le bateau à voiles (4)
sailor le marin (13)

salad la salade (15)
salesperson le vendeur, la vendeuse (11)
salt le sel (16)
same même (10)
sand le sable (8)
sandwich le sandwich, *pl.* les sandwichs (15)
Saturday samedi *m.* (7)
saucer la soucoupe (16)
to say (to) dire (à) (14)
to scare faire peur à (12)
scarf le foulard (14)
school l'école *f.* (2)
   high — le lycée (5)
sea la mer (8)
season la saison (7)
secretary le/la secrétaire (13)
to see voir (13)
to sell vendre (10)
Senegal le Sénégal (17)
Senegalese sénégalais, -e (9)
sentence la phrase (11)
September septembre *m.* (7)
to serve servir (9)
service: at your — à votre service (5)
to set the table mettre le couvert (16)
seven sept (4)
seventeen dix-sept (4)
seventy soixante-dix (13)
several plusieurs (14)
she elle (2)
sheep le mouton (12)
shirt la chemise (3)
shoe la chaussure (3)
shop la boutique (13)
to shop faire des achats (8)
   short petit, -e (6); court, -e (9)
to show (to) montrer à (6)
   sidewalk café la terrasse d'un café (10)
silence le silence (18)
to sing chanter (14)
sink l'évier *m.* (16)
sir monsieur, *pl.* messieurs (1;3)
sister la sœur (3)
six six (4)
sixteen seize (4)

sixty soixante (7)
to ski faire du ski (8)
   to water-— faire du ski nautique (8)
ski jacket l'anorak *m.* (8)
skiing le ski (8)
skinny maigre (9)
skirt la jupe (3)
sky le ciel (8)
slacks le pantalon (3)
to sleep dormir (9)
   to — late faire la grasse matinée (11)
sleepy: to be — avoir sommeil (8)
slowly lentement (10)
small petit, -e (6)
smart calé, -e (10)
snack le goûter (6)
snail l'escargot *m.* (15)
snow la neige (7)
to snow neiger (7)
so alors (3)
   — much, — many tant de (18)
soccer le football (6)
   to play — jouer au football (6)
social studies les sciences sociales *f.pl.* (11)
sock la chaussette (3)
soldier le soldat (13)
some des (7;15); quelques (14); de la (l'), du (15); en (15)
someone quelqu'un (18)
something quelque chose (12)
   to have — (to eat or drink) prendre quelque chose (12)
sometimes quelquefois (7)
son le fils (3)
song la chanson (14)
soon bientôt (12)
sorry: to be — regretter (18)
so-so comme ci, comme ça (1)
soup la soupe (15)
   onion — la soupe à l'oignon (15)
south le sud (17)

South America l'Amérique du Sud *f.* (17)
southeast le sud-est (17)
southwest le sud-ouest (17)
Spain l'Espagne *f.* (17)
Spanish espagnol, -e (9); l'espagnol *m.* (9)
to speak parler (6)
to spend *(time)* passer (11)
spoon la cuillère (16)
sports les sports *m.pl.* (6)
spring le printemps (7)
   in the — au printemps (7)
stadium le stade (5)
stamp le timbre (14)
star l'étoile *f.* (8)
to start commencer (15)
station: railroad — la gare (2)
to stay rester (6)
steak le bifteck (15)
steward le steward (13)
stewardess l'hôtesse de l'air (13)
still toujours (6)
stingy avare (6)
stocking le bas (3)
store le magasin (13)
   book — la librairie (11)
   department — le grand magasin (9)
story l'histoire *f.* (11)
stove la cuisinière (16)
stranger l'inconnu *m.*, l'inconnue *f.* (12)
street la rue (5)
student l'élève *m.&f.* (1); l'étudiant *m.*, l'étudiante *f.* (11)
studies: social — les sciences sociales *f.pl.* (11)
to study étudier (6)
stupid bête (10)
to succeed (in) réussir à + *infinitive* (12)
suddenly tout à coup (12)
sugar le sucre (15)
suit le complet (14)
   bathing — le maillot (3)
suitcase la valise (18)

   to pack one's — faire sa valise (18)
summer l'été *m.* (7)
sun le soleil (7)
   it's sunny il fait du soleil (7)
Sunday dimanche *m.* (7)
supermarket le supermarché (9)
sweater le pull-over (3)
Sweden la Suède (17)
Swedish suédois, -e (10); le suédois (10)
to swim nager (15)
swimming pool la piscine (2)
Switzerland la Suisse (17)

table la table (2)
   to set the — mettre le couvert (16)
tablecloth la nappe (16)
to take prendre (12)
   to — *(courses)* faire de + *course* (11)
   to — a test passer un examen (11)
   to — a trip faire un voyage (8)
to talk parler (6)
tape la bande (2)
   — recorder le magnétophone (2)
tea le thé (15)
to teach enseigner (11)
teacher le professeur, le prof (1)
to telephone téléphoner à (9)
television la télé (6)
to tell dire (à) (14)
ten dix (4)
tennis le tennis (6)
   to play — jouer au tennis (6)
terrible affreux, -euse (18)

test l'examen *m.* (11)
    to fail a — rater un examen (11)
    to pass a — réussir à un examen (11)
    to take a — passer un examen (11)
to thank remercier (14)
    thank you, thanks merci (1)
    that ça (1); ce (cet), cette (10); que (13)
    — is c'est (1)
the le, la, l' (1); les (2)
theater le théâtre (5)
    movie — le cinéma (5)
their leur, -s (4)
them elles, eux (3); les (13)
    to (for, from) — leur (14)
then alors (3); puis (12); ensuite (15)
there là (5); y (15)
    over — là-bas (3)
    — is, — are voilà (1); il y a (5)
these ces (10)
    — are ce sont (2)
they elles, ils, on (2); eux (3)
    — are ce (ils, elles) sont (2; 3)
thin maigre (9)
    to get — maigrir (7)
things: how are — ? ça va? (1)
to think penser (12); croire (13)
    to — about penser à (12)
    to — of penser de (14)
thirsty: to be — avoir soif (8)
thirteen treize (4)
thirty trente (7)
    6:30 six heures et demie (9)
this ce (cet), cette (10)
    — is c'est (1); *(on telephone)* ici (9)
those ces (10)
    — are ce sont (2)

thousand mille (13); *(in dates)* mil (13)
three trois (4)
Thursday jeudi *m.* (7)
ticket le billet (10)
tie la cravate (14)
tiger le tigre (12)
time la fois (18)
    a long — longtemps (18)
    (at) what —? à quelle heure? (6)
    on — à l'heure (17)
    —s *(in math)* fois (13)
    what — is it? quelle heure est-il? (6)
timetable l'horaire *m.* (18)
tip le pourboire (15)
    — included le service est compris (15)
tired fatigué, -e (10)
to à (2;5); chez (2); en (9)
today aujourd'hui (7)
    — is c'est aujourd'hui (7); nous sommes (7)
tomato la tomate (16)
tomorrow demain (9)
too aussi (4); trop (7)
    — much, — many trop de (16)
tourism le tourisme (13)
tourist le/la touriste (18)
town la ville (9)
    to (in) — en ville (9)
traffic la circulation (18)
train le train (4)
    — station la gare (2)
to train faire un stage (13)
training period le stage (13)
tree l'arbre *m.* (4)
trip le voyage (17)
    on a — en voyage (17)
    to take a — faire un voyage (8)
truck le camion (4)
truly vraiment (10)
trunk la malle (18)
Tuesday mardi *m.* (7)
turkey le dindon (12)
to turn:
    — red rougir (7)
    — yellow jaunir (7)

TV la télé (6)
    — news le journal télévisé (6)
twelve douze (4)
twenty vingt (4)
twice deux fois (18)
two deux (4)
typically typiquement (16)

ugly laid, -e (8)
umbrella le parapluie (14)
uncle l'oncle *m.* (3)
under sous (3)
to understand comprendre (12)
unfortunately malheureusement (9)
unhappy triste (6)
United States les Etats-Unis *m.pl.* (17)
university l'université *f.* (11)
unknown inconnu, -e (9)
unoccupied libre (10)
until jusqu'à (11)
up: to go — monter (17)
us nous (3)
    to (for, from) — nous (14)
vacation les vacances *f.pl.* (7)
    on — en vacances (7)
    to spend a — passer des vacances (17)
    to take a — prendre des vacances (17)
van la caravane (17)
vegetable le légume (15)
very très (1)
    — much beaucoup (5)
villa la villa (2)
to visit *(someone)* faire une visite à (14); *(a place)* visiter (17)
volleyball le volleyball (9)
    to play — jouer au volleyball (9)

to wait (for) attendre (10)
    to — on servir (9)
waiter le garçon (10)

waitress la serveuse (10)
wallet le portefeuille (14)
to want vouloir (11)
   warm chaud, -e (8)
      it's — out il fait chaud (7)
      to be — *(of people)* avoir chaud (8)
   wastebasket la corbeille (1)
   watch la montre (14)
to watch regarder (6)
   water l'eau, *pl.* les eaux *f.* (8)
      mineral — l'eau minérale *f.* (15)
to water-ski faire du ski nautique (8)
   way: on the — (to) en route (pour) (11)
   we nous, on (2)
to wear porter (6)
   weather le temps (7)
   Wednesday mercredi *m.* (7)
   week la semaine (7); huit jours (17)
      two —s quinze jours (17)
   weight:
      to gain — grossir (7)
      to lose — maigrir (7)
   welcome: you're — je vous (t') en prie (5)
   well bien (1)
      to look — avoir bonne mine (16)
   well-behaved sage (10)
   west l'ouest *m.* (17)
   western *(movie)* le western (9)

what? qu'est-ce qui? (5); qu'est-ce que? (6); quel?, quelle? (6;7; 12); que? (12); quoi? (13)
when quand (6)
where où (1)
   from — d'où (17)
which? quel?, quelle? (12)
while pendant que (6)
white blanc, blanche (6)
who qui (1)
whom? qui est-ce que? (12)
   to — à qui (13)
why pourquoi (4)
wide large (9)
wife la femme (12)
wind le vent (7)
   it's windy il fait du vent (7)
window la fenêtre (1)
wine le vin (15)
winter l'hiver *m.* (7)
with avec (3)
   to go — accompagner (14)
without sans (18)
Wolof le wolof (9)
woman la femme (10)
word le mot (11)
work le travail, *pl.* les travaux (13)
to work travailler (6)
worker l'ouvrier *m.*, l'ouvrière *f.* (13)
world le monde (17)

worried inquiet, -iète (10)
wristwatch la montre (14)
to write écrire (14)
   wrong:
      to be — avoir tort (8)
      what's —? qu'est-ce qui ne va pas? (16)

year l'année *f.* (7); l'an *m.* (12)
   to be . . . —s old avoir . . . ans (12)
yellow jaune (5)
   to turn — jaunir (7)
yes oui (1); si (8)
yesterday hier (11)
you toi (1); tu (2); vous (1;2)
   to (for, from) — te (t'), vous (14)
young jeune (5)
   — lady mademoiselle, *pl.* mesdemoiselles (1;3); la demoiselle (15)
younger cadet, -ette (12)
your ta, ton, tes (3); votre, vos (4)
Yugoslavia la Yougoslavie (17)

zero zéro (7)
zoo le zoo (12)

Index